リバーサイド・チルドレン

梓崎 優

カンボジアの地を彷徨う日本人少年は、
現地のストリートチルドレンに拾われた。
「迷惑はた[illegible]かけるものなんだよ」過酷
な環境[illegible]には仲間がいて、笑
いが[illegible]し、あま
りに[illegible]
突[illegible]
明[illegible]
着いた、[illegible]
びた第5回ミス[illegible]
「砂漠を走る船の道」を巻頭[illegible]
作化した『叫びと祈り』で2011年本屋[illegible]
賞にノミネートされた俊英が放った、渾
身の第一長編。第16回大藪春彦賞受賞作。

リバーサイド・チルドレン

梓崎　優

創元推理文庫

I DON'T HAVE TO CRY

by

Shizaki You

2013

目次

リバーサイド・チルドレン

序章　夢

夢はいつも、雨が降り出す瞬間から始まる。

頭上に広がった灰色の雲から、さらさらとした雨粒が落ちてくる。音もなく降る霧雨に、乾いた地面がゆっくりと濡れていく。頰を伝う水滴を舌先でひと舐めすると、確かな水の味がする。

——雨だ。

声に出してみる。傘を必要だと思わないくらいに弱々しい。でも、雨だ。

うしろから誰かの声が聞こえる。

——雨が降っているよ。

振り返ると、両親が立っている。ふたりのうしろには、小さな弟がいる。一緒に暮らす仲間もいる。雨に打たれるまま、一様に上を仰ぎながら、ささやき声を交わしている。

——雨が降っているよ。

周囲は、海の中のように青みがかっている。かと思えば、いつの間にかセピアの色調に染まっている。万華鏡をのぞいているみたいに、世界はくるくると色を変える。

雨足が次第に強くなっていく。ささやき声は雨の音になり、周囲の風景は次第にぼやけていく。地面は川に変わり、さらに足から膝、腰と水位は上がる。無人の小さな舟が一艘《いっそう》、目の前を流されていく。舟に手を伸ばそうとして、腕が動かないことに気づく。肩まで水に浸かった身体を、水圧が押さえつける。なおも川は増水を続ける。声を上げようにも、雨の音が邪魔をして、自分の声を聞くことさえ叶わない。

水没する――

そして僕は目が覚める。

目を開けると、シャツが一枚揺れていた。物干し竿代わりの紐に吊るされた濃紺のシャツの向こうには、汚れた天井板がある。風に揺れるシャツをぼんやり見上げ、それから僕はまた目を閉じた。まぶたの裏にはまだ、夢の中の光景が残っている。同じとき、同じ場所に存在したはずのない人たちが一堂に会して、雨の降る様を見つめている。天を仰ぐ人々の姿は、降りしきる雨によってぼかされ、一枚の小さな絵のようだ。

現実と幻想がない交ぜになったその絵をもっとよく見ようと、僕は絵に手を伸ばす。けれど、指先が触れた瞬間に、絵はぼろぼろと崩れ始める。魔法が解けてしまった泥人形のように、ひび割れて土くれになってしまう。

そうして、絵が完全に消えてしまってから、僕はゆっくりと目を開けた。

窓から、淡い光が差していた。雨が地面を打つ音が聞こえる。雨音に寝息が交じっているのに気づいて、横を向く。夢の中にいた仲間のひとりが、あどけない寝顔を見せている。

起こさないように、僕はそっと寝床から立ち上がると、窓に寄った。

外では、相変わらず雨が降っている。

——なぜ、雨は降るんだろうね。

雨は一ヶ月前から降り続いている。僕らの世界は、文字どおり雨季に入っている。

——雨とは、涙なんだ。

いつか聞いた言葉を、僕は思い出す。

——どうしようもなく辛いときには、星が代わりに泣いてくれるんだ。

詩的すぎるその言葉に、僕は苦笑する。つい声が出る。ふと視線を感じて、僕は振り返る。

仲間がひとり、寝ぼけ眼《まなこ》で僕を見つめている。

おはよう、と声をかける。

仲間は目を数度しばたたいて、おはよう、と言った。今日も雨は降ってる?

尋ねられて、僕は頷く。

そっか、と仲間はあくびをする。何で毎日、雨は降るんだろうね。

考える前に、言葉が口をついて出る。

僕らが笑っているからだよ。

仲間はきょとんとした表情になり、それから微笑《ほほえ》んだ。僕も笑った。ひとしきり笑い合って、
それから仲間は安心したように、また目を閉じる。

一日が始まる。

第一章　狩りの山

になる。

――土砂降り、土砂降り、今日も雨。おそらがぽろぽろ、泣いている。お池はみるみる、川になる。

ぼんやりと川を眺めながら、いつかの子守歌を口ずさんでみる。歌はくちびるから湿気を含んだ風に乗って、景色に溶け込み消えていった。後にはただ、水音だけが響いている。茶色く濁《にご》った川面《かわも》で小さな魚が一匹跳ねて、音に変化を与えた。

優しいメロディの子守歌は、昔僕の母が歌ってくれたものだ。もちろん赤ん坊のときの記憶があるわけではなく、僕はその歌を、弟を寝かしつける母の隣で憶《おぼ》えた。

弟はよく泣いた。ちょっと変な顔で脅かしてみたり、くすぐったりしただけで、すぐに弟は泣いた。そんなとき、母は僕をたしなめて、それから弟を抱いていつもの子守歌を口ずさんだ。すると、僕がどうやっても泣きやんだ例《ためし》のない弟が、母の腕の中で眠りに落ちるのだった。緩《ゆる》やかな抛物線《ほうぶつせん》のように、ごく自然に。弟をあやす母の歌が、僕は好きだった。怒られるのがわかっていても弟にちょっかいを出していたのは、その子守歌があったからかもしれない。

記憶に残る母の姿を思い浮かべながら、僕は窓の縁《へり》に両手をつき、広がる景色に目を凝《こ》らした。

川縁に立つ高床式の小屋からは、穏やかな、というよりほとんど止まっているような水の流れが見える。川幅は二十メートルくらいだろうか。茶色い水の上を、蚊とも蠅《はえ》ともつかない虫がたくさん飛んでいる。対岸には、杖代わりの鉄パイプを持った半裸の男がひとり寝転がっていた。男の背後には鋭い葉を持つ葦《あし》が生《お》い茂り、その奥に廃屋《はいおく》じみた掘っ立て小屋の、赤く錆《さ》びたトタン壁がのぞいている。

小屋から見える景色は、昨日と全く変わっていない。いや、一ヶ月前からずっと同じ気がする。それはきっと、変わらない天気のせいだろう――僕はため息をついた。そのまま頭《こうべ》を巡らし、窓辺にもたれて空を見る。

空は今日も泣いている。まるでそれが自然の摂理であるかのように、空は涙を流し続けている。

――土砂降り、土砂降り、明日も雨。おそらはどうして泣くのかな？

顔に寄ってきた虫を手で払い、また歌い始めたところで、不意に木が軋《きし》む音が耳に入った。ギギイ、ギギイ――櫂《かい》を漕ぐ音に、僕は窓から身を乗り出した。変わりないはずの川の景色に、一艘のおんぼろ舟と、帽子をかぶった少年の姿が加わっていた。予想どおり、ヴェニイだった。

「やあ《サバイ》」

「やあ《サバイ》、ヴェニイ」

櫂から離した手でピースサインを作るヴェニイに、僕もピースサインで応える。

身長以上の櫂を器用に操って舟を岸につけると、ヴェニイは櫂を放り出し、地面に降り立った。そのまま手ぶらで小屋の前まで駆けてくると、勢いよく飛び上がり、地面から二メートル近く離れた窓の縁にしがみつく。薄い板が軋むのも構わず、懸垂の要領で窓から中に入ってきたヴェニイは、僕にまた、サバイ、と挨拶をする。

「何でいつも窓から入るの？　せっかく入り口があるのに」

呆れながら入り口を指差す僕に、

「時間は椰子《やし》の実より大事って言うじゃないか。わざわざ表までまわるのも面倒だし」

薄汚れた黄色のTシャツにデニム地のハーフパンツという恰好のヴェニイは、水色の帽子の下からまん丸の目を僕に向けて、にんまり笑う。

高床式の小屋は、森と川の間の小さな空き地に立っている。土中に直接埋めた柱の、地面から一メートルほどの高さに竹を張って床を作り、薄い板で壁を打ちつけ屋根を葺《ふ》いただけの、貧相なあばら屋だ。川に面した窓の反対側には、木製の階段がついた入り口がきちんとある。けれど、小屋を出入りするとき、ヴェニイはいつも窓を使う。

首をひねりながら、僕は彼の背後に視線を送った。向こう岸で、相変わらず男が寝転がっている。ヴェニイの兄、ソムだ。川に仕掛けた網のそばで、地面に肘《ひじ》をついてのんびりと横臥《おうが》するさまに、僕は寝仏のポーズを思い浮かべる。

「ヴェニイも少しはソム兄さんを見習えばいいのに」

「やなこった」とんでもないというように、ヴェニイは手を振る。「俺は兄貴みたいにのんびりしてるのは性《しょう》に合わない」

ぶんぶん手を振るヴェニイが発した兄貴という言葉は、少し誇らしげに聞こえた。

「それより、ハヌルの様子はどうだい」

「相変わらずだよ」

僕は川から屋内に視線を戻した。明かりがないので、小屋の中は薄暗い。およそ五メートル四方の部屋には、仕切りも家具もない。ただ、天井近くに張られた紐に、シャツや短パンが半折りになって吊るされている。その、のれんのように垂れた衣類の向こう側で、少年が横になっていた。歳の頃は僕と同じ、十三歳くらいだろう。枕代わりのポリタンクに乾いてぱりぱりになった髪を押し当て、タオルケットにくるまりながら、少年はときおり湿った声をあげている。

「ハヌルはすぐ体調を崩すからな。お腹が痛いんだって?」

「うん。昨日食べたスイカがよくなかったのかも」

横になる仲間を見つめながら、僕はやたらと色の薄かった、ひょうたん形の細長い果物を思い出す。昨日は、露天商から買い叩いたスイカを皆で食べた。久しぶりの甘い食事に、皆我先にとかぶりついて、スイカはあっという間に皮だけになった。今寝込んでいる彼、仲間からは泣き虫ハヌルと揶揄《やゆ》される少年は、皮まで食べそうな勢いで最後までスイカに口をつけていた。

「でも俺たちは平気じゃないか。別に腐ってはいなかったと思うんだけどな」困ったもんだと口をとがらせながら、心配そうな眼差しで、ヴェニイはまぶたを腫《は》らした少年を見やる。「しょうがない、今日はハヌルにいいもん食わせなきゃ」

「あてがあるの？」

訊いた途端、彼は大きな目を細めた。

「ちょっとな」

「何だよ、もったいぶらないでよ」

「後のお楽しみだよ」

「――ふうん」

釈然としないまま、僕はヴェニイの恰好に目を留めた。Tシャツやハーフパンツから、注意してみれば帽子の下の黒髪まで、全身がぐっしょりと濡れていた。彼は外で何をやっていたのだろう。それも、後のお楽しみとやらに関係があるのだろうか。

「まあ、いいけど。でも、服、濡れて気持ち悪くない？」

「慣れっこさ。それに、どうせこの天気だし」

彼はうしろを振り返った。僕も彼の視線を追う。茶色い川、濃い緑色の川原、赤い掘っ立て小屋――それらの上を、大きな雲が覆っている。

六月のカンボジアの、よくある田舎の昼時の光景だ。一年中夏のような気候の中でも蒸し暑いこの時期は、カンボジアの雨季にあたる。

ヴェニイによれば、乾季だからといって砂漠みたいに全く雨が降らないわけではないし、雨季だからといって一日中雨が降り続くわけでもないらしい。あくまで晴れと雨の頻度の問題だという。だから、この一ヶ月間の天候は異常だった。太陽をつかさどる神様が、すべてを放り出して気の早い夏休みに入ってしまったかのようだった。

川の流れは停滞している。空は泣き続けている。

僕らは黙ったまま、揃って川を、空を見やる。

「何だか、大変だよな」

空を見つめてつぶやくヴェニイに、僕は小さく肩をすくめた。

「それより、どうしてヴェニイひとりだけ戻ってきたの？」

「ああ」いつもの笑顔に戻ったヴェニイは、こぶしをぐっと握った。「お前を狩りに誘いに来たのさ。今日はいいエモノが見つかる気がするんだ」

小屋を出て――やっぱりヴェニイは窓から飛び降りた――舟に乗った僕らは、ソム兄さんに手を振ってから、一本の櫂を交替で操り川を下った。止まっているように見えた川の流れは、舟に乗ってみてもやはり弱々しかった。子供の僕らでも流されることなく対岸まで簡単に泳げそうだ。つまり、一生懸命に漕がないと舟は進まない。汗ばむ気温の中、櫂を漕いでいると、やがて川原の風景は一面の葦になった。大振りの鎌の刃のような草の向こうに広がった森から、甲高《かんだか》い鳥の鳴き声が聞こえてくる。

舟のうしろ側で櫂を握りながら、僕は前に座るヴェニイの背中に目を向けた。帽子をかぶった少年は、いつもどおり川に足を投げ出している。濡れたハーフパンツの腰の部分に、ＥＤＷＩＮというロゴが縫いつけられているのが見える。

ヴェニイが穿《は》いているのは、半月前に彼が山で見つけた掘り出し物で、もともとは普通のジーンズだった。けれど、ヴェニイはジーンズの膝から下をばっさり切り落としてしまった。何てもったいない――思わず声を上げた僕に、ヴェニイはわかってないなと首を振った。

――どうせ四六時中濡れてごわごわになるんだ。それに、切り落とした膝下部分は、車の窓拭きとして売れるんだぜ。

何でもないことのように告げるヴェニイに、僕は肩から力が抜けた。呆れたのではない。言葉が、妙な説得力をもって僕に届いたからだった。

ヴェニイの言葉には、ときどき不思議な力が宿る。どんな内容でも、それが正しいように思わせる力だ。疑問や反論はどこかに吹き飛んで、僕らは黙って頷いてしまう。どうしてかはわからない。目の前に座る、たぶん僕より二、三歳上の少年の何がそうさせるのか、一緒に暮らすようになってまだ日の浅い僕にはわからなかった。

ただ、力のあるヴェニイの言葉に、僕はいつも安堵を覚える。

「何だい？」

「ううん、何でもない」

視線を感じたのか、振り返ったヴェニイに、僕は頬を緩めつつ首を振った。変なやつ、と言いながら、ヴェニイが足をばたつかせる。舟内が水しぶきで濡れていく。

二十分ほどかけて川を下ると、鬱蒼《うつそう》としていた風景がまたひらけてきて、まもなく左手に桟橋が現れた。茂る水草の間から申し訳程度に延びた桟橋は半ば朽ち、緑に変色している。桟橋の手前に一艘、小舟が浮いていた。派手な赤のペンキがところどころ剝げ落ち、木肌が露《あらわ》になっている。

「誰だろう」

桟橋はとうの昔に打ち捨てられ、今は僕ら以外に利用する人間はいないはずだ。疑問に思う僕の肩を、ヴェニイが叩く。

「ティアネンさ」

「ティアネン？」

どうしてここで仲間の名前が出るのだろう。意味がわからずにヴェニイを見る。ヴェニイは帽子のつばをわざとらしく斜《はす》に傾け、口笛をひと吹きしてから言った。

「後のお楽しみだって言っただろ」

――あてがあるの？

――ちょっとな。

――全身がぐっしょりと濡れていた。

――お前を狩りに誘いに来たのさ。

――ティアネンさ。

桟橋の前に浮かんだ小舟に再び目を向けた途端、すべてがわかった。

「もしかして、新しい舟を手に入れたの！」

「凄いだろ」

「でもどうやって」

「川下に一艘、繋がれてるのを見つけたんだ。ロープが緩んでたから、貰ってきた。つい焦ってさ、逃げる途中に一回川に落ちちゃったけど」

そこでヴェニイはTシャツの裾《すそ》を摑んで引っ張ったり戻したりした。

「前から、もう一艘欲しいと思ってたんだ。一艘だと、頑張っても四人までしか乗れないから、今日みたいにお前やハヌルが留守番することになる。でも、二艘あれば、仲間全員で山に行けるだろ。運べるエモノの量も増えるし」

「凄いなあ。やっぱりヴェニイは頼りになる」

「まあな」

黄色いTシャツを見せびらかすように、ヴェニイは胸を張った。

舟をロープで桟橋に繋ぐと、ヴェニイは舟底に置いてあった、畳んだ大きな麻袋と引っかけ棒を手に取った。引っかけ棒とは僕が勝手につけた名前で、細い棒状の金属に木の取っ手がついた、一メートルほどの長さの棒だ。棒の尖端は鉤爪《かぎづめ》のように曲がっているので、大きなくぎ抜きにも見える。促されて、僕も引っかけ棒を右手に握り、麻袋を左肩に担いだ。目の粗《あら》い麻袋から漂ってくる、腐った卵のようなにおいが鼻をつく。だけど僕は努めて気にしないようにした。この程度で音を上げていては、先に進めない。

ヴェニイに続いて、僕は桟橋から群生する葦の中に分け入った。顔の近くまで伸びた草の根元に、よく見ると踏み固められた道がある。引っかけ棒で草をかき分けながら、僕らは隠れた道を進んだ。

足元に変化を感じたのは、歩き始めて五分ほど経った頃だった。川から遠ざかっているはずなのに、ぬかるみを踏みつけた感触を足底が捉えた。同時に、ぐちゃりという粘り気のある音がする。視線を落とすと、汚れて灰色になったスニーカーの底から、黒々とした液体が染み出していた。ただの泥水とは違う、コールタールに似た色合いだ。そっと足を踏み出す。再び、ぐちゃりという音がする。

次の瞬間、おぞましい感覚が全身を走り抜けた。熱気のせいだけではない汗が背筋を流れ落ちる。原因は臭気だった。嗅ぐだけであっという間に身体が腐食してしまいそうな腐敗臭だ。その猛烈さに、身体が一瞬震え、歯ががちがち鳴った。麻袋のにおいなんて、もう何も感じない。

目の奥に痛みを感じながら、僕は顔を上げた。黄色いTシャツが、変わらないペースで進んでいく。見えない糸に引っ張られるように、僕は太陽に似た色を追いかける。

そうして、どれだけ進んだだろう。湿った地面の上を進んでいた僕の足元から突然、ぱこっという気の抜けた音が聞こえた。汚れたスニーカーの先に、バナナみたいな形にねじ曲がったペットボトルがひとつ転がっている。ペットボトルのすぐそばには、錆びついたドラム缶が横倒しになっていた。重量感のある赤茶色の缶の下から、例の黒い液体が大量に染み出している。

僕はゆっくりと顔を上げた。さっきまで視界を覆っていたはずの緑は消え、代わりに煙を上げる巨大な山が広がっていた。

ここに来るたび、僕は昔テレビで観た映画のワンシーンを思い出す。いつどこで観たのか、どんな粗筋だったのかもよく憶えていない映画の、ある一幕だ。

部屋の中に、ひとりの兵士が立っている。どことなく息苦しさを感じさせるのは、窓がないせいだろう。黒いマントで全身をすっぽりと覆った兵士は、部屋の中央を見つめている。視線の先にあるのは、巨大な赤紫色のかたまりだ。直径が五、六メートルはある球形のかたまりの表面はぬめっていて、幾筋もの血管めいたものが浮かんでいる。兵士が見守る中、規則的に律動している生肉に似たかたまりは、どれほどの大きさなのか想像もできない巨人の、心臓だった。

どこか荒廃した世界をうかがわせる映画の中で、巨人がどのような役目を担《にな》っていたのか。なぜ心臓がむき出しで部屋にあったのか。そういったことは憶えていなくても、僕は件《くだん》のシーンを鮮明に記憶していた。あまりにグロテスクだったからだ。本来は身体の中に収まっている小さな臓器が、巨大化し、露出されている。粘り気のある血を連想させる赤紫色、むき出しになってもなお止まらない蠢《うごめ》き——それは幼かった僕にとって、衝撃的な映像だった。

目の前の光景は、僕に巨人の心臓を思い出させる。

それは、厖大なごみだった。折れ曲がった金属の廃材やプラスチックの破片、生ごみのつまった大量のポリ袋、におい立つ残飯、ひびの入ったガラス瓶、空き缶、破れた雑誌、正体不明の何か――廃棄されたありとあらゆる種類のごみが積み上がってできた、ごみの山だ。

ごみの山には色のまとまりがまるでない。ある場所では、まだ捨てられてまもないごみが積み上がり、脈絡のない無数の色に溢れている。けれど少し視線を動かすと、今度は腐敗が進んだ生ごみでいっぱいの、くすんだ気味の悪いピンクの場所がある。さらに奥に目を向ければ、焼け野原のように黒ずんでいる。そして山のそこかしこから、ごみが発火していることを示す煙が上がっている。山の裾野に当たる部分から、ごみの重みで絞り出されたみたいに、黒い液体が染み出していた。胸をえぐるようなにおいを発する液体の周囲を、たくさんの鳥や虫が飛び交っている。

搏動する巨人の心臓のグロテスクなイメージが、目の前にちらつく。

川縁に広がるごみ捨て場、それが、僕らが〝山〟と呼ぶ狩場だ。

山の傾斜は、奥に進むにつれて急になっている。黒く浅い沼に足を沈めながら、ヴェニイは一歩ずつ前に進んでいく。

――どうせ四六時中濡れてごわごわになるんだ。

ジーンズの膝下を切り落としたヴェニイの言葉を思い出しながら、込み上げる吐き気をこらえ、僕も彼に続く。

方々から、うっすらと煙が立ち、まるで山が呼吸をしているみたいに見える。危険なので煙には近づかないよう注意しながら、高さ自体は大したことのない山の、天辺《てっぺん》近くまで駆け上がる。そこに狩人《かりゅうど》——ティアネンがいた。上半身裸の少年が、積み上がった大きなビニール袋に引っかけ棒を突き刺し、乱暴に中身を漁《あさ》っている。おーい、と声をかけると、ティアネンはこちらを振り向いて、おう、と言った。

「遅い。早くエモノを狩らないと夜になるぞ」

「まだ昼間だよ——フラウェムやコンは？」

「知らねえ。その辺にいるんじゃないか？」

大柄な少年は、引っかけ棒を振りまわして、大雑把《おおざっぱ》に右手を示した。顔を向けると、痩《や》せた野良犬が一匹、青いポリ袋の中に顔を突っ込んでいた。見える範囲に、仲間の姿はない。

「その辺、ね」

「何だよ、俺はあいつらのお守《もり》じゃないぜ。文句あるのか」

つい洩らした言葉に、ティアネンは顔色を変えて僕につめ寄ってきた。脂ぎった髪が、ワックスで固めたみたいに右に寄せられている。いつもにやけているように見える垂れ気味の目には、怒りの色がにじんでいた。

「俺は必死にエモノを探してんだ。あいつらにいちいち目を配る余裕なんかねえよ」

「エモノはどれくらい見つかった？」

麻袋を掲げながら、ヴェニイがさり気なく僕とティアネンの間に割って入る。

「——あんまりだな」気勢をそがれたせいか不満げな表情で、ティアネンはヴェニイに向き直る。「減ってるような気がするんだよ」

「何が？」

首を傾《かし》げる僕に、だからエモノがだよ、と口をとがらせる。何かにつけて他人に突っかかる態度は相変わらずだ。

「ここ数日、何となく思ってたんだけどな。前と比べて、エモノが減ってる」

「皆がごみを拾いすぎてるってこと？」

僕は周囲を見まわした。野良犬がいるのとは反対側に、家族連れがひと組、ごみを拾っているのが見える。もっと遠くの、ごみの搬入口《はんにゆうぐち》の方に行けば、人もたくさんいるだろう。それでも、ごみが目に見えて減るほど人が押し寄せているとは思えなかった。

「——ということもないよね」

「当たり前だろ。それにエモノは毎日トラックが運んでくるんだからな」

「じゃあ、減る理由がない」

「わかってるよ」僕の言葉に、ティアネンは顔をしかめる。「でも、実際そう感じるんだから、仕方ないだろ。それとも、俺が勘違いしてるって言いたいのか」

「そういうわけじゃないけど」

「けど何だよ」

「よし、仕事しよう」再び声に怒気を孕《はら》ませるティアネンに、ヴェニイが陽気な声をかける。

「放っておくと、いいエモノがどんどん減っちゃうのは確かだからな」

そう言うが早いか、ヴェニイは麻袋を背負い直すと、野良犬のいる方へと歩いていく。

小さく舌打ちすると、働くか、とティアネンはため息をついた。短パンに縫いつけられた、弓のエンブレムを撫でてから、僕を見下ろして言う。

「おい、ちゃんと狩れよ」

「わかってるって」

「どうだか」ティアネンは蔑《さげす》んだ目を僕に向ける。「お前、いつもエモノの量が一番少ないじゃないか」

言い返そうとする僕を遮《さえぎ》る恰好で、ティアネンは引っかけ棒を振りかざした。そのまま、見えない生物の息の根を容赦なく止めるように、地面に向けて振り下ろす。ビニール袋の切れ端が宙を舞う。

「エモノを狩れないやつは、役立たずだからな」

同じ動作をティアネンは繰り返す。引っかけ棒と鉄くずがかち合って、不快な音を立てる。虫が這ったみたいに、急に背中がかゆくなる。僕は慌てて、ヴェニイとは反対の方角に歩を進めた。

百メートルほど歩いてから、僕は麻袋を地面に下ろした。からっぽの袋の口を大きく開ける。僕はゆっくりとした歩調で、コンパスで円を描くように袋の周りをまわった。足元に目を落とし、引っかけ棒でごみをかき分ける。手近にあった、白黒のまだら模様のポリ袋に引っかけ棒を突き刺すと、波が引くように黒い模様が消えた。ゴキブリか何かだったらしい。虫のいなくなったポリ袋を裂いて開けると、残飯に塗《まみ》れたペットボトルがふたつ転がり出てきた。拾って、麻袋に放り込む。すぐそばに、つぶれた空き缶が落ちているのを見つける。それも袋に投げ入れる。ひとしきり歩きまわると、袋を担いで場所を移動する。そして同じ作業を繰り返す。

僕らは、ごみを拾って暮らしている。

カンボジアの巨大なごみ捨て場、日々トラックが搬入するごみが積み上がってできた山で、僕らは引っかけ棒を振るう。ポリ袋を裂いて開け、鉄くずや空き缶、ペットボトル、ビニールといったごみを、麻袋につめ込んでいく。袋がいっぱいになったら、川下の業者のもとに運ぶ。業者は、それらのごみを質と量に応じて、適当なレートで換金してくれる。そうして得たわずかなお金で、僕らはその日初めての食事を口にする。

引っかけ棒と麻袋を手に山を歩きまわる様は、狩りに似ている。だから、ごみを拾う行為を、僕らは〝エモノを狩る〟と表現していた。その言いまわしを特に気に入っているのはティアネンだ。短パンの弓のエンブレムを撫でて、狩り、狩りと連呼する姿は、まるで本当に狩人であるみたいだ。当然、彼は狩りの成果にも人一倍こだわる。成果が不本意だと、彼は一日中苛立《いらだ》ちを隠さない。そしてその苛立ちは、同じように成果の少ない仲間にも向けられる。

——エモノを狩れないやつは、役立たずだからな。

麻袋の位置を七回変えたところで、僕は作業を止めた。じっとりと汗ばんだ額を手で拭《ぬぐ》う。前かがみの姿勢を続けたせいで、腰が痛い。ごみを拾い始めてから二時間くらい経っただろうか。遠く、雲の切れ間から、淡い午後の光がうっすらとのぞいていた。大人ひとりは楽に入れそうな大きさの麻袋の中は、半分まで埋まっている。

　頭を巡らすと、少し先で、長靴姿の親子三人がごみの上に座り込んでいるのが見えた。最初に見た家族連れだろう。だいぶ遠くまで来たようだ。一旦皆のところに戻ることに決めて、麻袋を肩に担ぐ。思っていたよりも重く、肩に痛みが走る。

　牛のような遅々としたペースで進みながら、僕は山を眺めた。始終どこかでごみが燃えて煙っているせいで、全景を見渡せたことはないけれど、それでも山の広大さは想像できた。大量のごみがあるということは、それだけ生活の糧《かて》が得られるということだ。山の隣にはバラックが密集した、結構な規模のスラム街がある。山の上に直接掘っ立て小屋を建てて暮らしている人までいる。

　舌をだらしなく垂らした野良犬が一匹、そばに寄ってきた。さっき見たのとは別の犬だ。無視を決め込んで歩いていると、犬はしばらく名残《なごり》惜しそうに並走したあと、唐突に走り去った。荒い息遣いが遠のくのを耳にして、僕はそっと胸を撫で下ろす。

　山に集まるのは人だけではない。ここには、たくさんの野良犬が棲息している。日々新しい残飯が運び込まれる山は、恰好の餌場《えさば》なのだ。頭数が増えると、人と同じように犬も群れを作るらしい。一度、僕は山で野良犬に囲まれたことがある。仲間と三人でごみを拾っている最中、いつの間にか、五、六匹の犬が僕らの周りをぐるぐるとまわっていた。開いた口から牙と舌をのぞかせ、鼻を地面すれすれに近づけながら、目だけを僕らに向けていた。

　あのときの恐怖は、今も鮮明に記憶している。

――あいつらに悪気はないんだよ、ハヌル。

その日の帰り、ヴェニイは怯《おび》える仲間に舟の上で説明した。

――縄張りを荒らされたか、危害を加えられたか。あいつらが牙を剝くのは、こっちが仕掛けたときだけだ。

――動物は決して、自分からは人を襲わない。

実際、犬に気がついたヴェニイは、僕らにその場をそっと離れるように指示した。慌てず、落ち着いて、ゆっくりと。恐る恐る立ち去る僕らを、犬が追いかけてくることはなかった。

――お互い、構わないようにすれば十分なのさ。

身体にしみつくにおいと、煙を上げるごみの熱と、目が痛くなる色彩に満ちたごみ捨て場――それが、たくさんの命を繋《つな》いでいる。ここでは、汚いとかくさいとかいう言葉は意味を持たない。どんなに虫が湧いていても、汚物に塗れていても、空き缶が転がっていれば僕らは手を伸ばす。そこに、人と犬の違いはない。

――エモノを狩れないやつは、役立たずだからな。

最初にティアネンを見つけた場所で、ヴェニイが麻袋に腰かけていた。帽子で顔をあおいでいる。ティアネンたちの姿はない。舟が二艘になったので、僕らを待たず先に帰ったのだろう。

ヴェニイが椅子代わりにしている麻袋は大きく膨《ふく》らみ、口から棒状の鉄くずが飛び出ていた。僕とヴェニイ、ふたりが拾ったごみの量の差は明らかだった。

僕に気づいたヴェニイが、帽子を振って寄こす。僕も手を振り返す。無理に手を伸ばしたせいか、袋が肩に食い込んで、痛みが増した。

舟にごみを運び込み、桟橋からさらに下流に向かう。舟は変わらず、ゆっくりと水面を滑っていく。

下っていく間、僕とヴェニイは集めたごみを少しずつ川の水で洗った。漕ぎ手と洗い手を交替しながら、川の水で軽くゆすぐ。においや汚れがきれいに落ちるわけではないけれど、それでも洗うのと洗わないのとでは値打ちが変わるのだ、とヴェニイは言う。

舟の右手に相変わらず森が広がる一方で、左手の景色は上流と大きく変わっていた。まばらに生えた木々の向こうにはカンボジアの田園風景が広がっている。田圃《たんぼ》には青い稲穂が実り、笠をかぶった小さな人影が動いている。奥にはぽつぽつと木が立ち、椰子の葉で葺いた屋根の建物が見える。ポストカードの一枚になりそうな、素朴な景観だった。目をつぶれば、湿った風に青葉のにおいを感じ取れそうな気がした。けれど、舟に載せたごみのにおいが邪魔をする。

やがて右手の、真っ直ぐにそそり立つ一際大きな木を過ぎたあたりで、僕らは舟を右の岸に寄せた。草陰に舟を隠し、麻袋を担いで陸に上がる。

「盗まれちゃあ、たまらないからな」

舟を盗んできた張本人が、真面目くさった口調で言う。

引っかけ棒で岸辺の草をかき分け歩く。両側に背の高い木が生えた薄暗い林の中を進んでいくと、突然、道路に出た。目の前を、トラックが走り抜ける。荷台に、足を四本とも棒に縛りつけられ宙吊りにされた豚が乗せられていた。丸焼きになるのを待つかのような姿勢の、生気を感じさせない豚と、一瞬目が合う。

車線などない、未舗装の土の道路だ。路面はでこぼこで、へこんだ部分にはごみが溜まっている。それでも、騒々しい音を立てながら、ひっきりなしに車が通る。

その道路を挟んだ向かい側に、四角い建物が立っていた。壁はコンクリートの打ちっぱなしで、周りを鉄柵《てっさく》が囲んでいる。青いペンキでカンボジア語が書き殴られた看板が一枚、柵の切れ間に立っているだけで、他に何ひとつ飾り気はない。一見廃屋にも見える建物は、屋内から響く無愛想なモーター音で、かろうじて現役のスクラップ工場だとわかる。

工場の入り口で、アンダーシャツと短パン姿の男が煙草を吸っていた。柵の中に入った僕らを認めるなり顔をしかめ、あごで屋内を示す。僕らは黙って男の脇を通る。工場の中には、スクラップになった車やゴムタイヤ、鉄パイプといったものが種類ごとに積み上げられていた。天井にあまり高さがないために圧迫感のある建物の中心で、汚れたランニング姿の太った男が箱形の機械を蹴り飛ばしていた。何と言っているのかわからないが、とにかく罵詈《ばり》雑言《ぞうごん》を浴びせている。

「おい、親爺！」

尻込みしそうになる僕の横で、ヴェニイが快活に声をかける。男は物凄い形相《ぎょうそう》でこちらを向くと、もう一度機械を蹴ったあと、傍《かたわ》らのブルーシートを指差した。麻袋の中身をシートに広げると、男は早速シートの中を歩きまわる。

「今日もつまらねえもんばかりだなあ、おい」

「三千リエルだ」

男の小言を無視して、ヴェニイが指を三本立てた。

「ふざけんな。合わせて千リエルにもなりやしねえ」

「二千リエル」

「ビニールは」

僕はビニール袋の束を拾い上げる。

「ふん、きたねえビニールだなあ。少しは洗ってこい」

「洗ったよ」

「洗いが足りねえんだよ」

ヴェニイを一喝《いっかつ》すると、男は尻のポケットから皺《しわ》だらけの紙幣をヴェニイの手のひらに叩きつけた。千リエルだった。全部仕分けて隅に置いておけ、そう言って立ち去ろうとする男の前に、ヴェニイが素早くまわり込む。

「足りないよ」

「お前らには十分だろうが」

「他のやつには二千リエル以上払ってただろ」

「黙れ！　これ以上口を開くと蹴り出すぞ」

言うそばからヴェニイを蹴り飛ばす。尻の痛みに顔をしかめながらも、ヴェニイはひるむ様子もなく、右手を男に突き出した。

「あと五百くれたら俺が仕分けるよ」

「おい」

「千リエル追加なら、ふたりで手早く仕分ける」

「早くしろってんだ！」

男は身体に比して随分と小さな目を見開きながら怒鳴ると、床に百リエル紙幣を五枚、投げ捨てた。ヴェニイが悠々とそれを拾い上げ、僕に笑いかける。僕らは手早くごみをビニール、鉄屑、空き缶と種類ごとに仕分けると、からになった麻袋を担ぎ上げる。

「あと五百リエルで床掃除——」

「さっさと失せろ！」

男の蹴りをあっさり避けると、ヴェニイは大声で笑いながら、出口に向かって走った。慌てて僕も追いかける。走る僕らのうしろで、男の怒声が次第に、機械の発するモーター音にかき消されていく。

「まあまあ、かな」千五百リエル分の紙幣を大切そうに折り畳みながら、ヴェニイが感慨深げにつぶやいた。「働くことは素晴らしい。お、これって名言じゃないか？」

山の周辺には、廃品回収を営《いとな》む業者が複数いる。アルミの回収を専門に行う者や、家畜の餌となる残飯を引き取る者など、業者によって受け入れるごみやその換金レートは異なる。

工場の親爺は乱暴者で、何かといっては機械を蹴り、僕らを蹴る。けれど態度のわりに払いは悪くなく、引き受けるごみの種類も豊富だ。山からは少し距離があるけれど、工場は僕らの得意先だった。

「そういえば、ティアネンたちとすれ違わなかったな」見つけることを期待していない、おざなりな様子でヴェニイは周囲を見まわす。「たぶん別の、もっと山から近い業者のところに行ったんだろうな。スラム街の業者とか。ティアネンは気が短いから」

工場から出た僕らは、入り口のすぐそばで、柵に寄りかかって休憩していた。傍らに、もやしみたいなひょろっとした木が数本生えている。生白い木の表面を押してみると、木はゆらゆらと揺れた。力を入れれば簡単に折れてしまいそうな、不安定な揺れ方だった。

無性に、背中がかゆくなる。

「――凄いな」

知らずつぶやいた言葉に、ヴェニイが丸い目を僕に向けた。

「どうした」

真っ直ぐな眼差しに、僕はまぶしさを覚える。

「ヴェニイは凄いな」つい、目を逸らしてしまう。「今回もヴェニイ頼りだった。僕は一リエルも引き出せなかった」

「よしてくれって」浅黒い手が、僕の左肩を力強く叩く。「俺はあの親爺の扱いがうまいだけ。あいつは単純なんだよ。お前もすぐにわかるって」

「うん」

ヴェニイが励ましてくれているのはわかる。けれど、肺を圧迫されているような息苦しさが消えることはなかった。

工場のブルーシートにぶちまけたときの、ごみの量の違い。

最初からヴェニイしか相手にしていなかった、工場の親爺。

今日もまた、僕は何の役にも立たなかった。その自覚は僕の胸に食い込んで離れない。

──エモノを狩れないやつは、役立たずだからな。

「お前、自分が皆の迷惑になってる、とか思ってるだろ」

心を読まれた気がして、思わずヴェニイを見た。彼は悪戯《いたずら》っ子のような目で僕を見返していた。

「迷惑じゃないの？」

「迷惑だよ」

あっさりと頷くヴェニイに、僕は絶句する。

「ほら、驚いた顔をした。やっぱりわかってないな」あっけらかんと彼は言う。「迷惑はかけるものなんだよ」

ヴェニイは車道の方に目を向けた。豊かな枝ぶりの木々に遮られ、今は見えない川を透《す》かして見ようとするように、ヴェニイは目を細める。

「親の話、したことあったっけ」

突然尋ねられて、僕はどうにか首を横に振る。ヴェニイはひとつ頷いて、「俺はさ、親が嫌いだった」特に感情の起伏も見せず、あっさり言った。「親父はいつも俺を殴ったんだ。口ぐせは、働け、ガキども。自分は働かないくせにな」

そこでヴェニイは、声だけで笑った。

「で、俺らにごみ拾いで稼がせて、何するかっていうと、ペールを買うんだ。せっかく稼いだお金はペールに消えて、何日も食えないなんてざらだった。食えないから泣く俺を、ペールで気持ち良くなった親父がまた殴る。お袋はそんな俺たちを見ても、何もしなかった」

ペールというのが接着剤の名前であることは、僕も知っていた。本来の用途とは違う、その使い道も。

「そんな俺を救ってくれたのが兄貴だった」

背後から聞こえる機械の稼動《かどう》音が不意に止まって、ヴェニイの声は一際大きく車道に響いた。

「兄貴はこっそり稼いだ金で俺に飯を食わせてくれた。親父の暴力から俺を守ってくれた。それで、俺の代わりに殴られるんだ。嫌じゃないのか。そう訊く俺に、兄貴は平気そうな顔で笑って言うんだ——嫌なわけないだろう。だって俺はお前の兄貴じゃないか」

車道をトラックが走り、温《ぬる》い風が吹きつける。

ヴェニイは僕の方に向き直った。

「俺はお前の兄貴だ」

帽子を斜めにずらし、くちびるをとがらせ、怒ったような口調で太陽が告げる。

「お前も、ハヌルも、フラウェムも、コンも。お前らは皆、俺の弟みたいなもんだ。だから迷惑はかけられて当然。何が悪い」

ティアネンは身体がでかいから、弟って感じじゃないけどな――そう言って、彼は肩を揺すって笑った。照れ隠しのように、Tシャツの裾をぱたぱたとはためかせて、服の内側に風を入れる。

目の前の道路を、どこから出てきたのか、合鴨の親子が渡っていた。工場側から川の方へ進む親鴨を、何羽もの子鴨が必死に追いかけている。車の流れが途切れたわずかな時間に、鴨たちは見えない水場を求めて進んでいく。

ブーン、という音が背後から聞こえた。工場が再稼動したらしい。

「よし、久しぶりに街に行こうか」

音に促されたように、ヴェニイが柵から背中を離した。

「街に？」

鸚鵡《おうむ》返しにつぶやく僕に、ヴェニイは大きく頷く。

「ハヌルにいいもん食わせるんだ。昨日はスイカ、今朝は舟も手に入れられたからな。きっと街でもいいものが見つかるぜ」

最近の俺たちは運がいい――断定するヴェニイに、僕は頷いた。疑う気持ちはどこにもなかった。

僕らの世界は、川を中心にして成り立っている。

川は北から南へ、やや西側に湾曲しながら流れている。さらに下ればプノンペン近郊を流れるバサック川に通じるというこの川の名前を、僕は知らない。ここで暮らしている限り、他に川などないから、名前は必要ないのだ。

僕らが生活の拠点としている小屋は、川の上流に位置している。そこからしばらく南に下ると、東側に山——巨大なごみ捨て場がある。山の南東には、裾野にへばりつくように、無数のバラックが立ち並び、スラム街を形成している。川を南へ、西側の工場を過ぎてなお下っていくと、東側にようやく街が見えてくる。川に名前がないのと同じように、僕らは街を単に街、と呼んでいる。

このように、小さな世界は川で繋がっているけれど、小屋から街まで直接舟で進むことはできない。工場のすぐ南に架かった「沈みの橋」が、航行の邪魔をするからだ。川をまたぐ橋はふたつ、その沈みの橋と、さらに南に架かる「大橋」がある。

麻袋と引っかけ棒を舟に置いたあと、僕らは工場の前の道を進み、大橋経由で街に向かうことにした。沈みの橋に通じる脇道を過ぎたあたりから増え始めた人の気配は、大橋に着いたときには喧騒《けんそう》に変わった。トラックやバイクが走る横を、手押し車にジュースを積んだ売り子や、薪《まき》を拾い集める人が行き交う。橋のたもとでは、露天商が物憂《ものう》げな表情を浮かべながら、魚や揚げ物を並べた籠《かご》の前で声がかかるのを待っている。彼らは互いに世間話に興じ、僕らには見向きもしない。佃煮《つくだに》にでもするのだろうか、バッタの脚をもいでいる五、六歳くらいの少年が、唯一僕らを興味のなさそうな目で一瞥《いちべつ》する。

橋を渡り、街に入ると賑《にぎ》わいは一層増した。人の姿が増え、それまでなかった二階建ての家屋が並び始める。道はやがて街のメインストリートに合流した。人の声と車の走行音が重なる中を、果物とごみと排気ガスの入り混じった独特のにおいが漂っている。

「ずいぶん人がいるな」

「うん」

路上には、想像していたよりはるかに多くの観光客が行き来していた。長身の、肩を大きく露出させたブロンドの女性が颯爽《さっそう》と歩き、黒髪、眼鏡に首からカメラという漫画みたいな恰好の男性が物珍しげに周囲の写真を撮っている。ザックを背負ったバックパッカーふうの若者たちが土産物《みやげもの》屋で喚声《かんせい》を上げ、ポロシャツとワンピースの老夫婦がシクロの運転手と交渉をしている。

人混みの中を進んでいると、傘をさす女性と軽く肩がぶつかった。女性がこちらを振り向き、面白いほどに顔をしかめる。僕はすみませんと謝りかけたけれど、喉に物がつまったみたいな彼女の顔を見て止めた。

「気にすんな。いつものことだろ」

「大丈夫。別に気にならない」

彼女が顔をしかめる理由がよくわかる。全身から悪臭を放つ、身なりの汚いごみ拾いの少年――観光に来た外国人にとっては、視界に入れたくもない存在だろう。僕らと目が合うと、彼らは皆、憐《あわれ》みと優越感を隠そうと無関心を装おうとして失敗した、滑稽《こっけい》な表情を浮かべる。

ヴェニイたちと暮らすようになって、初めてその表情を目にしたとき、僕は言いしれぬ衝撃を受けた。それまで一度も向けられたことのない、氷のような冷たさを感じた。けれど、僕にその視線を遮る術《すべ》はない。

だから気づかないふりをすることにした。最近ようやく、ふりを本物だと信じ込めるところまできた。

「思いついた」

肩がぶつかった女性の姿が雑踏に消えたところで、ヴェニイが突然素《す》っ頓狂《とんきょう》な声を上げた。

「急に、どうしたの」

驚いて尋ねる僕に、ヴェニイは興奮気味に言う。

「俺、今すごい名言を思いついた」

「名言？」

「ああ。観光客の特徴を見つけたんだ」ヴェニイは道の先を指差した。「ちょっと見てみろよ」

ちょうど、僕らは街でも一番繁華な、市場に差しかかっていた。

通りの両側に立つ建物から長い庇《ひさし》が道にせり出し、屋根のないところには、くすんだ色のビーチパラソルがいくつも設けられている。そうしてできたアーケードもどきに、様々な店が軒を連ねていた。バナナやドリアンから正体不明のトゲトゲの赤い実まで、たくさんの果物を台の上に満載した店の隣には、ざるに生魚を並べた鮮魚店が続く。煉瓦《れんが》ブロックをテーブルと椅子にして、コンロの大鍋で麺《めん》を茹《ゆ》でている店や、カミナリザカナという勇ましい名前の魚を蒸した、甘酸っぱい料理を並べる屋台から、食欲をそそる香りが漂う。店の間を練り歩く売り子も多い。ココナッツの実の内側の白い部分を削って、水や砂糖と一緒にビニール袋に入れたジュースを売る女の子。極彩色の調味料の入った籠をいくつも並べた手押し車を引く老人。たくさんの店と人で、すっかり歩行者専用のようになっている道を、バイクやシクロが無理やり通る。そして、そんな市場の中を、大勢の観光客が闊歩《かっぽ》している。

ヴェニイが指差しているのは、その観光客の中の、女性ふたり組だった。

茶色の髪を巻き上げ、薄手のカーディガンを羽織《はお》ったジーンズ姿のふたりだ。肩からかけられた濃い茶色の鞄には、プラダのマークが入っている。さっきの女性同様、僕を見たらすぐに顔をしかめそうな気がした。

「どの国の人間だと思う？　ハヌルと同じコリアか？」

「いや、日本人だと思う」

僕は、ジーンズのポケットからはみ出した紐状のものに目を凝らした。煌《きら》びやかで重そうなそれは、日本製のキャラクターを模した携帯電話のストラップだ。

「それで、何に気がついたの？」

「ああ」秘密をささやくように、ヴェニイは声を落とす。「傘をさすのは、観光客」

何が言いたいのか、よくわからなかった。

「だからな」僕が呆けた顔をしているのが不満なのだろう、今度は声のトーンを上げる。「ずっと歩いてきて思ったんだけど、傘をさしているのって、皆観光客だろ」

促されて、ふたり連れに目を戻す。いかにも観光客然としたふたりは、確かに華奢《きゃしゃ》な白い傘をさしている。そういえば、さっきすれ違った女性も、傘をさしていた気がする。その一方で、傘をさしている現地の人は、ざっと見渡した限りでは見当たらなかった。

「カンボジア人は、そもそも傘をささないんだよ」

反応の薄い僕に発見の凄さを納得させたいのか、ヴェニイは訴えるように両腕を振りまわして断定する。

日傘は言わずもがな、ヴェニイの考えでは、カンボジア人が雨でも傘をささないのには、雨の質に関係があるらしい。彼によると、カンボジアの雨は強いか弱いかがはっきりしていることが多いという。強い雨とはスコールのことで、これが本当に強い。あまりに強いので、カンボジア人にとって、スコールは休憩の時間を指す。そもそも出歩かないし、そうでなければ、スコールをシャワー代わりにする。対照的に、弱い雨はたいてい霧のように細かく、濡れたという感じもしない。外出から戻り、何気なく自分の服に触れてみて、自分が雨の中を歩いてきたと気づく——大袈裟に言えばそれくらい、雨に降られているという感覚がない。だから、わざわざ傘をさそうとは思わない。

都合のいいことに、雨が長時間降り続けることはあまりない。つまり、カンボジアでは傘が入り込む余地がないのだ。

どうだ、と期待に満ちた表情で、ヴェニイは僕を見る。

「そう言われてみれば、そうかもね」

僕のあっさりした反応に、ヴェニイは肩を落とした。思わず笑ってしまう。

ヴェニイには妙なくせがあって、ときどき、よくわからない発見をしては、名言を思いつい

たと喜ぶのだ。好奇心が旺盛で、自然と周りをよく見ているヴェニイには独特のアンテナが備わっていて、新しい舟を発見したり、安く手に入る食料を嗅ぎつけたりと、いろいろなことをキャッチする。けれど、まれにへんてこな方向にもその能力は発揮されるのだ。

「観光客は傘をさしている――名言だと思ったんだけどなあ」

「ヴェニイ、それはおかしいよ」

「何で？」

「傘をさしているのは確かに観光客だけど、観光客全員が傘をさしているわけじゃないよね」

「ええと――ああ、なるほど。お前やっぱり、頭いいな」

「ヴェニイが混乱しているだけだって」そこで僕はふと、かねてからの疑問を口にする。「でも、何でそんなに名言が好きなの」

「そりゃあ、名言っていうのは、生きていくための道標《みちしるべ》だからさ」ヴェニイは得意げに口角《こうかく》を上げる。「ハヌルなんか、俺の名言を大抵憶えている。おかげで、彼はいつも幸せそうじゃないか。ほら、昨日スイカを食うことができたのも、きっと俺の名言が――」

「――ヴェニイ、スイカのせいで彼はお腹をこわして寝込んでいるんだけど」

「確かに」

ヴェニイは豪快に笑う。

一緒になって笑いながら、僕は何気なく、距離が近づいていたさっきの女性ふたり連れに目を向けた。深い理由はなく、単にどんな顔をしているのか見ようと思ったのだ。

女性のひとりが肩にかけたプラダのバッグが、偶然僕の肩に触れた。

ほんの一瞬、気にもならない程度に軽く触れただけだった。女性も気づかなかったのか、僕を振り返ることはしなかった。けれど、僕は目を見開いた。

バッグの口が、不用心極まりないことに開いている。そしてそこから、分厚い焦げ茶色の財布がこぼれ落ちた。周りの喧騒にかき消され、財布が地面に落ちた音は僕には聞こえなかった。ヴェニイと目が合い、頷いた彼は何気なくしゃがみ込んだ。それは靴ひもを結び直しただけのような自然さで、彼はすぐに立ち上がり、拾った財布をハーフパンツのポケットに入れようとした。

その瞬間だった。

動くな、という言葉が、僕らに投げかけられた。低い声はざわついた市場にもよくとおり、けれど淡々とした口調のせいか、それとも言葉が通じないせいか、周りの観光客たちがそれを気にした様子はなかった。

しかし僕らは、反射的に振り返った。

黒い服で全身を包んだ男が、道の真ん中に立っていた。背が高く、痩《そ》せている。貧弱なのではなく、徹底的に鍛《きた》えた結果、無駄なものをすべて削ぎ落としたかのような身体だ。黒い装いと相俟《あいま》って、男の身体は猟銃の銃身を連想させた。彼は自然な動作で、右手をゆっくりと腰の、小振りの革袋に触れる。中から、黒光りする何か小さなものを取り出し――

僕らに向けてふたたび、動くな、と言った。

低い声に、全身が総毛立った。

「黒だ!」

ヴェニイの声に我に返り、僕は瞬間的に、通りを奥へ駆け出した。背後から、逃げるなよ、という感情のこもらない声が聞こえる。山で黒い液体の放つにおいを嗅いだときと同じ、おぞましい感覚が背筋を撫でる。

確かめる必要も、振り返る余裕もない。

何らためらいを見せず、街中でさえ僕らに銃口を向けかねない男を、僕らは知っている。人波をうまく躱《かわ》し、ヴェニイは流れるように走る。僕は必死でヴェニイの後を追う。汚れたビーチパラソルやトタン屋根、側溝《そっこう》の澱《よど》んだ流れといったすべてが、雨降りの光景のようにぼやけて、うしろに流れていく。

人の多い表通りから、右に見えた路地に飛び込む。目の前に突然物売りが現れ、避け切れずにヴェニイがぶつかる。ハーフパンツのポケットから財布がこぼれ落ちて、僕がそれを拾う。ヴェニイはすぐに立ち上がり、地面に転んでいる物売りに声もかけずに、また駆けていく。

「分かれよう!」

プラスチックのごみ箱を蹴飛ばしながら、ヴェニイが叫ぶ。少し先に、十字路が見えた。ちらりとうしろを振り返る。黒は、二十メートルほどうしろで物売りを突き飛ばしながら、こちらへ駆けてきていた。

迷っている暇はない。ヴェニイが左に、僕は右に曲がる。曲がりしな、ヴェニイと一瞬だけ目が合った。そのまま、僕らは言葉を交わす余裕もなく、左右に散る。

右手には、背の低いトタン屋根が並ぶ路地が延びていて、その先は大通りへと続いているようだった。人混みに紛れれば、逃げ切れるだろうか、そう考えたとき――

背後から靴音が聞こえた。

僕の方に来た――上げそうになった悲鳴をどうにか呑み込む。

僕の方が捕まえやすいと踏んだのだろう。その判断の正確さに絶望的な気持ちになりながら、僕は大通りを目指して走る。背後の靴音が、僕の踏みしめた路面をなぞっていく。

視界がぐわんぐわんと揺れる。絵の具のように溶けて混ざり合っていく。

息が続かなくなる。口から心臓が飛び出そうになる。

それでも僕は駆けた。足を止めれば、その時点で僕の人生は終わるだろう。

――僕らはストリートチルドレンと呼ばれる。

僕は川縁の小屋を寝床にする子供のひとりだ。同じ小屋には、僕を含めて七人の子供が暮らしていて、ひとつのグループを作っている。グループ名はない。ただ、僕らはお互いを仲間と呼び交わし、ヴェニイを中心に、ごみを拾って日々生きている。

そんな僕らは、街では忌《い》み嫌われる存在だ。観光客は不潔さに露骨に顔をしかめて遠ざかり、住人はすぐ物を盗む僕らにためらうことなく暴力を振るう。何よりひどいのは警官だ。犯罪の温床であり、観光客を呼び込むにあたって障害となる僕らを、警官は事あるごとに駆逐《くちく》しようとする。

追いかけてくるのは、黒いシャツとズボンに身を包んだ警官だ。頬のこけた浅黒い顔。きれいに整えたひげが口元を覆っている。名前は知らない。けれど、決して出会ってはいけない相手だった。水色のシャツに紺色のズボンという制服を着た警官が多い中で、ひとりいつも黒い私服を身につけている彼を、僕らは黒と呼んでいた。いくら嫌っていても、出会い頭《がしら》に銃を抜く警官はいない。僕らを敵視する警官の中でも、黒は異質な天敵と言えた。

彼はほんの小さな理由で、平然とストリートチルドレンを殺す。

止まれ、という低い声が、背後から聞こえる。靴音が、さっきより少しだけ近くなっている。

大人の足と子供の足では、やはり速さが違う。脚も肺も限界だと悲鳴を上げている。

どこか逃げ場はないか。

はっと気づくと、大通りが眼前に迫っていた。大勢の人や車が、左右に行き交っている。

うしろから、靴の音がさらに近づいてきている。

捕まりたくない、怖い、助けてヴェニイ。

どうしたらいいのか判断もできないまま、大通りに飛び出したとき、右から大きな荷台をつけた自転車が突っ込んできた。止まれずに前を駆け抜ける僕の背中を、自転車はかすめるように通り過ぎていく。

一瞬。

ほんの一瞬だけ、僕と黒の間に壁ができた。

黒には、通りの出口を塞ぐ、缶ジュースと果物の並んだガラスケースしか見えていないはずだ。

そして振り返る僕の前には、通り過ぎていく荷台の左端から、壁にぽっかりと開いた窓が、まるでスローモーションのように現れた。

とっさの判断だった。

僕は踵を返し、大通りと路地の角に立つ建物の、開け放たれた窓に飛び込んだ。

目の前が真っ暗になる。

てっきり硬い床に激突するかと覚悟したけれど、ぶつかった先は思ったより柔らかかった。

もう動けなかった。身体は限界を超え、僕は立つこともできなかった。もし、ここに飛び込むのを見られていたなら、僕は終わりだ。口を両手で必死に押さえ、僕は床にうずくまった。

どれくらいの時間、そうしていただろうか。

耳に入ってきたのは、暑さにもめげず客を呼び込む物売りの声と、自分のあえぎ声だけだった。

いつの間にかきつく閉じていた目を開ける。テーブルの脚が目に入った。腕を軽く揺すり、身体がちゃんと動くことを確認してから、そっと身体を起こす。そのとき初めて、僕は下に絨《じゆう》毯《たん》が敷かれていることに気がついた。

ゆっくり、振り返る。

大きく開いた窓の外には、誰の姿もない。

遠くから聞こえる物売りの声が、バイクのエンジン音に一瞬かき消される。

絨毯敷きの部屋に目を戻す。居間なのだろうか、四本脚のテーブルに椅子がひとつあるだけの、広さのわりに殺風景な部屋だった。窓と反対側の白壁に、ペンキで青く塗られたドアがひとつある。

まだ黒が近くにいるかもしれないと思うと、窓から外に戻ることはできなかった。部屋に人がいなかった幸運に今更ながら安堵を覚えつつ、僕はドアに近づく。取っ手を握り、青いドアに耳を当てる。物音は聞こえない。意を決し、ゆっくりとドアを開くと、そこは左右に延びる廊下だった。左側の方が明るい気がして、僕はためらいなく左に進む。住人に遭うかもしれないという不安よりも、とにかく早く安全な場所に逃げたいという思いの方が強かった。

廊下を一度曲がった先に、薄い戸があった。下に隙間があり、そこから光がのぞいている。そっと開けた戸の向こうは、隅の花壇で黄色い花が萎《しお》れているだけの、寂《さび》れた裏庭だった。僕の背丈ほどもない柵の外は、裏通りの路地だ。

しばらく戸口で様子をうかがっていたけれど、庭にも路地にも人気《ひとけ》はなかった。

逃げ切ったんだ——僕は地面に膝《ひざ》をつき、思わずそうつぶやいた。土と草の柔らかい感触に、身体が震えた。震えを抑えようと、逃げ切ったんだ、と僕は何度も声に出して自分に言い聞かせる。無性に喉が渇く。地面に手をつこうとして、僕は財布を手に握ったままだったことに気がついた。焦げ茶色の分厚い財布に、僕はごみをつめた麻袋と同じ重みを感じる。命の危機にもかかわらず、最後まで財布を手放さなかったことを誇ってもいいはずなのに、僕が覚えたのは寂しさだった。

──エモノを狩れないやつは、役立たずだからな。

慌てて頭を振る。息を整え、立ち上がろうとしたそのとき──

ふと、影が差した。

何の気配もなく暗くなった周囲に、雨雲かと思って僕は上を仰いだ。

目に入ったのは、目の覚めるような鮮やかな赤だった。

赤い傘をさす、ひとりの少女が僕の前に立ち、僕を見下ろしている。

ややつり上がり気味の、少し冷たさを感じさせる黒い瞳が、僕から言葉を奪う。

「君は、日本人なの?」

少女は、カンボジア語で僕に言った。軽やかな声だった。

突然のできごとに、僕は反応できなかった。疲労が見せる幻覚にさえ思えた。

ただ、傘の下から僕を見つめる少女の姿は、炎天下の木陰のように僕を涼ませた。

第二章　太陽の家

遠雷が響いて、僕は窓に目を向けた。ガラスには雨がひっきりなしに流れ、水族館のアクアリウムをのぞいているような気分になる。けれどどんなに目を凝らしても、ホテルの外には夜の色が広がっているだけで、遊泳する魚の姿はなかった。

椅子から腰を上げると、ベッドに放り出してあったウエストポーチを手に取った。読んでいた観光用のガイドブックを収め、代わりに中からパスポートを取り出す。表紙と、さらに紙を一枚めくったところに、水澤岬《みずさわみさき》、という自分の名前が、下手な字で記されていた。さらにページをめくると、入国審査で押されたスタンプが目に入る。青紫のスタンプは、白紙のページで大きな存在感を放っていた。

カンボジアを訪れてから、三日が経とうとしている。それは、雨が降り始めてから三日ということでもあった。散々に揺れた飛行機がどうにか空港に着陸し、解放感に満ちたざわめきが機内に生まれる中、乗り物酔いを鎮めようと外を見て、僕は丸い小窓に点々と水滴がつき始めていることに気づいた。ついさっきまで機内に差し込んでいた光が消え、雨が降っていた。それ以来、少なくとも僕が起きている時間に、雨が降り止んだ気配はない。

貴重な一週間の旅程の、すでに三日だ。旅行期間が一ヶ月もあるならともかく、何とかならないものだろうか。

ため息をつくのと、部屋のドアが開くのが同時だった。

――まだ、寝てなかったのか。

部屋に入ってきた父は少し驚いた様子で、それから僕が手に握るパスポートに目を留めた。

――ちょうど良かった。

そう言うと、父は僕の手からパスポートを取り上げた。いろいろ手続きがあってな、と小声で言い訳のようにつぶやいて、そのまま部屋を出ていこうとする。

――ねえ、どうしたの？

尋ねる僕の言葉に、父は一瞬足を止めた。黒いジャケット姿の背中が、迷っている。そう、僕には感じられた。やがて父は振り返り、もう寝なさい、と告げた。

――明日晴れたら、遺跡を観光しよう。

口元を軽く緩めてみせたあと、父はホテルの部屋を出ていった。ドアが耳障りな音を立てる。

僕は窓に視線を戻した。土砂降りだった。外は実は深海で、出たら溺れてしまう、そんな不安が僕の心に湧き起こる。

急にトイレに行きたくなり、僕は部屋のトイレのドアを開けた。目の前に蜘蛛《くも》がぶら下がり、大きな百足《むかで》が二匹、便器の上を歩いていた。小さく悲鳴を上げ、思わずドアを閉める。脚が多い生き物は大の苦手だった。虫をどうにかしたいけれど、自分で処理する勇気はなく、かといって父は部屋にいない。それでも尿意は消えず、仕方なく、僕はホテルのロビーにあるトイレに行くことにした。ポケットタイプの辞書とガイドブックの入ったウエストポーチを腰に巻き、部屋の鍵を手に取る。

三階の部屋を出て、階段に向かう。まだ夜の八時だというのに、誰ともすれ違わない。螺旋《らせん》状の階段を下りていくと、二階の踊り場で人の声が聞こえた。男がふたり会話をしている。廊下で話しているのか、踊り場からは姿が見えないけれど、声から男のうちのひとりが父であることに気づいて、何気なく僕は耳を澄ました。

「****」

その瞬間だった。

ぴしり、という音がした。踊り場の窓ガラスに、小さなひびが入っていた。

ひびはガラスの上から下へゆっくりと走り、樹形図のように枝分かれしていく。樹形図の始点で、小さな水滴が膨らみ、やがて重力にしたがって、亀裂をそっとなぞる。

途端にガラスが砕け、濁流《だくりゅう》が一気にホテルに流れ込んできた。壁まで吹き飛ばされる。したたかに背中を打ちつけて、けれど痛みは感じなかった。目の前の光景に、僕はくぎづけになっていた。

濁った水が入り込む窓の裂け目から、大きな腕が飛び出していた。濁流の中から突然現れた一本の腕は、力なく揺れている。と、腕は急に跳ね上がった。

轟音《ごうおん》に近い雨音の中、腕が伸びてくる。どこまで伸びても、腕は腕のままだ。濡れた腕の上を、蜘蛛が、百足が這いまわっている。長い長いその腕は、蛇のようにくねりながら、僕の首元まで伸びてきて――

†

目を開けると、屋内は真っ暗だった。暑さで、シャツが汗を吸っている。それなのに、両腕には寒気を感じたように鳥肌が立っていた。前髪が額にべったり張りついて気持ち悪い。意識的に息を吐き出しながら、僕はまぶたを閉じた。窓から入ってきた虫の翅音《はおと》が耳元で聞こえ、僕は現実に引き戻される。もう一度目を開くと、ぼんやりと頭にかかっていた霧が少し晴れた。不快感も、こころなしか和らいだ気がする。

そっと起き上がり、窓から顔を出す。暗闇の中、音とにおいで、僕は見えない川の存在を確認する。

目が闇に慣れるまで待ち、それから眠っている仲間を踏まないよう注意して、入り口から外に出た。コオロギに似た鳴き声のたくさんの虫が、夜の森で鳴いている。虫の合唱に耳を傾けながら、僕は川のすぐそばまで行き、川面に向かって用を足す。

夢を見たのは、久しぶりだった。現実が生々しく反映された、見るたびに寒気を感じる夢だ。ヴェニイたちと暮らし始めて間もない頃は、眠るたびに繰り返された悪夢も、最近はすっかり見なくなっていた。なぜ今になって――

僕はかぶりを振った。理由はわかっている。

あの少女だ。

僕は右手の指先で眉間を軽く揉んだ。まぶたの裏に、赤い傘の残像がちらついた。

「ねえ、君は日本人だよね？」

黙りこくったままの僕に、少女はもう一度尋ねた。

遠くから、車のエンジン音が聞こえてくる。柵の外の路地を、果物の入った籠をふたつ、天秤みたいに担いだ物売りが通り過ぎていった。熟した果実が発する甘ったるいにおいが、そよいだ風に乗って僕の鼻先を撫でる。

どう反応してよいのかわからず、ただ少女を見返した。僕とそう歳は変わらないだろう。無地のシャツに、くるぶしまでの丈《たけ》のスカートを穿いている。青い布地に睡蓮《すいれん》が描かれたスカートは、月明かりに照らされた湖面を連想させ、美しかった。

けれど何より印象的なのは、少女のさす傘だった。白い雲に映える鮮やかな赤の傘は、背の低い彼女には大きく、やや不恰好だ。開いた傘で陰になった顔に目を向け、少女の冷ややかな眼差しに気がついた。自分が値踏みするような不躾《ぶしつけ》さで彼女を見つめていたことに、今更思い至る。恥ずかしさで、自分の顔が火照《ほて》るのがわかった。

「どうして、そう思うの？」

どうにか言葉を吐き出すと、少女は数度瞬《まばた》きをして、それから自分のくちびるを指差した。

「だって日本語を喋っていたから」

日本《チユポン》という言葉に、突然懐かしさが込み上げてくる。胸の中に降って湧いた感傷に僕は驚き、それから自分がさっきまで独り言を洩らしていたことを思い出す。逃げ切ったんだ——震えを抑えようと、半ば無意識のうちに日本語で繰り返し自分に言い聞かせていた。その言葉を聞かれたのだろう。けれど——そこで別の疑問が頭に浮かぶ。

どうしてカンボジア人と思しき彼女が、僕の言葉を日本語だと認識できたのだろう。

「日本人が、ここで何をしているの？」

少女が問いかけた。反射的に右手を見る。じっとり汗ばんだ手のひらの中の財布、その焦げ茶色の革に刻まれた特徴的なプラダのマークが目に入る。

「盗んだの？」僕の視線を追った少女は、なるほどね、とひとり頷く。「盗んで、逃げてきたんだ」

「違うよ」あまりにあっさり言い当てられて、急に僕はうしろめたさを感じた。考えてもいなかった嘘が、口をついて出る。「落ちてたんだ。そこ、そこの、道路の隅っこのところ——」

「じゃあどうしてそんなに汗だくになってるの？」

間髪を容れず投げかけられた彼女の疑問に、僕はうまい言い逃れを思いつけない。ただ闇雲に否定しようとした僕に、少女の言葉が追いうちをかけた。

「日本人なのに、どうして盗みなんか働いてるの？」

少女の表情には、何も含むところは見受けられない。純粋に不思議がって訊いていることが、僕にもわかった。そのことが、僕の肺に冷え冷えとした空気を注ぎ込む。

脳裏に、日本で通っていた小学校の校舎が、友達の顔が浮かぶ。雨が降りしきる中、僕を呼びとめる誰かの姿が浮かぶ。長い長い腕が、雨の向こうから伸びてくる。

関係ないだろ——幻を消したくて、そう言いかけたときだった。

遠くから、男の声が聞こえた。

何かを尋ねるような低い声だった。一拍遅れて、別の男の声が答える。再び、低い声がする。

血の気が引いた。

黒——

絶望感が、全身を包む。生温い風が顔に吹きつけ、汗がひとすじ、首から背中に流れ落ちる。頭がパニックになる。逃げなければいけないのに、地面に膝をついたまま、立ち上がることすらできない。

「助けてあげる」

その言葉に、我に返った。

目の前にしゃがみ込んだ少女が、涼しげな眼差しで僕を見ている。

「逃げてるんでしょ？　すぐそこで喋っている男から」

少女が素早く傘を畳む。黒く汚れた柵が目に入る。その色に、僕は恐怖に駆られる。気づくと、僕は自動人形みたいにかくかく頷いていた。

「こっちに来て。早く」

僕を立ち上がらせると、少女は僕を引っ張って、先程出てきたばかりの家の中に入り、裏口の戸を閉めた。急に屋内に入ったせいで、一瞬目がくらむ。

「君は、ここの家の人なの?」

怯えたままどうにか訊くと、彼女はなぜかむっとした表情で、いいえ、と言う。

「でも大丈夫。家の人は、今は寝てるから」

「何で、そんなことがわか——」

静かに、という彼女の言葉で、僕は口をつぐんだ。

薄い戸の向こうから、喋り声が聞こえてきた。

おかしいな、さっきまでここにいましたけどね——野太い声がする。さっき路地を通った果物売りの男だろうか、と僕はくちびるを噛みしめながら考える。

戸が、ノックされる。

息を呑む。隣にうずくまる少女を見る。少女は置物のように、ぴくりとも動かない。

ここにはいないんじゃないですかい、と言うのは果物売りだろう。ここは金持ちの医者の家ですよ。路上に住むガキが逃げ込めるような家じゃないですよ。

戸の前にいるはずの黒は、何も答えない。

何時間にも思えるような、数秒が過ぎる。

不意に、戸の前から気配が消えた。土を踏みしめる小さな足音が、遠ざかっていく。あっちへ逃げたんじゃないですかね、という声に、黒が同意する。会話するふたりの声が小さくなり、やがて聞こえなくなった。

たっぷり三十秒待って、少女がそっと戸を開けた。光と一緒に、背の低い柵と、貧相な花壇が戸の隙間からのぞく。視界の中に、人影はなかった。

緊張を解いた少女が、戸を全開にする。僕は深く息を吐いた。濡れたシャツが重たかった。

庭に出た少女が、傘を開いた。鮮やかな赤が視界を遮る。

「――ありがとう」

礼を言った僕に、背を向けていた少女が振り返った。

「まだ終わってないわ」

「え？」

「たぶん、まだこの辺をうろついてると思う。下手に庭から出たら、すぐ見つかるかもしれない」

「そんな」

突然路地から黒が顔を出しそうな気がして、僕は情けない声を上げる。そんな僕に、少しつり上がり気味の目を細め、少女は笑った。

「大丈夫。私がここから逃がしてあげる」初めて見る、少女の笑顔だった。「街の外までは、追ってこないと思うから」

「ありがとう！」

安堵のあまり大声を上げ、慌てて周囲をうかがう僕に、少女は涼しげに微笑んで、

「それじゃあ、頂戴」

傘の柄を握っていない左手を僕に差し出した。

「何を?」

「財布に決まってるじゃない」

唖然として口を開けた僕の前で、少女は傘をメトロノームみたいに、左右に揺らす。

「助けてあげた代わりに、財布の中身を半分ね」

揺れる傘の向こうに、柵の黒い色が見え隠れする。

「それから、街の外まで逃がしてあげる代わりに、残りの半分」

強く握りしめた財布に目をやる。プラダのマークを数秒見つめ、それから僕は少女に視線を戻す。

相変わらず傘を揺らしながら、少女は当然のような顔をして、頂戴、と言った。

結局、わずかな押し問答だけで、僕は少女に案内を乞い、財布を渡してしまった。迷路みたいな路地を歩き、ときにはどこかの敷地の中を通り抜け、最終的に僕らは川のそばの、人気のない田圃の前に出た。五百メートルほど向こうに、人ごみで賑わう大橋が見える。今財布を奪って走れば、少女からも逃げ切れるのではないか、という思いが一瞬頭をかすめたけれど、僕はそうしなかった。約束どおり僕を助けてくれた少女の笑顔に、逆らうことができなかった。不貞腐《ふてくさ》れながらも礼を言うと、少女は少し驚いたような顔をして、それから目をきゅっと細めて財布の口を開けた。中から紙幣を一枚抜き取って、おもむろに僕に差し出す。

「少しだけ分けてあげる」
財布が初めから自分の所有物であったかのような偉そうな口ぶりに反発を覚えながらも、僕は受け取る誘惑に抗《あらが》えなかった。僕に紙幣を手渡すと、彼女はそのまま挨拶もせずに、街の中に戻っていった。ひとり残された田圃の前で、川のせせらぎが聞こえ、遠く大橋の方から響くトラックのエンジン音がそれを呑み込む。僕は大橋に再度視線を移した。橋のたもとで、所在なげに立っているヴェニイの姿が目に入った――

短パンのポケットの中に手をねじ込んで、ざらついた手触りのものを引っ張り出す。しわしわの紙幣が一枚、夜の闇の中にうっすらと見える。風が吹いて、握った紙幣が小さな音を立てた。

ため息がこぼれる。

結局、僕は少女の名前も訊かず仕舞いだった。彼女があの場所にいた理由も、なぜ僕の独り言を日本語と理解できたのかもわからないまま、ただ助けられたという事実と、財布を持っていかれたという悔しさだけが、後に残った。

財布を手に入れられなかったことは、小屋に戻ったときに皆に謝った。けれど、その本当の理由については黙っていた。女の子に助けてもらった上、財布まで取られてしまった、などとは恥ずかしくて言えなかった。少女のことは伏せ、黒から逃げる途中で落としてしまったことにした。

目を細め、僕は夜の川面を見やる。月は雲に隠れて見えないのに、川面はわずかな薄明かりを反射している。

川面に睡蓮の影を探している自分に気づいて、僕は動揺した。無理に苦笑してみる。いろいろな感情がごちゃ混ぜになっていて、落ち着かなかった。突然日本のことを思い出させられて、びっくりしてしまっただけだ——そう自分に言い聞かせる。

紙幣を丁寧に折り畳んで、ポケットに仕舞った。立ち上がり、川に背を向ける。森から、静まり返った夜に降る雨のような虫の鳴き声が聞こえた。


山が噴火した。そんな勘違いをしそうなほどに、山の周囲は煙っていた。

穏やかだった昨日以上に風は弱く、ほとんど凪いでいる。山の表面は煙霧に覆われ、視界は十メートルも利かない。雲がひとつ、下りてきたみたいだった。山を包み込む雲が雨を降らし、燃える山を冷やしていくという空想——けれどそれを、肌を焼く熱と鼻をつく異臭が消し去ってしまう。

「これじゃあ、仕事にならないな」

ヴェニイの一声で、僕らは休憩所に向かった。山の裾野を半周したところに、ごみ捨て場の正規の入り口がある。そこは、山で一番賑わう場所だ。毎朝ごみを積んだトラックがやってくる場所であり、拾ったごみを換金する業者が集う取引所であり、今日のようにスモッグが発生したときに、それが晴れるのを待つ僕らごみ拾い《スカベンジャー》を行う者の休憩所でもあった。

山を迂回するかたちで森との境界に沿って歩くと、三十分ほどでごみ捨て場の入り口にたどり着いた。案の定、大勢の人がたむろしていた。からの麻袋や網籠を持った人々が思い思いの場所に座り、彼らを当てにした物売りが練り歩いている。街へとつながる道路沿いには、リヤカーを仮設の店にした屋台がいくつも並んでいた。

道路と山を隔てる形ばかりの金網に背中を預け、僕らは横一列になって地面に座った。持ってきた麻袋を尻の下に敷いて、座布団代わりにする。僕はお尻のポケットに仕舞っていた小さな辞書を取り出し、膝の上に載せる。

「皆で山に来るのって、久しぶりだ。なあ、ハヌル」

「でもヴェニイ、ソム兄さんがいない」

「兄貴は漁専門だから、いいんだよ。ともかく、六人全員来れるなんて、やっぱり舟を見つけた俺のおかげだな。俺は偉い」

「ヴェニイは偉い」

「そうだ、俺は偉い人間だ！　ハヌル、よく覚えておけ。これは名言だ！」

「——煙って仕事にならねえんじゃ、意味ないだろ」

端でふざけ合っているふたりの横で、ティアネンが小声で突っ込みを入れる。

たしかに、五人の仲間と一緒に山に来たのは初めてだった。舟が一艘しかなかったときは、一日交替でごみを拾っていたのだ。もっとも、狩りに参加するのはソム兄さんを除いた六人なので、ひとりが体調を崩せば誰かが連続で働くことになる。たとえばティアネンは今日まで三日続けて山に来ていた。

「おいおい、苛立つなよティアネン。いらいら」

「うるせえ」

「いらいら」

「黙れ、ハヌル」

連日の狩りで、しかも来てみたら煙って仕事にならないとあって、苛立っているのだろう。ティアネンは地面に唾《つば》を吐き捨てたり、髪をかいたりと落ち着きがなかった。そんな狩人を、ヴェニイたちがからかう。

小屋で暮らす七人の、最年長はソム兄さんだ。けれど、事実上のリーダーはヴェニイで、そして副リーダーがいるとすれば、それはティアネンだった。仲間内でもヴェニイ兄弟に次ぐ古株で、狩りの腕もいい。彼自身にも副リーダーだという自覚があるようで、他の仲間に先輩風を吹かすところがある。そのくせ、すぐに苛立ったり、妙に子供っぽいところがあったりする。

そんな彼を上手になだめるのもヴェニイだ。

からかうヴェニイたちの一言一句に反応していたティアネンが、突然立ち上がる。

「アイスキャンディだ！」

叫ぶや否や、遠くにいるアイスキャンディの箱を抱えた女の子のところへ駆けていった。小さく肩をすくめたヴェニイがそれでも、行こうぜハヌル、と誘い、ふたり連れだってティアネンのあとを追う。

どうせ買えないのに、と呆気に取られながらつぶやくと、

「見るだけで満たされるのかもね」

左に座るフラワーが、僕に話しかけてきた。

「ハヌルは字が読めるからねえ。アイスキャンディの箱に書いてある文字をハヌルが読んで、皆で味を想像するんだ。どれだけ美味《おい》しいか、どれだけ甘いかを想像して、アイスキャンディを食べた気になる」

「それ、かえって不満が溜まりそうだけど」

それに彼が読めるのは、カンボジア語じゃなくて漢字だよ——そう言おうとして、漢字をカンボジア語で何と言うのかわからず、僕は辞書をめくりながら、ヴェニイのうしろを追う少年の背中を見つめる。仲間内で一番足が遅いくせに、必死にヴェニイに追いつこうとしている様は、どこか微笑ましい。

ほとんどのストリートチルドレンは、幼い頃から一度も学校に通ったことがなく、読み書きができない。彼はその例外だった。韓国系らしく、簡単なものに限られているけれど、漢字の読み書きができる。以前彼が名前を漢字で書いてくれたとき、僕は言い知れぬ感動を覚えた。漢字の蛇みたいにのたくったカンボジア文字に囲まれる中、久しぶりに自分の読める文字に出合えたことが、無性に嬉しかった。

「食べたいって、ティアネンがごねるんじゃないかなあ」

結局引くのが面倒になって、僕は辞書を閉じ、遠くでじゃれ合う仲間を眺める。追いかけるヴェニイから逃げ、ティアネンが空に向かって腕を突き出している。

「かもねえ。でもきっと、ハヌルは我慢するよ。二対一で、ティアネンの負けかな」

ハヌルは、ヴェニイの言うことは何でも聞くから——感心したように、フラワーは笑う。

彼はまた、ヴェニイの忠実な家来である。

忠実な家来は、親分が駄目だと言えば、絶対にその言いつけを守るだろう。どうしてふたりがそんな関係にあるのか、僕は知らない。けれどそれは、太陽が顔を出せば、空は晴れ渡るということ、つまりは当たり前のことなのだ。

「お金があれば、アイスキャンディも買えるんだけどね」嘆息《たんそく》交じりのフラワーの言葉が、僕を物思いから引き戻す。「そういえば、昨日は惜しいところで財布を落としちゃったんだって？　残念だったねえ」

思わず、フラワーに向き直る。線の細い、はっとするような美少年は、ふふ、と女の子みたいな笑い声を上げた。

「僕だったらそんなへまはしないけど。まあ、黒は怖いから、仕方ないね」

一様に浅黒い皆と違う、色白のほっそりとした顔に、フラワーは薄く笑みを浮かべている。一見皮肉にも取れるけれど、フラワーの口調に嫌味なところは感じられない。

「黒を見たのは初めてなの？」

「——いや、二回目かな。街に行こうとしたとき、大橋の向こうにいるのを見たことがある。

なかなか立ち去る気配がなくて、結局その日は街に行くのを諦めた」

「正解だね。黒は鰐《わに》みたいに危ないやつだから。鰐には近づかないに限る。ヴェニイもそう言ってたでしょ」

「じゃあ、フラワー——じゃなくて、フラウェムは黒に会ったことはあるの？」

「ミサキ、たまに僕のこと変な呼び方するよねえ」

そこでフラワーはまた、ふふ、と笑う。柔らかい笑顔に、僕はどきりとする。

フラワーという呼び名は、本名ではない。本当はフラウェムという名前で、仲間内でもそう呼ばれている。けれど僕は密かに彼をフラワーと呼んでいる。理由はふたつあって、ひとつは単純に、フラウェムという名前がどうにも発音しづらいからだ。そしてもうひとつは、単に響きが似ているだけの英語が、彼にとても似つかわしいからだった。

切れ長の目に長いまつげ、色白の肌に形の良いくちびるという、眉目秀麗を絵に描いたような顔で、いつも微笑を湛《たた》えている。

「黒には何度か出くわしたことがあるよ。でも、そのたびに隠れたから、ミサキみたいに追いかけられたことはないけどね」

僕は隠れ家を知っているから、とフラワーは言う。

「隠れ家？」

「街に知り合いがいるんだ。知り合いがいると、いざというとき役に立つんだよ」

「どうやって知り合いを作るの？」

「それは、いろいろとね。とりあえず、街に行かないと始まらないかな」

「鰐には近づくな、って言ったばかりじゃん」

「困ったねえ」煙に巻くようにフラワーは笑い、それから思案げに目を伏せた。「でも、最近、黒と遭う機会がちょっと多すぎる気がする」

「そうなの？　昔を知らないから、よくわからないけど」

「多いよ」

神経質そうな口調で会話に割って入ったのは、フラワーの横で膝を抱えていたコンだった。

「黒、昔はこんなに街に現れなかった」

「そうなんだよねえ」フラワーが頷く。「ほんの一ヶ月くらい前までは、黒と遭うなんて、よっぽど運が悪いからだって言ってたよねえ」

「現れ出したのは、一ヶ月くらい前、ちょうど、天気がおかしくなった頃からだ」コンがフラワーの言葉に続ける。

一ヶ月前、五月の半ばというのは、カンボジアでは雨季に入る時期だ。

「どうしてだろう」

尋ねる僕に、フラワーは首を振る。コンに目を向けると、彼も、わからないよ、と首を振って、

「でも、変なことは他にもある」早口で言う。

「変なことって？」

「山からごみが減ってる」

昨日ティアネンから聞いたのと同じ言葉に、僕は驚いた。こちらは初耳なのだろう、フラワーは目をぱちりと見開いている。

「毎日拾ってれば嫌でも気づくよ。しばらく前から、ごみが減り続けてる」

まくし立てながら、コンは耳が隠れるほど伸びた髪を指でかく。ふけが大量に落ちて、Tシャツの襟元が粉砂糖を振ったみたいに白くなる。

「それはコンの狩りの腕が落ちたからではなくて？」

「違う！」からかうフラワーの発言を、コンが目を怒らせて遮る。「俺だけじゃない。ティアネンだって、苛々してるだろ。あれは、狩りの成果が少ないせいなんだ」

「怒らないでよ——コンが言うならそうなんだろうねえ」

完全には納得できない様子で、けれどフラワーは頷く。そうする理由は、僕にもわかる。

コンは神経質な少年だ。同じシャツを着る期間、用を足す場所、山における狩場——そういったひとつひとつに、彼は彼なりのルールを設けているらしく、そのルールから外れる行為を激しく嫌う。そのためか、コンは周囲の変化に敏感で、ときおり鋭い観察力を発揮することがあった。一を見てすぐに十を結論づけがちなティアネンと違って、コンが断定することには、それなりに信憑性《しんぴょうせい》がある。

黒が街に頻繁に現れるようになり、山からごみが減っていく。ふたつの事柄に、何か関係はあるのだろうか。

コンがぽつりと洩らす。

「何か、最近変だよ」

その瞬間、衝撃が僕を襲った。金網越しに背中を強く蹴られたのだ、そう気づいたのは、前のめりになって、無様に地面を転がってからだった。手から離れた辞書が、地面で小さくバウンドする。頰についた泥を指で拭って振り返ると、金網の向こうから坊主頭の青年が僕を見下ろしていた。右の握りこぶしを口元に当て、ぎらついた眼差しで僕を見下ろす青年は、僕より頭ひとつ分は背が高そうだ。

「おい、誰が変だって」青年の口調は、やけにゆっくりとしていた。「俺の頭が変だと。どこが変だって言うんだよ」

坊主頭の青年はそこで哄笑《こうしょう》した。そのまま、おもむろに足を上げ、ゴム長靴で金網を蹴る。フラワーとコンはすでに飛びのいて、僕の横に避難している。啞然としている僕らに、青年がまた笑い声を上げる。

「ルウ、何やってんだよ」

坊主頭のうしろから、虹色の太いヘアバンドで長髪を括《くく》った、同じように背の高い青年が顔を出した。彫りの深い顔立ちで、眉は太く、あごをひげが覆っている。黄ばんだタンクトップの下の屈強な身体は、野生動物のような獰猛《どうもう》さを感じさせる。

「ザナコッタ、聞いてくれよ」坊主頭のルウが相変わらずのゆっくりとした口調で言う。「ガキがさ、俺が変だって言うんだよう」

ザナコッタと呼ばれた青年は、坊主頭同様、口の前でこぶしを握っていた。彼のうしろからさらに数人の男女が現れた。咳き込んでいるみたいに、誰もが口元に手を当てている。ロダンの有名な彫刻みたいな集団だな、と僕は場違いな感想を覚える。

「俺の坊主頭が変だって。何が変だって言うんだよう。お前の髪をむしってやろうかあ」

「落ち着けよ、ルウ」

金網を蹴り続ける坊主頭の肩に、ヘアバンド男が寄りかかり、そのまま、立ち尽くす僕ら三人の顔を順繰りに見やる。

「穏やかじゃないなあ」

口元を隠したまま、瞳に喜色を浮かべる。それは、獲物を前にした肉食獣の舌舐めずりを思わせた。コンが唾を呑み込む。

「——何の用だい、ザナコッタ」

強張《こわば》った声で、フラワーがようやく言葉を発した。

「つれないな、可愛いフラウェム。こっちこそ、理由を聞きたいぜ。ルウを馬鹿にしたのはお前らだろう？」

「そいつが勝手に勘違いしただけさ。僕たちは違う話をしてたんだ」

「そうか。そいつは悪かった！」ザナコッタは突然上を仰いで、素っ頓狂な声を出した。「フラウェムが言うなら、そうに違いない。ルウ、先走っちゃ駄目じゃないか」

芝居がかった大げさな身振りで、寄りかかったルウの肩を叩き——

ザナコッタは金網ににじり寄る。

「だが、勘違いでも喧嘩はできると思わないか——なあ、可愛いフラウェム」

食い破らんとする勢いで、金網を揺らす。嫌な音が鳴り続ける。

僕は動けなかった。フラワーのうしろに半ば隠れるようにして、でも目を逸らすことはできなかった。閉じることもできなかった。いつか野良犬の群れに囲まれたときと同じ恐怖が、全身に満ちていた。目を閉じた途端に金網が破れ、裂け目から獣が飛びかかってきそうな気がして、必死で目を開け続ける。熱を孕んだスモッグで、眼球が乾く。

——動物は決して、自分からは人を襲わない。

痛みのあまり、こらえ切れず目を閉じた。その瞬間、金網が裂ける音が聞こえた。ルウの叫び声が響き渡る。

「やめんか、お前ら」

しわがれた、けれどどこか飄々《ひょうひょう》とした声に、僕は恐る恐る目を開けた。

金網の向こう側、ザナコッタたちから少し離れた路上に、大人がふたり立っていた。ひとりは上半身裸の痩せ細った老人で、目が痛くなりそうなピンクの作業ズボンを穿いている。もうひとりは、レインコートを羽織り、マスクをした三十歳くらいの女性だ。

声を上げたのは、当然ながら老人の方だった。顔つきだけを見れば、すでに七十歳には達していると思われる老人は、しっかりした足取りでこちらに近づいてくる。

「——お前ら、またやっているのか」

背の低い老人は、ザナコッタとルウの前に立つと、全く恐れる気配もなく、下からふたりをねめ上げた。

「今度は喧嘩か？　ん？」

「誰かと思えば、雨乞いの爺さんじゃないか」

金網から身体を離し、ルウと肩を組んだまま、ザナコッタは老人に向き直る。

「スラム街の嫌われ者が、一体何の用だい。まさか、雨を乞うてるんじゃないよな？　そんな無意味な仕事、今更何の役に立つんだよ！」

笑いながら、老人の右腕に目を留め、ザナコッタはこれ見よがしに鼻を鳴らす。

「全く、滑稽だよな。雨乞いだって？　なあ、ルウ」

間延びした返事で、ルウが同意する。

「俺は今とても気分がいいんだ。仕事のない嫌われ者に、ごみの拾い方を教えて——」

「言ってくれるなあ、坊や」

飄々とした、けれど空気を震わすような声だった。ザナコッタが息を呑んだのがわかった。

僕は、老人の肩から右腕にかけて、刺青《いれずみ》が彫られているのに気づいた。同時に、左腕に大きな裂傷の痕《あと》があることにも。

老人が一歩ザナコッタに近づく。ザナコッタが、半歩うしろに下がり、けれど思い直したようにまた半歩前に出る。薄靄《うすもや》の中に、緊張感が張りつめる。

「帰ろうよ、ザナコッタ」

漂う緊張の靄を払ったのは、女の子の声だった。

ザナコッタが率いていた十名ほどの集団が割れ、真ん中から、赤い傘が前に出てくる。

あっと声を上げそうになった。

赤い傘をさした、見覚えのある少女が立っていた。ロダンの彫刻集団の中で、ひとり握りこぶしを作る代わりに傘の柄を握った少女は、足早にザナコッタに近づいた。

「お爺ちゃん、私たちはちょっと挨拶に来ただけよ」少女は老人に微笑みかける。「そうだよね、ザナコッタ」

「——ああ、もちろんさ」ザナコッタが、媚《こ》びた笑みを浮かべる。「俺たちが本気で喧嘩なんてするわけないじゃないか。久しぶりに会ったから、ふざけ合ってただけさ。なあ、ルウ」

呼びかけられたルウは、えへへ、と笑う。

「そうだぜ、爺さん。それに俺たちは、ごみ拾いをやめたから、しばらくごみ山に来ることもなくなるしさ」

「ほう。新しい稼ぎ口でも見つけたのかい」

「ああ、そうさ。それも素晴らしく高収入のな」嫌われ者のあんたには紹介できねえけどな、とザナコッタは手をぱたぱたと振る。「ま、そんなわけだ。じゃあな、雨乞いの爺さん——そしてガキども」

肩を組んだまま、ルウを引っ張るようにして、ザナコッタは道路の先へ歩み去った。集団がぞろぞろとザナコッタを追っていく。老人に軽く会釈《えしゃく》して、集団の最後尾についた少女が、一瞬振り返って僕を見た。騒動の間、言葉ひとつ発することができなかった僕を、彼女は表情ひとつ変えずに見つめ、すぐに集団を追ってスモッグの中に溶けるように消えた。

集団が立ち去るのを見守っていた老人が、ため息をついた。

「まったく、墓守もずいぶん危なくなったなあ」

「墓守？」

金縛りが解け、地面に転がった辞書を拾い上げながら尋ねる僕に、フラワーが答える。

「街と山の間にある墓地に住みついている連中でね。ザナコッタがリーダーの、喧嘩っ早い奴らさ。僕たちと同じで、ごみ拾いをして生活していたはずなんだけどねえ――あんな女の子がいるなんて知らなかったよ」

山から街に向かう道の途中、沈みの橋の近くに墓地があるということも、墓守というグループが存在するということも初耳だった。けれどそれ以上に、彼女がストリートチルドレンのひとりであることに僕は驚いていた。

――傘をさしているのって、皆観光客だろ。

傘を揺らして遊ぶ彼女の涼しげな笑顔は、路上生活とはあまりに隔《へだ》たっているように感じられた。

「ナクリーは、最近墓守に仲間入りした子さ」混乱する僕をよそに、老人は淡々と説明する。

「利発で、可愛げのある子だよ。ザナコッタたちに悪い影響を受けなければいいんだが」

「あの女の子、心配ですね」

ナクリーという少女のことをもっと知りたくて、口を開きかけた僕を遮ったのは、女性の声だった。それまで僕らから距離を取り、事態の成り行きを見守っていた女性が、老人の横にやってくる。

「早いうちに生活を変えないと、路上生活のくせがつく。そうなってしまうと、抜けるのは大変なんです」

「そうかい」

「そうです。墓守にはすでに何度も接触しています。けれど、彼らは問題児なんですよ。特にリーダー格のザナコッタは大変な子です。もう何度もホームから脱走しているんです」女性は街へと続く道を見やった。「見ましたか、去っていくときのあの子。表情がなかったわ。いえ、見た目は笑ってましたよ。でも、あの笑顔は表情と言えるようなものじゃなかった。心から楽しくて笑ったり、恥ずかしがって赤面したり、そうやって顔色がころころ変わるのが人間なのに、あの子は無表情の上に〝笑い〟のお面をかぶっているだけみたい。人形みたいで怖いですよ」

「あんたの言っていることは難しくてよくわからんが」禿げあがった頭に手を当てながら、老人が言う。「それじゃあ、ナクリーのためにも早く墓守を追いかけた方がいいんじゃないか」

「墓守には近いうち、また会いに行く予定です。それより、今日はこの子たちに会えましたから」

そこでマスクをした女性は、僕らの方を向いた。

「ねえ君たち、ホームに来るつもりはない？」

フラワーとコンを横目でうかがった。ふたりは明らかに戸惑っている様子で、老人と女性の顔を交互に眺めている。返事をする気配もない。そうだろう、と僕は思った。ふたりには、女性と老人の会話の内容がまるで理解できなかったはずだから。

感傷に似た気持ちが、湧き起こる。

典型的な日本人の顔つきの女性は、懐かしい日本語で喋っていた。


到着した頃に比べて、風が強くなってきた。山を覆っているスモッグも、風に流されてわずかに薄まっているような気がする。それでも視界は相変わらず悪く、十メートルも離れれば人の姿はぼやけてしまう。この時間になっても煙っているとなると、今日はもうごみ拾いはできないかもしれない。

山に向けていた顔を戻す。金網をまわり込んできた老人と女性が、僕らの前に腰を下ろした。近くで改めて見ると、老人の刺青は独特だった。肩から肘のあたりまで、青紫でカンボジア語の文字めいた図柄が彫られ、さらに赤い太めの線が手首を一周している。視線に気づいたのか、フラワーやコンとは旧知の仲らしい老人が、初対面の僕に笑いかける。

「坊や、名前は？」

「新入りのミサキさ」

穏やかなカンボジア語の問いに、僕より先にコンが答える。

「そうか、ミサキか。面白い名前だな。わしは雨乞いだ。スラム街に住んでいるから、雨が欲しくなったらわしのところに来い」

それだけ言って、老人は豪快に笑う。

雨乞いという仕事の内容はさっぱりわからなかったし、老人が日本語を喋れる理由にも興味はあった。だけど、僕は会釈するに留めた。辞書をそっとポケットに仕舞い込む。自分が日本人であることがばれると、話がややこしくなりそうで嫌だった。幸い、老人が僕に不審を抱いた様子はなかった。ちょうどそこに、ヴェニイたち三人が戻ってくる。雨乞いの姿を認めた途端、ティアネンがなぜか舌打ちをして、そっぽを向いた。

対照的に、ヴェニイはご機嫌な様子で、雨乞いの老人に尋ねる。

「爺さん、こんなところで何してるのさ」

「元気そうだな、ヴェニイ。いやなに、お前らと話がしたいという人がいてな。連れてきたんだ」

そう言って、老人は傍らの女性を示した。

「わたしの名前はヨシコ。NGOで働く、ストリートエデュケーターよ」

日本語の響きに、再び懐かしさが込み上げる。

女性が日本語で喋り、その内容を老人がカンボジア語に訳して伝える。日常的なカンボジア語なら、僕もある程度わかるけれど、老人の訳はかなり正確であるようだった。

「ストリートエデュケーター?」

「そうよ」老人が訳した日本語を受けて、女性は怪訝《けげん》そうな表情のヴェニイに諭《さと》すように言う。

「路上で生活する子供たちをホームに案内する仕事よ」

通訳に徹する老人の口からホームという言葉を聞いた途端、ティアネンがこらえ切れないとばかりに輪を離れていった。すぐうしろを、コンが追いかける。呆気に取られる僕に、フラワーが小声で耳打ちする。

「あのふたり、ホームが嫌いなのさ」

「ホームって何？」

「僕らみたいな子供を集めて、寝泊まりさせて、食事をくれたり、仕事を覚えさせたりする場所のことだよ」

「保護施設みたいなところ？」

こころなしか肩を落としている女性を見つめながら、僕も小声で訊き返す。

「そう。それで、ティアネンとコンはホームから逃げたことがあるんだ。だから、話を聞きたくないんだろうねえ。それに、皆雨乞いが嫌いだし」

「何でホームから逃げたの？」

首を傾げた僕に、フラワーはさらに声を落として言う。

「そりゃあ、ホームは嫌なところだからさ。そうじゃなきゃ、僕らは皆ホームで生活していると思わない？」

フラワーの言葉に意外な説得力を感じながら、僕はヨシコの言葉にも注意を向ける。彼女は気を取り直した様子で、ヴェニイに話しかけていた。マスクをつけているわりに明瞭な声だ。語調に緩急《かんきゅう》をつけながら、途切れることなく滔々《とうとう》と喋り続けるので、何だかスピーチを聞いているような気分になる。

「あなたは、自分がいる環境がどういうものなのか、わかっているかしら」ヨシコは芝居がかった手振りで、スモッグの向こうの山を示した。「たとえばあのごみの山。あそこがどんな場所か知っている？　もうもうと上がる煙が、どういうものか知っている？」

老人の訳した言葉に、ヴェニイが首を横に振る。

「カンボジアには焼却施設がないから、ごみは全部そのまま運ばれてくる。だから、あそこには生ごみがたくさん積み上がっているの。生ごみはね、熱気の中で腐ってしまう。この辺りは気温が四十度に達することもあるくらい暑いから、腐るのもあっという間よ。ごみが腐ると、ガスが発生する。そのガスのせいで、ごみは自然発火する」

ヨシコは、自分が履いているゴムの長靴を軽く叩いた。

「長靴を履いていても、三十分も同じ場所で立ち止まっていれば、ゴムが焼け始めちゃう場所よ。そんな場所を、君たちは毎日裸足で歩きまわっているの。いいえ、それだけじゃないわ。ガスは有毒だし、悪い菌を持った虫もうようよしている。こんな劣悪な環境の中にいたら、怪我だってするし病気にもなるわ。ひどければ、死んでしまうかもしれない」

隣でフラワーがあくびを嚙み殺しているのが見えた。ふと、どうして皆はティアネンみたいに逃げないで話を聞いているのだろう、という疑問が頭を過《よぎ》る。

「それだけ危険なことをして、一体どれだけ稼ぐことができるの?」

「ひとり五百リエルくらいかな。調子がいいときは、千リエルくらい稼げるよ」

フラワーとは対照的に、潑剌《はつらつ》とした声でヴェニイが答える。

「たった五百リエル? 千リエル?」老人が訳した日本語に、嘆かわしいとばかりにヨシコは頭を振った。無造作に縛られたポニーテールが揺れる。「いい? 千リエルなんて、米ドルにしたらたった二十五セントよ。一ドルにだって達しない、缶ジュース一本だって飲めない。わりに合わないと思わない?」

でも他に稼ぐ方法がないからなあ、とつぶやくヴェニイに、ヨシコが深く頷く。

「だから、ホームに来なさい。ホームなら、美味しいご飯が食べられるし、きれいな服を身につけることができる。職業訓練も受けられる。訓練を受けて、きちんとした仕事に就けば、もっとたくさんのお金を稼ぐことができるのよ」

半透明のレインコートの下に着たヨシコの服装は、白地に水色のボーダーのポロシャツに、青いジーンズという軽装だった。汚れが目立ちそうな色合いの服は、レインコートに守られて、清潔感に満ちている。

「ホームに行くと、いいこと尽くめだな」

昨日と同じ黄色いTシャツの、首まわりについたふけをはたきながら、ヴェニイが言う。

「そうよ、いいこと尽くめよ。知ってる? カンボジアは観光国として、これから大きく発展していこうとしている。国は裕福になって、仕事もどんどん増えていくわ。ホームで職業訓練を受ければ、その流れにあなたたちも乗ることができる。どう、良かったら、これから——」

「でも行かない」

帽子を斜に構え、ヴェニイはにやりと笑う。

「だって、ホームには自由がないから」

「自由?」

「ホームでは、規則に縛られるんだ」

「そんな——」一瞬虚を衝かれたような顔をしたヨシコは、すぐにまくし立てた。「自由って何かしら。規則に縛られないこと? 好きな時間に起きて、好きな時間に寝ること? それが自由なの? あなたたちは、自由という言葉の意味をわかっていない。目先の、まがい物の自由に惑わされているだけよ。単に縛られたくないというだけなら、動物と同じよ。人間らしい生活を送りなさい」

老人が訳す時間ももどかしいとばかりに、ヨシコは早口で言葉を続ける。

「そう、一番大切なのは、人間らしい生活を送る、ということ。ホームには、確かに規則があるわ。でもそれは、あなたたちに人間らしく生きてほしいから。約束を守ったり、他人を思いやったりし、そうして我慢や忍耐を覚えることで、あなたたちは心の底から笑ったり、楽しんだりすることができる」

必死さを隠そうともせず、ヨシコは説得を繰り返す。

その言葉に耳を傾けながら、僕はヨシコの仕事が何となく理解できた気がした。ストリートエデュケーターとは、日本語にすれば路上の教育者だ。彼女は、親と別れ路上で生活するストリートチルドレンをホームに連れていき、路上生活から足を洗わせたいのだ。僕らの生活環境や将来を慮《おもんぱか》り、助けたいという一心で、ひどいにおいのするごみ捨て場までやってきている。彼女はボランティア精神に満ちた、誠実で優しい日本人なのだ。

「あなたたちはまだ、何も知らない子供なの。ホームでいろいろなことを学ぶ必要があるのよ」

けれどヴェニイはただ、自由じゃない、と言い続けた。ヴェニイの言葉に頷きたい自分と、真摯《しんし》な日本人の言葉に同意したい自分とが心の中でせめぎ合い、僕はただ黙ってふたりの会話を聞いているしかなかった。

スラム街では、雨が降るとシャワーの時間だ。石鹼で身体中をこすり、髪を泡立て、雨水で洗い流す。雨が降らない日や、降っても身体が湿るくらいの弱い降りのときは、ドラム缶に溜めた雨水で手足をすすぐくらいで済ます。だから、晴れ間が続いたときなど、スラム街の住人はわかりやすいくらいに臭くなる。その点、僕らは雨が降っていようがいまいが、毎日川で水浴びをするので、彼らに比べると清潔だ。

浅瀬で水をかけ合って遊んでいる仲間の姿を眺めながら、僕は乾いたシャツで髪を拭った。水を吸ったシャツを絞って広げると、無数の髪の毛が汚れみたいにくっついていて、僕は少しショックを受ける。

「何ひとりで抜け駆けしてるのさ！」

背後から声がして、振り返る間もなく誰かが覆いかぶさってきた。支え切れずに地面に倒れ、洗ったばかりの身体に泥がつく。

何するんだ、と文句を言う僕に、コンが笑い声を上げる。

「ひとりで先に上がろうったってそうはいかないぞ！」

「せっかく水浴びしたのに、また泥が――」

コンが僕の頭を軽く押し、僕は湿った地面に突っ伏した。頰に心地よい土の冷たさを感じる。

うしろでまたコンが笑った。普段の神経質さを感じさせない、幼い声だった。

僕は腕に全力を込めて、腕立て伏せの要領で、背中でコンを持ち上げた。そのまま、身体を反転させる。盛大に地面にひっくり返った全裸のコンに馬乗りになって、僕は彼の顔にすくった泥をばらまいた。コンが激しく咳き込む。

「コン、はしゃぎすぎだぞ」

「――やったな、ミサキ」

下から僕を睨《にら》み上げるコンが、何かをこらえるように頰を膨らませる。やがて、どちらからともなく僕らは笑い出した。

コンから飛びのいて、川へ駆ける。奇声を上げながら、濡れた長い髪を振り乱してコンが追いかけてくる。僕らはもつれるように川に飛び込んで、仁王立ちしていたティアネンに覆いかぶさった。お前ら、と怒声を響かせるティアネンを川に沈めて、僕らはまた笑い合う。

コンが両手を空に伸ばしながら、一際大きな声で言う。

「今日は宴《うたげ》だ！」

窓から入ってくる風と、湿った身体から漂う水のにおいが、今夜は気にならない。胃が唸《うな》り声を上げそうな芳《かぐわ》しい香りが、アルコールランプの明かりが照らす小屋の中に満ちていた。コンの言葉どおり、水浴びを終えた僕らを迎えたのは、豪勢な食事だった。もちろん、日本にいた頃の食事には及ぶべくもない。けれど今の僕には、それは宮廷料理にも匹敵する立派なものに思えた。

クレープみたいな生地《きじ》にもやしと豚肉を挟んだお好み焼きふうのものに、プロホックという調味料で塩味をつけた焼き魚。熟したパパイヤやバナナといった果物。大皿の粥《かゆ》には、蒸《ふ》かした芋と鶏の卵が載っていた。飲み物はいつもの濾過《ろか》した川の水ではなく、コーラの缶が人数分用意されている。

こんな食事は、ヴェニイたちとの共同生活では初めてだった。

「うまい、うまい、うまい、うまい――」

「わかったから少し黙って食えよ、コン」

「魚って残すところないよねえ」

「フラウェム――骨はどうしたの？」

「誰も取らないからもう少し落ち着けって。またお腹こわして泣くぞ、泣き虫ハヌル」

めいめいが自分勝手に喋りながら、返事を期待する様子もなく食事に没頭している。

豪勢な食事にありつけたのは、ストリートエデュケーターのヨシコが、別れ際に服をくれたからだ。

——少し清潔にしないと、病気になったら大変よ。

話が平行線に終わって、落胆した様子のヨシコは、それでも話を聞いてくれたお礼にと、僕らにパーカーとズボンをプレゼントしてくれた。上下揃えて三着、商品タグがついていそうなきれいなものばかりだった。人数分はなくて申し訳ないけど——すまなそうな顔をするヨシコに、ヴェニイは感動したような素振《そぶ》りで、何度も礼を言った。その上、今度ホームに遊びに行く、とあっさり前言を翻《ひるがえ》して、ヨシコを喜ばせた。

そしてヨシコと老人が去ったあと、ヴェニイは街に出向いて服を売り払った。

黒と遭わないよう、街に入ってすぐ目についた業者に、さしたる交渉もせず売ったらしいけれど、それでも結構な金額になった。僕らが山で一日に稼ぎ出す金額をはるかに超えるお金で、ヴェニイは食料を調達して小屋に戻り、僕らは今、宴を開いている。

ヴェニイがヨシコの話を行儀よく聞き続けたのには、ちゃんと狙いがあったのだ。

「NGOのおばさんに感謝しないとな」缶コーラの残りを一気にあおり、ヴェニイは盛大なげっぷを洩らした。「いや、むしろおばさんを連れてきてくれた爺さんに感謝しなきゃいけないのか。爺さん、暇で仕方ないんだろうなあ。誰彼構わず世話を焼いてるみたいだし」

何せ雨乞いだから、そう言ってにやにや笑ったヴェニイは、僕の視線に気づくと、

「占い師みたいなもんなんだ。晴れ続きのときに雨が降るよう、神様にお祈りするのさ」

「かなった例がないけどねえ」

「ご覧のとおりの天気がずっと続いているわけで」

「そりゃあ、仕事はないよなあ」

皆が口ぐちにつぶやき、笑い合っていると、ティアネンが苛立った調子で皿を床に置いた。目が合った僕に、嫌悪の表情を浮かべながら、「ふん、天気以前に、嫌われ者のあいつに仕事を頼むやつはいないさ」と言う。

「どうして、嫌われているの」

「あいつは裏切り者だからさ」

「裏切り者？　何を裏切ったの」

「俺が知るかよ。とにかく、雨乞いの右手首には、赤い刺青があるだろう。手首に赤い刺青があるやつは、裏切り者なんだよ」

難癖にしか聞こえない理由をつけて、ティアネンは雨乞いを裏切り者呼ばわりする。どうやら赤い刺青は、ティアネンの中では悪い意味を持っているらしい。他の仲間からも特に反論がないところを見ると、皆多かれ少なかれ、そう思っているのだろうか。

ストリートチルドレンの間では、ときおり日本人の僕の目には奇妙にしか映らない常識がまかり通っていることがある。先日、山で吠える野良犬を指差し、犬は実は目が四つあって、幽霊が見えるから、ときどき何もない場所に向かって吠えるんだ——そうヴェニイが真顔で言ったときには、目が点になった。きっと、雨乞いの赤い刺青も、同じ類《たぐい》の常識なのだろう。

「おばさんは何の用だったんだ」ひとしきり文句を吐いたあとで、ティアネンがヴェニイに訊く。

「俺たちにホームに入れって」

ヴェニイの答えに、ティアネンはくさいものを嗅いだみたいに顔を歪《ゆが》めた。

「ふざけんなって」湿った前髪を指先で丁寧に右に寄せながら、吐き捨てる。「俺は昔、ホームにいたことがあるから知ってる。あそこは地獄だ。何時に起きろ、何時に寝ろ。飯の時間はいつも同じ。あれをしてはいけない、これもしてはいけない。あんな規則だらけの場所にいたら、死んじまう」

一週間で逃げちまった、とティアネンは笑った。

「俺たちは自由が欲しいんだ。それをわかってない」

芋を口の中に入れたまま、コンが行儀悪く同意する。

パパイヤを咀嚼《そしやく》しながら、僕はストリートエデュケーターの言葉を思い出した。

——あなたたちは、自由という言葉の意味をわかっていない。

自由とは何だろう。

向かいに座っているソム兄さんが、棒で左隣のヴェニイの肩を叩く。ソム兄さんがいつも杖にして使っている、鉄パイプだ。ヴェニイは心得たように、ソム兄さんにバナナを差し出す。阿吽《あうん》の呼吸で、言葉ひとつ交わすことなく、兄弟は意思の疎通を図る。

——俺はさ、親が嫌いだった。

昨日、工場前で聞いたヴェニイの話が耳の奥によみがえる。

——親父はいつも俺を殴ったんだ。

ふたりの兄弟は、暴力を振るう父親と、それを見て見ぬふりをする母親から逃げた。親からの自由を求めて、ふたりはこの川縁の小屋にたどり着いたのだ。

ゆっくりと視線を巡らす。

髪型をひっきりなしに整える大柄の少年の横で、別の少年が長い髪を神経質そうにかいている。色白の美少年が、その様子を微笑ましく眺め、ふふ、と笑う。片隅では、ヴェニイにべったりの小柄な少年が、食事に夢中になっている。

彼らの過去を僕は知らない。お互いの過去を穿鑿《せんさく》しないことは、僕らの唯一といっていいルールだ。だから僕は、たとえば仲間の本当の名前を知らない。ヴェニイやソムといった名前も、それが本名なのかどうかわからないという意味では、フラワーという渾名《あだな》と一緒だ。

ある意味では、僕らは本当の名前というものを忌避《きひ》さえしている。

ごみ捨て場を山と呼び、ごみ拾いを狩りと称する。天敵である警官には黒と名づける。暗号めいた呼び名は、現実をうまく隠すためのオブラートなのだ。それは、この世界で生きるための、他愛のない現実を、別の言葉に置き換えて和らげる。直接口にするには重たくて生々しい現実を、別の言葉に置き換えて和らげる。

けれど切実な術のひとつなのだ。

だから、僕は仲間の本当の姿というものを、知らない。

それでも、仲間が皆、自由を求めて過去からこの小屋に逃げてきた子供たちであることは僕ない。

にもわかる。日本人の僕にだって、わかる。

僕もまた、自由を欲して逃げてきたからだ。

仲間以外の誰にも場所を知られていないこの小屋には、学校も勉強もない。そして、父がいない。

――目先の、まがい物の自由に惑わされているだけよ。

僕はホームがどういう場所なのか、実際には知らない。でももしかしたら、強制されるという意味で、そこは彼らに過去を思い出させる場所なのかもしれない。ホームの規則が嫌なのではなく、縛りつけられることが恐ろしい。だから、自由を求めて逃げてきた彼らは、ホームには決して行こうとしないのではないか。

コーラをひとくち含んで、談笑する仲間に目を向けた。ヴェニイがヨシコの言ったことを繰り返している。もちろん日本語は喋れないので、雨乞いの訳したカンボジア語でなのだけれど、上手に口振りをまねている上に、大袈裟な身振り手振りを交えて喋るから、皆が腹を抱えて笑い転げている。

「ヨシコは、最初から変なことばかり言ってたよ」会話に参加したくて、僕も口を開く。「雨乞いの爺さんに、日本語で喋ってたんだ」

――見ましたか、去っていくときのあの子。表情がなかったわ。

――心から楽しくて笑ったり、恥ずかしがって赤面したり、そうやって顔色がころころ変わるのが人間なのに、あの子は無表情の上に〝笑い〟のお面をかぶっているだけみたい。

――人形みたいで怖いですよ。

ヴェニイに倣い、僕もわざと抑揚をつけてヨシコのスピーチじみた口調をまねる。僕のあとを受けて、ヴェニイが立ち上がり、胸に手を当て、高らかにカンボジア語で言う。赤面するのが人間なのに！　人形みたいで怖いですよ！　笑いが一層大きくなり、小屋を包む。

僕は道化を演じるリーダーの黄色いTシャツを見て思う。ここにはヴェニイがいる。忍び寄る影を照らす太陽のように、ヴェニイは過去から僕らを守ってくれる。川縁の小屋に満ちた自由な空気は、とても心地がいい。

――単に縛られたくないというだけなら、動物と同じよ。

不安など何も見えないように、僕は目をつむって笑う。

「あのおばちゃんは、俺たちと野良犬を結びつけたくて仕方がないのさ」

「ホームに来ないガキは野良犬と同じだって思ってるんだ」

「冗談じゃない。あいつは嘘つきなんだ。嘘をついて、皆を惑わせようとしているんだ」

「ねえ、ヴェニイ」場がヨシコの悪口で盛り上がる中、未練がましく大皿を舐めていた小柄な少年が不意に顔を上げた。「おばちゃんが言ってたことは、全部嘘なの？」

嘘に決まってるだろ、と毒づくティアネンの横で、

「そうだなあ」ヴェニイはあごを撫でた。「ひとつのことを除いては、正しいな」

「ひとつ？」

「そう。笑ったり恥じらったりするのが人間だし、ホームでは確かにいい食事にありつけるし。

山は危険だし、稼ぎだって大したことはないし。そういうことは正しい。けれどひとつだけ間違っている」

「それは？」

「俺は何も知らない子供じゃない。俺は何でも知っている、偉い人間だ！」

ヴェニイが胸を張る。何だよそれ、とティアネンが呆れた声を出す。

「わからないことは、何でも訊きたまえ」

偉ぶって豪語するヴェニイに、フラワーが思い出したような声を上げる。

「最近不思議なことがあるんだ。ねえ、コン」

「そう」水を向けられたコンが頷く。「黒がしょっちゅう街中に現れるようになったり、山からごみが減ったりしてる」

「墓守もおかしなこと言ってたよねえ。ごみ拾いから足を洗うって」

「知らないところで何かが起きているのかもしれない」

深刻そうにつぶやくコンに、ヴェニイは低く唸った。帽子をしばらく指先でもてあそんだあと、不意に僕を見る。

「新聞でも読めばいいんじゃない」

窓の下の板壁に寄りかかって座り、深い考えもなく言う僕に、向かいから疑問の声が上がる。

「何言ってるの？　意味がわからない。新聞紙って、寝るためのものじゃないの？」

「違うよ、ハヌル」

膝を抱えて空を見つめながら、ティアネンがいつも新聞紙を腹の上にかけて寝ていることを思い出す。

「あ、じゃあ、燃やして火をつけるためのもの?」

「違うって」疑問だらけの眼差しに、訳知り顔のヴェニイが言う。「新聞は、いろいろな情報を手に入れるための道具なんだよ」

「──情報? それが何の役に立つの?」

あまりに根本的な質問にも、ヴェニイは動じない。

「情報があれば、いろいろ考えることができるんだぜ。たとえば、山にトラックが来るだろ? たくさんのビニールや鉄屑を積んだトラックさ。新聞には、あのトラックが、いつ来るかが書いてある」

「うん」

「そこで考えるのさ。トラックの到着時間を知ってるんだから、その時間に山に行けば、よりたくさんのエモノを狩ることができる。結果、俺たちは金持ちになる」

「情報をもとに、考えると、金持ちになれる──」

「いいか、ハヌル。考えることは大事なんだ。人間は考える葦なんだよ。いやあ、これは名言だな」

「は?」

皆の気持ちを代弁して、ティアネンが裏返った声を出す。一体どこでヴェニイがその格言を耳にしたのか、僕は不思議に思う。

「いや、だから」

「意味がわからん」

「つまりさ——」なぜかヴェニイは僕をすがるように見る。「ミサキ、どういう意味だ？」

「……何でも知ってるんじゃなかったの？」

黒の出没やごみの減少といった切実な問題はどこかへ消え、なんてことはない、くだらない話で場が盛り上がる。誰かが言葉を発すると、すぐに他の誰かが反応する。アルコールランプの火が揺らめく小屋の中で、果てしなく飛び交うカンボジア語を耳にしながら、僕は言いようのない居心地の良さを感じていた。


それからも数時間喋り続けて、僕らはようやく就寝することになった。

タオルケットを広げていると、椰子の実が地面に落ちる音が、窓の外から聞こえてきた。立ち上がって、窓に寄る。水のにおいを孕んだ風が、窓から反対側の入り口に吹き抜けていく。風の冷たさで、夜が深まっていることを知った。時計がないから正確にはわからないけれど、日づけは変わっているだろう。こんな時間まで起きていたのは、長い雨が降り始めて三日目の、小屋に来た最初の夜以来かもしれない、そう気づいて、胸が一瞬うずく。

小屋の中を振り返る。アルコールランプのオレンジ色の明かりが、小屋のあちこちに影を生んでいた。その影に埋もれるようにして、仲間は床に寝転がっている。ティアネンは早々と新聞紙の下にもぐって目を閉じ、鉄パイプを抱いたソム兄さんは、小さくいびきをかいている。

「明日は早起きして街で様子を聞いてくるよ」床に敷いたシャツの上に横になりながら、ヴェニイが言う。「黒とかごみとか、いろいろ気になるからね。新聞は読めないけど、話は聞けるから。読めないものは読んでもらえばいい。お、これって名言じゃないか？」

あごに手を当て、ヴェニイはひとりでふんふんと頷き、

「街から戻ったら、たくさん思いついた名言を、仲間の皆に教えてやらないとな。傘と観光客の名言なんか、我ながらいい出来だし。なあ、ミサキ？」

ピースサインを僕に向けて、どこか得意げに笑うヴェニイに、僕の胸のつかえは消えていく。お寝《やす》みという言葉とともに、ヴェニイがアルコールランプの火を吹き消した。小屋が夜の色に染まる。それは決して怖い闇ではなかった。

明日もまた、仲間に囲まれて起きることができる。

だから僕は安心して眠ることができる。

今日は夢を見なくて済むかもしれない――そう思いながら、窓の下に寝そべり、タオルケットにくるまって、僕はそっと目を閉じた。

翌日、ヴェニイが殺された。

第三章　沈む舟

止まない空の泣き声が、川原に響いていた。

ティアネンが、両腕をだらりと下げて立ちすくんでいる。

他の言葉を忘れたように、ただ名前だけを繰り返し呼びながら、フラワーが座り込んで泣く小さな少年の肩を叩いている。

コンとソム兄さんはいなかった。

前髪の毛先から水が垂れ、まつげにかかった。水滴が目に入って痛む。目元を拭い、瞬きをしても、目の前の光景は変わらなかった。

朝の川には靄が立ち込めていた。透けるヴェールをかぶせたように淡くかすんだ川の眺めは、いつもよりもどこか作り物っぽい印象を受ける。川の中ほどに、水色の帽子が浮かんでいた。

帽子の周囲には、不揃いな大きさに割れた木片が見え隠れしている。一番大きな木片は、流線形の、角が一本生えた兜《かぶと》のような形をしていて、僕はそれが舟の舳先《へさき》であることに気づいた。

川に漂う木片は、舟の残骸だった。

水面から、葦の茂る川原へと視線を移す。舟の残骸は、陸の上にも及んでいる。朝露に濡れる葦の間に散らばった破片の先に、ひとりの少年が横たわっていた。水を吸って色が濃くなった黄色いTシャツに、青いデニム地のハーフパンツという恰好は、昨日も一昨日《おととい》も目にした、なじみの装いだ。

まるで眠っているようだった。水浴びに疲れ、葦を布団にして寝ているだけに見えた。

「ねえ」

少年は答えない。

「ねえってば」

よほど疲れているのか、どんなに肩を揺すっても、少年は起き上がらない。

「そろそろ起きないと、風邪を引くよ」

地面に膝をつき、何度も繰り返し肩を叩く。うしろから身体を強く引かれて、僕は仰向けに倒れた。濡れた葦の先が冷たく首筋を刺す。

「駄目だよ、ミサキ」

震える声で、フラワーが僕を見下ろして言う。整った顔立ちが、くしゃくしゃに歪んだ表情で台なしだった。フラワーを見上げる僕の頰に、水滴が落ちてくる。それが濡れた髪から垂れてきたものなのか、彼の目元から落ちてきたものなのか、僕にはわからなかった。

ゆっくりと上体を起こす。物言わぬ少年の姿が、再び視界に入る。

「もう駄目なんだよ、ミサキ」

うしろから聞こえる声に、急に目の前が曇る。身体から、力が抜けていく。

作り物の光景であってほしかった。

昨日と同じ恰好のまま、全身ずぶ濡れのヴェニイが、死んでいる。


夜更かしをしたのに、目が覚めたのはいつもより早い時間だった。窓から差し込む弱い光に、頭上の水色のシャツが照らされている。朝の光を浴びて際立つ色は、幸せな一日の始まりを約束しているように思えた。汗を吸った濃紺のシャツを脱ぎ捨て、吊るされた水色のシャツに手を伸ばす。三日ぶりにシャツを着替えていると、気配で目覚めたのか、小屋中でごそごそと仲間が起き出した。下着だけのだらしない恰好のティアネンが、大きなあくびをしながら、窓から顔を突き出す。

「あれ、舟がない」

意外そうにつぶやくティアネンの横から、僕も顔を出した。朝靄に包まれた川の縁に、古ぼけた舟が一艘繋がれている。ティアネンの言うとおり、一昨日手に入れたばかりの赤い舟は見当たらなかった。

「ヴェニイが出かけるって、昨日言ってたじゃないか」

寝起きで不機嫌そうなコンの声に、ティアネンは怪訝そうな表情を浮かべる。僕はヴェニイが昨夜眠る前に口にした言葉を思い出す。

――明日は早起きして街で様子を聞いてくるよ。

そう伝えると、ティアネンは、街か、とひとこと洩らし、それから落ち着きなくうろつき始めた。屋内に干された衣類を避けながら、狭い小屋の中を行き来する。

からかうようなフラワーの声が耳に入った。

「また何か、凄いことをしようとしてるのかな」足を止めるティアネンに、フラワーは微笑む。

「一昨日は舟を手に入れた。昨日はホームのおばさんから服をせしめた。さあ、今日は何をしてくれるんだろうねえ」

——黒とかごみとか、いろいろ気になるからね。

単に調べに行っただけだろう、そう言いかけた僕を止めたのは、床を踏み鳴らすティアネンの足音だった。

「追いかけるぞ」

「どうして？」

「いいから行くんだよ！」

仏頂面で、ティアネンは床に散らばった衣類の中からゴム紐の伸びたズボンを拾い上げる。

ヴェニイばかり手柄を立てるのが、ティアネンは面白くないようだった。山からごみが減っているせいか、最近は狩りの成果もぱっとしないことが、拍車をかけているのだろう。副リーダーを自認する狩人の、変なライバル意識が頭をもたげたらしい。

「でも、ヴェニイがどこにいるかなんてわからないよ」乱暴にズボンを穿くティアネンに、楽しくて仕方がないという素振りのフラワーが言う。「最初は街に行ったとしても、今は山にいるかもしれないし」

「たぶん、大丈夫だよ」フラワーに説明する。「ヴェニイは舟で出かけたんだ。どこに行くにしても、舟を川岸に置いていったはずだよ。もし桟橋に舟が繋がれていれば山かスラム街に、工場脇の茂みに舟があれば、街の方にいるはずだ」

まず舟を探そう。方針が決まると、ソム兄さん以外は皆口々に自分も行くと言い出した。誰も引かないので、結局じゃんけんの末――カンボジアにもじゃんけんがあることを僕は初めて知った――コンとソム兄さんが留守番になった。普段は三人で乗っている舟に、四人が乗り込む。不安定に揺れる舟を駆って、僕らは川を下っていく。

たぶん、皆まだ昨日の宴の興奮から醒めていなかったのだ。

川はいつもと変わらず、ゆったりと流れていた。川面の上を、羽虫が飛んでいる。立ち込める靄の影響で、どこか現実感のない道行きだった。見えない鳥のさえずりや、何かが川に飛び込む水音が、いつもより大きく耳に響く。

やがて現れた、山に繋がる朽ちた緑色の桟橋に、舟はなかった。ヴェニイは街だ――朝の静けさを大声で破るティアネンに、僕らは追従する。水辺でまどろんでいた白い鳥が一羽、驚いたように飛び立った。櫂を漕ぐ腕に、力が入る。

けれど、工場脇の林にも舟は見当たらなかった。朝靄の中で見落としたのだろうかと自問して、すぐに僕は否定した。霞《かす》んではいても、山の煙り方とは違って、川岸の様子は問題なく見て取れる。盗まれることを心配して草叢《くさむら》に隠してあったとしても、迷彩を施しているわけでもないし、四人の目で探しているのだ。あの真っ赤な色を見落とすことはないはずだった。

それでも、舟は見つからない。

このままだと、沈みの橋にぶつかるんじゃないか――

ティアネンがそう言い終えるのと同時に、件の橋が目に入った。

沈みの橋は、小さなアーチが横に三つ並んだ煉瓦造りだ。カンボジアには珍しい橋だ、といつかヴェニイが言っていたのを思い出す。褐色の煉瓦で組まれた橋は、確かにアジアよりはヨーロッパの、それも東欧の雰囲気を感じさせる。アーチは決して大きなものではなく、太い橋脚《きょうきゃく》と橋脚の間は四メートルほどしかない。おまけに、橋脚の間の水面には、水底まで延びた木の杭が顔を出している。それが、舟で街まで航行することを妨《さまた》げていた。

今朝、そうした風景はすべて靄に包まれている。濁りの目立たない水の上で、奥行きのない弓状のアーチが三つ、ぼんやり連なっている。

水彩画の世界に迷い込んでしまったみたいだった。煉瓦の色も、橋の輪郭も、靄の上に絵筆で描かれているように、存在感が希薄だった。水の香りも、音さえ、いつの間にか消えていた。前に座る仲間も、川岸の木々に止まる鳥もまた、ひととき絵の中の住人に成り果ててしまったかのようだった。

靄に沈んだ水の世界を、舟は静かに滑る。

舟の舳先が、何か硬いものにぶつかった。一メートルほどの長さの細い木の板が、水面を漂っている。板には赤いペンキの剝げた痕があった。目を凝らすと、同じような木片が他にもたくさん、霞んだ川面に浮かんでいる。

ちりばめられた赤は、水上に咲いた花のようだった。櫂を漕ぐたびに、ペンキで描かれた小さな赤い花はゆらゆらと、舟から遠ざかった。

不安定に漂う木片の中で、ひとつだけ揺れないものがあった。三つのアーチのうち、真ん中の下に、それは浮かんでいた。漣《さざなみ》と橋の影のせいで正体のわからないそれは、舟が立てるにも、まるで動く気配がない。

巨大な木片なのだろうか、と思った。たまたま、木の杭に引っかかっているために、揺れないのかもしれないと。けれどそれは、木片とは異なる丸みがあった。他の木片にある赤い色がなかった。

櫂が立てる波に、舟が小さく震える。橋の輪郭は柔らかく崩れ、儚《はかな》げに揺れる。

何かに操られるように、腕は櫂を漕ぎ続ける。

木片が次々と舟を揺らす。跳ねた水が顔をかすめる。

唐突に、むせ返るような川のにおいが、鼻腔《びこう》に立ち込める。

誰かが、悲鳴を上げた――

気づくと、周りには人だかりができていた。橋を行き交う人たちが、泣き声を気に留めて集まってきたのだろう。隣でうずくまる小さな背中を見つめる。いつもヴェニイにつき従い、ヴェニイの背中を追っていた忠実な家来は、あらん限りの声を上げて泣きじゃくっていた。泣き虫ハヌル――茶化してそう呼びかけようとして、声が出ないことに戸惑った。自分もまた泣いているとわかるのに、不思議と時間がかかった。

僕らのすぐ前に、ヴェニイは横たわっている。皆で川に飛び込み、木の破片ごと岸に引き揚げたヴェニイの身体は、皮膚がふやけて白く、人形みたいだった。

「何だ、あれは」

後方の人だかりから、誰のものとも知れない声が聞こえる。

「死体だ、死体だ」

「誰の死体だ」

好奇心に満ちた声が、方々から聞こえてくる。

「子供だ。あのシャツには見覚えがあるぞ」

「――ああ、なんだ。ごみみたいなガキだ」

反射的に振り返った先には、話に興じている大人たちがいた。僕の肩を、フラワーが押さえる。悲しげな目で僕を見て、首を横に振る。

「どれどれ」

作業着姿の男がひとり、無遠慮にヴェニイに近寄った。膝をつくと、ためらう様子もなくヴェニイのTシャツをめくり上げる。何やってんだ、といきり立つティアネンを無視し、男はしばらく黙ってヴェニイの身体を撫でまわすと、やおら立ち上がり、僕らではなく野次馬に向けて言う。

「銃で撃たれてるな」

ざわめきが強まった。

驚いたのは僕も同じだった。僕は勝手に、ヴェニイは溺死《できし》したのだと思い込んでいた。「銃痕がある」確認するようにヴェニイを見やり、作業着姿の男はひとつ頷く。「内戦のときに撃たれたことがあるから、俺にはわかるんだ」

フラワーの肩越しに、僕はヴェニイの身体をのぞき込む。Tシャツがめくれて露になった左胸の下に、小さく黒ずんだ点が見えた。

全身を怖気《おぞけ》が襲った。

銃で撃たれて死んだ。その意味に、僕はようやく思い至る。

銃で撃たれたということは、銃で撃った人間がいるということだ。

ヴェニイは銃など持ってはいなかった。舟は盗んでも、銃を盗むような危険な行為には手を染めなかった。

ヴェニイは殺されたのだ。そして犯人は銃を持っている人間だ。それはつまり——

「朝から騒がしいな」

川原に響き渡った低い声が、僕の思考を停止させた。周囲からざわめきが消えた。

巨大な手に顔をねじられるようにして、振り返る。

淡くかすんだ沈みの橋の、岸からそう離れていない場所に、黒い人影が立っていた。

隣にいたフラワーが、肩を震わせる。

人影は落ち着いた足取りで橋を渡ると、人だかりを割って近づいてくる。痩せた身体と真っ黒な服装は、やはり猟銃の銃身を連想させた。

僕らから二メートルほど離れた場所で、黒は立ち止まる。

「騒ぐほどのことでは、ないだろう」

そう言って、浅黒い指で、鼻の下の整えられたひげを撫でる。

——彼はほんの小さな理由で、平然とストリートチルドレンを殺す。

身体が震えた。怒りの感情はなかった。ただ恐怖と喪失感がない交ぜになった感情が、ブリザードのように身体の中で吹き荒れていた。

「人殺し！」

突然の怒号は、ティアネンが発したものだった。

「よくもヴェニイを！」

叫びながら、黒に摑みかかろうとする。黒はいとも簡単にティアネンの腕を避けると、握ったこぶしを鞭のように振った。呆気なく、ティアネンは地面に無様に転がる。

「おいおい、何の冗談だ？」切れたくちびるから血を流すティアネンを、黒は見下ろした。

「人殺しってのは、人を殺すことを言うんだ。ここに転がっているのは、野良犬の、いや虫けらの死骸じゃないか」

呻《うめ》くティアネンから視線を外し、黒は僕らを見やった。順々に視線を動かし、最後に僕に目を留め——

ゆっくりと笑う。

「飛んでいる蠅を一匹殺したくらいで、騒ぐなよ。滑稽だぞ」

彼の言葉に含まれた毒が、僕の全身を侵していく。

「こいつは虫けらの分際で、大罪を犯したんだ」言葉を失った僕らに、黒は語りかける。「善良な人間から、舟を盗んだのさ」

ペンキで赤く塗られた木片が、視界の隅に映る。

「しかも、この薄汚い黄色いTシャツには見覚えがある。こいつは、観光客から財布を盗んだガキだ。もう一匹、濃紺のシャツを着たガキがいたんだが、さて――お前らの中にいるか？」

今朝着替えたばかりの水色のシャツの裾を強く摑み、僕は腕の震えを必死で抑える。

「何だ、誰も答えないのか。残念だな」言葉に反して楽しげな様子で、黒は頬を撫でる。「見つけられたら、今朝みたいに始末できたのにな」

傑作だったよ、と口角を上げる。

「靄の中、沈みの橋に立っていた俺は、赤い舟が近づいてくるのに気づいた。向こうも俺に気づいた。そうしたら、こいつは何をしたと思う？　俺に向かって、無邪気に挨拶をした。盗んだ舟に乗って、堂々と手を上げたんだ。俺は笑いたくなった。靄のせいで、こんなに楽しい気分になるとは思わなかったから、心を込めて、挨拶を返してやった」

黒は腰の革袋から銃を抜く。

「狙いを外さぬよう、丁寧に撃ったよ」

大勢が集《つど》う岸辺に、饒舌《じょうぜつ》な黒の低い声だけが響く。

「こいつは、手を上げたまま川に落ちた」

意味をなさない唸り声を上げながら、ティアネンが倒れた姿勢のまま黒の足を摑んだ。黒は視線を落とすと、面倒くさそうに、脚を大きく振り上げる。それはごみを引き取る工場の親爺の闇雲な蹴りとは違う、冷静に相手を殺すための蹴りだった。

「お前は俺を殴ろうとしたのか。虫けらが人間を傷つけてはいけないんだぞ」蹴られた腹を押さえて咳き込むティアネンに一歩近づくと、黒は優しく諭すような声で告げた。「もちろん、人間である俺はいつでも、うるさい虫を始末していい——」

瞬間、フラワーの身体が跳ねた。傍らに立っていた作業着姿の男を、いきなり黒に向かって突き飛ばす。男と黒がもつれて倒れる。その隙にティアネンを立たせたフラワーは、今度は川まで走り、舟を岸から離した。

「ハヌル、ミサキ!」

フラワーの意図に遅れて気づいた僕は、慌ててふたりで舟に駆け寄り、櫂を握るフラワーにぶつかりそうな勢いで飛び乗った。振り返る。ティアネンが腹に手を当て、前かがみの姿勢で駆けてくる。

「おいおい、逃げるのなら——」

作業着姿の男を退けて立ち上がった黒の口調に、憤《いきどお》りは感じられなかった。優雅な所作で服についたごみを払うと、彼はおもむろに腰に手をやった。それから、右手を僕らに向けて伸ばす。

「二度と、街には来るんじゃないぞ。蝿はうるさいからな」

乾いた音がして、悲鳴が川原に響き渡る。

崩れ落ちるティアネンを、僕らは必死で舟に引き揚げた。ティアネンの左耳たぶが、獣に齧《かじ》られたように欠けている。傷口が、みるみる赤黒く染まった。

額に脂汗を浮かべながら呻くティアネンを抱え、僕らは泣きながら葦の川原から逃げる。

息を呑む群衆の前で、黒は静かに拳銃を腰に戻した。それからヴェニイに近寄ると、川に向かって蹴った。身体は重そうに回転して川に落ちる。

川面に生まれた波で、漂う水色の帽子が引っくり返り、ゆっくりと沈んでいった。

どうやって戻ってきたのか、記憶がない。いつの間にか、僕は寝床である小屋の窓辺にもたれかかっていた。

靄の晴れた川岸にソム兄さんがひとり、背中を丸め、川の方を向いて座っていた。川面に浮かんだ落ち葉が数枚、ゆっくりと下流に流されてゆく。向かいの岸は一面群生する葦の濃い緑に覆われ、その中で掘っ立て小屋のトタン壁の赤い錆色が目を引いた。顔を上げると、重たそうな雲が浮かんでいる。一見、昨日とも、一昨日とも変わらない光景だ。ただ、いつもは向こう岸にいるソム兄さんが、こちらの岸辺で僕らに背中を向けていることが、唯一の違いだった。対岸までの短い距離を、網を持つソム兄さんを舟に乗せて行き来するのは、ヴェニイの朝夕の日課だ。ソム兄さんが川を渡っていない——ただそれだけのことに、どうしようもなく胸がうずく。

竹の床を軋ませて、フラワーが僕の隣に並んだ。

「ティアネンは?」

「今、コンが探しに行ってる」

答えながら、僕は足元に目を落とした。折り重なったタオルケットとシャツの上に、黒く血に染まったTシャツが無造作に置かれている。

黒の姿が見えなくなってからすぐ、僕らは服を脱ぎ、ティアネンの耳に当てて押さえた。血止めになるのかわからなかったけれど、他の方法を思いつかなかった。本当は医者に連れていくべきだった。出血だけでなく感染症の危険もあったし、街やスラム街に行けば、応急処置のできる医者のひとりくらい、簡単に見つけられただろう。実際に当てもあった。二日前、街で黒から逃げるために飛び込んだ家を、果物売りは確か、金持ちの医者の家と言っていた。けれど僕らにはお金がなかった。ごみ拾いの子供を受け入れてくれるところなど、どこにもなかった。

——路上に住むガキが逃げ込めるような家じゃないですよ。

何より、外にいることの恐怖感が僕らをためらわせた。この小屋の場所を知っているのは仲間だけだ。早く帰りたい——歯ぎしりをしながら、ティアネン本人がそう希望した。

幸い、小屋に着いたときには耳の出血は止まっていた。ティアネンは小屋に入るなりタオルケットを一枚摑み、少し放っておいてくれ、と投げ出すように言うと、そのまま川沿いを上って姿を消した。

「そう」窓辺にもたれて、フラワーは空に目を向けた。「ハヌルは泣き疲れて寝ちゃったよ」

「――泣き虫だから」

ぽつりとつぶやく僕に、そうだねえ、とフラワーは相槌を打つ。

耳障りな翅音がして、虫が素通しの窓から部屋に飛び込んできた。コオロギに似た、親指大の虫は、床に脱ぎ散らかした衣類の上をしばらく飛んだあと、小屋の暗がりに姿を消す。

「ハヌルが泣き虫なのは、ヴェニイがいたからなんだよ」フラワーはじっと、虫の消えた先を見つめる。「ハヌルは、路上で行き倒れていたところを、僕とヴェニイが助けたんだ。彼の親は金持ちで、でも人でなしだった。ハヌルを苛《いじ》めた上に、路上に捨てた。ハヌルは金《ソムロイ》をくれ、金《ソムロイ》をくれって言いながら、街の中を何日もうろついた挙句、空腹で倒れたんだ」

ソムロイというカンボジア語は物乞いの常套句だ。そのせいで、僕らのことをソムロイと呼ぶ人たちもいる。

「スイカを食わせたあとで、事情を聞いたヴェニイはハヌルを叱った。お前の親は人でなしの、金の亡者だったんだ。それなのにお前まで金、金なんて言ってたら、お前も同じ人でなしになるって。ハヌルは、ヴェニイに叱られて大泣きしてねえ。そうしたら、ヴェニイは一転、笑顔になってハヌルに言ったんだ。だから俺についてこい。俺は金に惑わされない、立派な人間だからって」

それ以来、ハヌルはヴェニイにくっついてまわるようになったんだ、とフラワーは言う。

「ハヌルにとって、ヴェニイは親みたいな存在なんだよ。だから、甘えるんだ。嫌なこと、辛いことがあると、すぐに泣く。それで、ヴェニイに構ってもらおうとするんだよ」

小屋の奥、のれんのように干したTシャツの向こうから、鼻をぐずつかせる音が聞こえる。

「辛いね」

フラワーがそう洩らす。

それが、泣き虫の少年の気持ちを代弁したものなのか、フラワー自身の気持ちを吐露《とろ》したものなのか、僕にはわからなかった。

「――僕も、ちょっと外に出るよ」

静かに深いため息を残して、フラワーは窓から離れた。木製の階段が軋み、やがて小屋の中に聞こえる音は小さな寝息ひとつだけになる。

僕はゆっくりと、竹板の床に腰を下ろした。膝を抱え、身体を横向きにして壁に寄りかかる。寝息に耳を傾けながら、そっと目を閉じた。川面に浮かんだ水色の帽子の映像が、まざまざとまぶたの裏に浮かぶ。

ヴェニイは死んだ。

不意に耳元でそうささやかれた気がした。

黒に殺された。

言葉は山彦《やまびこ》のように、いつまでも耳に残って消えない。

今朝、まだ僕らが眠っている間に、ヴェニイは街に向かった。黒の度重なる出没とごみの減少、ふたつの不可解な出来事の原因を調べに行ったのだ。そこで、彼は黒と遭遇した。

想像が、脳裏を過る。

朝靄の中、ヴェニイが櫂を漕いでいる。舳先の方向に、沈みの橋が見えてくる。かすんだ煉瓦造りの橋の中央に立つ人影を認める。靄に隠れて正体のわからない人影に、ヴェニイは無邪気にやあ《サバイ》、と挨拶をする——

僕は自分の顔を両手でごしごし拭いた。手のひらが滑り、指先が水分を弾《はじ》いた。

からの瓶につめて乱暴に振ったみたいに、いろいろな感情が混じり合っていた。怒りや悲しみや孤独やその他の感情を細かく砕いて固め直したそれは、怒りや悲しみや孤独のどれとも違って、しかも中心はからっぽだった。僕はただ、その得体の知れない感情に全身がむしばまれていくのを、目をつぶって耐えている。

本当は、怪我をしたティアネンを探しに行くべきだった。弟を喪《うしな》ったソム兄さんを気遣うべきだった。血で汚れたTシャツを洗ったり、今日の食事のことを考えたりするべきだった。けれど、今の僕は自分が抱える感情を抑えるのに精一杯で、他のことに頭をまわす余裕はなかった。背中がかゆく、どれだけかいても治まらなかった。夕方になり、昨日宴が始まった時間になっても、僕は目を閉じて、けれど眠ることもできずに膝を抱えていた。外にいる仲間は誰も小屋に戻ってこなかった。ただ寝息が耳元を、澱んだ川のにおいが鼻先を絶えず撫でていた。僕を抱きすくめ、そのまま川の底までゆっくりと沈めてしまいそうなにおいは、いつまでも消えなかった。

それからの三日間、僕らは何もしなかった。

山に狩りに行くことも、街に食料を調達しに行くことも、水浴びをすることもなかった。僕らは小屋の中や川岸に寝転がったまま、ただ無為に時間を過ごした。宴の残り物と、小屋のすぐそばの木になった青いバナナで空腹をごまかし、夜になると眠った。何かをすることで、昔の生活との変化を見せつけられるのを拒《こば》んでいた。

それでも、朝は訪れる。

ヴェニイが死んで四日目の朝、不快な暑さで目が覚めた僕は、小屋の中に、山で嗅ぐのと同じにおいを感じた。それが自分たちの体臭であることは、確かめなくてもわかった。汗と脂で全身が糸を引きそうなほどにべたついている。あまりの気持ち悪さに僕は外に出ると、下草を踏み川に向かった。腰まで水に浸かり、勢いよく顔を洗う。身体に溜まった熱が、水の冷たさで少し引いていく。

暑さが和らぐと、今度は空腹を覚えた。小屋の脇に自生するバナナは、すでに食べ尽くしてしまっていた。気を紛らわそうと、川の水を何度も顔に浴びせていると、背後に人の気配を感じた。

「ミサキ」

「ハヌルかい」

振り返ると、空を背後にして、ソム兄さんが鉄パイプと網を手に立っていた。

ヴェニイが死んだ日から、僕は一度もソム兄さんに声をかけていなかった。触れれば現実と向き合わなければいけなくなりそうで、避けていたのだ。うしろめたさで黙り込む僕に、ソム兄さんは網を持った手で、川縁に繋がれた舟を指差した。

「──向こう岸に？」

尋ねる僕に、ソム兄さんは鷹揚《おうよう》に頷く。

不安定に揺れながらも、舟はあっという間に対岸に着いた。ソム兄さんは時間をかけて慎重に岸に降りた。いつもの場所に腰を下ろすと、慣れた手つきで網の絡まりを解き、川に向けて投げようとする。宙を舞うという僕の想像は外れ、網はすぐそばの地面に広がっただけだった。鋭い葦がいくつも、目の粗い網に引っかかっていた。ソム兄さんは何度か網を手前に引いたが、葦はしつこく網に絡まって離れない。

「手伝おうか？」

ぎこちなく尋ねる僕を手で制し、ソム兄さんは座ったまま、何度も網を川に放ろうとする。そのたびに網は草に引っかかり、ぴんと張る。

ソム兄さんは、言葉を話さない。だけどそのことが、他の仲間とソム兄さんを隔てることはなかった。むしろ、心に鬱憤《うっぷん》が溜まったり、逆に愉快な出来事があったりしたとき、気づくと僕らはソム兄さんを話し相手にしていることが多かった。つまらない愚痴や自慢に対して、ソム兄さんはときおり頷くだけで、言葉ひとつ返してくれるわけではないけれど、話を聞いてもらうだけで不思議と心が安らぎ、晴れ晴れとしてくるのだった。そんなとき、僕は鉄パイプを持った無言の青年が、紛れもなくヴェニイの兄であることを改めて実感するのだった。

だけど今、僕はソム兄さんに対して発すべき言葉を見つけられない。

無表情に同じ動作を繰り返すソム兄さんから目を背けて、僕は川原の奥へ目を向けた。十メートルほど先に、掘っ立て小屋が立っている。トタン壁は想像以上に錆びていて、庇の下には、紐でくくられた古びた新聞紙の束や、汚れたバケツが放置されていた。傍らには、もとは黒い色の、けれど積もった埃《ほこり》で今は灰色に見える傘が、無造作に転がっている。

それらはすべて、何かが終わってしまったあとの光景に見えた。

ぶちりという音がして、僕は視線を戻す。

青ざめた空の手前、伸ばされた腕の先で、ちぎれた網が宙を舞っていた。網はそのまま川面に落ち、水底に沈んでいく。網に引っかかっていた葦だけが大きく揺れていて、岸辺に風がそよいだみたいだった。ソム兄さんは、ぼんやりした眼差しを僕に向け、次いで空に巡らすと、何事もなかったかのように横になり、いつもの寝仏を連想させる姿勢で目を閉じた。その顔は、ちぎれた網を見ないことに努めているかのように、強張っていた。

ソム兄さんを残し、小屋側の岸に戻ったところで、獣の唸り声に似た声が耳に届いた。小屋の窓からいきなり、少年が転がり落ちてくる。

「コン！」

思わず駆け寄る。コンは腰に手を当てて、呻いていた。気づくと他の仲間も集まっていた。

その顔ぶれがひとり足りないことに気づくのと同時に、頭上の窓から、ティアネンがゆっくりと顔をのぞかせた。

「俺は腹が減ったんだ！」コンを取り囲む僕らに、ティアネンは唾を飛ばして喚《わめ》く。「早く何か狩ってこい」

そう言って、ティアネンは両手を窓から突き出した。引っかけ棒と麻袋が地面に落ちて、鈍い音を立てる。危ないよ、とフラワーがとがめる。

「お腹が空いたなら、ティアネンも一緒に行こうよ。君が、狩りの腕が一番いいんだから――」

「ふざけんな！　俺は、リーダーだぞ。一番偉いのに、何で働かないといけねえんだよ」

僕は岸辺からティアネンを見上げた。いつも几帳面に整えていたはずの髪は寝ぐせで逆立ち、やつれた顔は脂ぎっている。垂れ気味だったはずの目が吊り上がっていた。

「何見てんだよ。何かおかしいかよ。俺の耳がおかしいかよ！」

目が合った途端に、彼は逆上した声で吼えた。小屋の中から、シャツやズボンを手当たり次第に外に投げ捨てる。汚れた麻袋の上に、衣類がごみのように積み上がっていく。やがて投げるものがなくなったのか、ティアネンは窓の縁に手をついて、肩で息をしながら目を伏せる。

すぐに他人に突っかかる粗暴なティアネンの、何かがいつもと違っていた。

――エモノを狩れないやつは、役立たずだからな。

もどかしさに似た苛立ちと、反抗することへの怖さがせめぎ合って、結局僕は何も言えなかった。

「とにかく、飯を持ってこい。それまで、小屋には入れないからな」

やがて、乱れた呼吸を整えたティアネンはそう言い捨てて、暗い眼差しで僕らを一瞥すると、小屋の中に姿を消した。風鳴りとかすかな水音が残る。

ふう、とため息を洩らしたのは、フラワーだった。地面に積み上がった衣類を抱えて、雨避けの庇の下に置く。鈍色《にびいろ》の引っかけ棒を拾い上げると、ひとつずつ僕らに配り始めた。最後に僕に引っかけ棒を手渡しながら、フラワーはふふ、と弱々しく笑う。

「ティアネンのことは諦めて、四人で山に行こう」

目を細めるフラワーの頬もこけ、吹き出物が浮いていた。疲れた顔で微笑むフラワーに、僕は頷くしかなかった。

そうして赴《おもむ》いた山は、この間が嘘のように、惜しみなく姿を曝《さら》していた。

煙はあちこちから上がっているけれど、視界を遮るほどではない。前はカラフルだった斜面の一部が、真っ黒に焼け焦げている。引っかけ棒で表面の燃えかすを除いてみると、下から生々しいピンクがのぞいた。黒い地肌の下に隠された、白い脂肪と赤い肉のような色合いは、人間の身体の内側を連想させた。巨人の心臓のグロテスクな映像が脳裏に浮かぶ。

狩りの成果は振るわなかった。身を入れようとしても、気づくと僕はエモノとは違うものを探して、ぼんやり立ち尽くしていることが多かった。汚い尻尾を振りながら残飯を漁る野良犬の方が、よほど一生懸命に働いていた。犬は何匹もいて、一匹が残飯を探り当てると、群がって奪い合い、残飯がなくなるとまた散らばる、という行為を繰り返していた。

——縄張りを荒らされたか、危害を加えられたか。あいつらが牙を剝くのは、こっちが仕掛けたときだけだ。

——動物は決して、自分からは人を襲わない。

ときおり襲ってくるめまいと吐き気をこらえながら、僕は野良犬同士の戦いを眺め、彼らに対する怯えを取り除いてくれるはずの、もういない誰かの姿を探している自分にまた気づいた。

フラワーたち三人も同じだったのだろうか。昼時までに僕らが狩ったエモノは、四人で麻袋二袋分にしかならなかった。

「やっぱりごみが減ってるんだ」

コンの言葉は苦し紛れの言い訳にしか聞こえなかったけれど、僕らは何も言い返さずにただ頷いた。拾ったごみの量が少ない本当の理由から、目を背けていたかった。

工場まで出向く気力はなく、僕らはエモノを、山にいた業者のひとりに引き取ってもらった。業者は吸っている煙草がまずくなると言わんばかりの表情で、ろくにごみの確認もせずに僕に紙幣を握らせると、リヤカーを引いて去っていった。手を開くと、折り目だらけで今にも破れそうな百リエル紙幣が四枚、地面に落ちた。慌てて拾い上げたコンが、一枚、二枚、と紙幣を何度も数える。

山の入り口には、今日も即席の屋台が並んでいる。手持ちのお金で、できるだけ多くの食事を手にするには何を買うべきか悩んでいると、コンの姿が見えないことに気づいた。屋台のひとつで、彼は店主から焼いた鶏肉をパンに挟んだサンドイッチを受け取っていた。慌てて駆けつける僕らには目もくれず、コンはサンドイッチを口いっぱいに頬張る。

「何してるんだい」

僕の声など聞こえないかのように、コンは苦しそうにサンドイッチを咀嚼している。

「何をしてるんだよ」

二度尋ねられてようやく、汗と煙で黒ずんだ顔で、コンは不思議そうに僕らを見返した。長い髪をかき、サンドイッチを口に入れたまま、もごもごとつぶやく。

「飯の、時間なんだ」ふけの溜まった髪から、山で働く者特有の不快なにおいがする。「飯の時間だから、飯を食べないといけないんだ。だって、時間は守らないと――」

乾いた音が、コンの言葉を遮った。

信じられないものを見るような目つきで、コンが僕を見た。僕もまた、自分が何をしたのかわからなかった。けれど困惑する心とは無関係に、僕の腕はコンの頬をもう一度張った。腕の振りはさっきよりも速く、音は大きかった。

コンの口から、サンドイッチの欠片《かけら》がこぼれ落ちた。一瞬間の抜けた表情を曝したコンは、慌ててごみの上に散らばったサンドイッチの残骸を拾い始めた。汚れた欠片を拾っては、口に入れる。

「飯の時間なんだ」

怯えた調子で繰り返しながら、コンはパンを拾う。地面に這いつくばる姿が、残飯に群がる飢えた野良犬と重なる。

僕は自分の手のひらを見下ろした。汚れた小さな手が自分と別の意思を持った生き物である気がして、怖くなって手をズボンのポケットに仕舞う。指先が何かに触れた。傘をさす少女から貰った、五百リエル紙幣だった。

うしろめたさで胸がいっぱいになる。

ひどく悲しげなフラワーと目が合った。彼の眼差しが僕への軽蔑に思えて、逃げるように空に視線を向ける。空は何も見ていないかのような無表情で、ただ地面を見下ろしている。

うろたえる僕の肩に、フラワーが手を乗せる。

「殴ってもお金は戻ってこないから。諦めて、とにかく、午後も狩ろう」

違うんだ、フラワー——僕は心の中で叫んだ。僕は、少女から貰ったお金を皆に黙って独り占めしているくせに、同じことをしたコンを殴ったんだ。

けれど卑怯な僕は、それを口に出せなかった。あまつさえ、自分が変なことを口走らないように、紙幣に触れた右手で口元を覆った。指先からは、コンの体臭と同じ、ごみと汗の入り混じったにおいがした。

午後の狩りは、暑さとの闘いだった。六月の暑気と燃えるごみの発する熱で、山の表面の空気が揺れて見えた。気温が四十度にも達する、というNGOのヨシコの話が思い出される。破けたスニーカーの底から足の裏が地面にじかに触れて、熱くて仕方なかった。けれど、僕は午前中以上に力を込めて、引っかけ棒を振るった。汗が背中を流れるたび、身体にこびりついた生臭いにおいが薄まっていくと信じて、僕はごみを拾うしかなかった。

それにもかかわらず、再び皆が持ち寄ったエモノは午前中よりも少なく、二袋に達しなかった。僕らの輪の中に、コンの姿がなかったからだ。集合場所から少し離れた山の斜面に、からの麻袋が引っかけ棒と一緒に投げ出されていた。

「ねえ、ミサキ」

「何だいハヌル」

「コンは、逃げたの？」

振り返る僕を、うるんだ瞳が見つめる。細い目の下には、くっきりとした線が縦に引かれていた。煙で薄黒く汚れた頰を、涙が伝うからだろう。

「前にホームから逃げたみたいに、ミサキに殴られたのが嫌で、逃げたの？　お金がないのが嫌で、逃げたの？」

体調を崩しては泣き、ティアネンに怒鳴られては泣く泣き虫の仲間は、ヴェニイが死んだ日から、見ているこっちが心配になるほど、ずっと泣いていた。

――ヴェニイに構ってもらおうとするんだよ。

「考えなきゃ駄目だって、ヴェニイは言ったんだ。新聞が読めないなら、新聞を読める人を探さないといけないように、お金がないなら、お金を得られる方法を考えなきゃいけないんだ。諦めちゃ駄目なんだ」

「やめよう、コンを責めてもしょうがない」涙ながらの訴えを、フラワーが止める。「早くエモノを金に換えて、何か食べよう。そろそろ、僕もお腹が空いて胃が痛くなってきたからね」

けれど、悲しげに寄せられた眉の下の、細められた目の奥に、ほの暗い炎が一瞬浮かんだのを僕は見逃せなかった。

　少しでもお金を稼ぐため、僕らは身体に鞭打ってエモノを舟に積み、川下の工場まで運んだ。箱形の機械の前で、ランニング姿の親爺は今日も喚いていた。僕らに気づくと、親爺は予想どおり機械を蹴って、ブルーシートを指差す。シートの上にぶちまけたごみは、奇《く》しくも僕とヴェニイがふたりで訪れたときと同じくらいの量だった。親爺は油で黒く汚れた顔をしかめ、これだけかよ、と舌打ちをする。

「毎回毎回、少ねえなあ。もっとたくさん拾ってこれないのかよ」

「これでも一生懸命拾ったんだ」

「笑わせるな」どうにか言い返す僕を一喝して、親爺はシートの上を歩きまわる。「うちは工場なんだ。工場ってのは、たくさん材料を仕入れてたくさん売りさばくんだよ。お前らみたいに、ちんけな量だけ持ってこられても、迷惑なだけなんだ」

　尻ポケットから紙幣を抜き出すと、僕の手に叩きつける。

「わかるか？　俺はお前らを憐れんで恵んでやっているんだ。わかったらごみを仕分けてさっさと失せろ」

　手の中にあるのは、百リエル紙幣が五枚だった。

「前に来たときは千五百リエル――」

「おい」僕の言葉を遮って、親爺はどすの利いた声を発した。「お前ら、ごみをちゃんと洗ったのか？」

はっと顔を上げた僕を見て、親爺は大口を開けて笑った。不恰好に並んだ黄色い歯が、口元からのぞく。次の瞬間、左太ももを猛烈な痛みが襲った。我慢できる痛みではなかった。コンクリートの床にうずくまる僕の頭上から、冷たい声が降ってくる。

「もう仕分けなくてもいい。消えろ」

もつれる足で、青い文字が綴《つづ》られた看板にぶつかりながら、僕らは逃げるように屋外に出た。工場を囲む鉄柵の外で、ようやく立ち止まる。膝が笑っていた。午前中よりは収入が多いんだから、気にしないようにしよう——鉄柵に寄りかかったフラワーが、ことさら明るい声で言う。

食料は、沈みの橋で調達することにした。煉瓦造りの橋のたもとで、ぼろ布を地面に敷いた露天商が数人、車座になって何かを喋っている。彼らの膝もとには、ざるに積まれた乾物や野菜が並び、驚くことに、それらを物色する観光客の姿もちらほらと見受けられた。

「大丈夫だよ、ハヌル。僕らがついてるから」

歩を進めようとした僕のうしろから、フラワーの気遣わしげな声が聞こえる。僕はそこがヴェニイを見つけた場所にほど近いことを思い出した。身体を強張らせた仲間の様子に、恐怖がよみがえる。それでも、街に行くのはもっと怖かった。お互いに励まし合いながら、僕らは急いで買い物をした。五百リエルと引き換えた食材を麻袋につめると、僕らは観光客の視線を気にする余裕もなく、逃げるようにその場をあとにした。茂みの間を抜け、工場脇の林の中を突っ切る。

先頭に立って舟を止めた場所にたどり着いた僕は、目を疑った。

草叢に隠してあったはずの舟が、消えていた。

工場の前の道路は、北上するにしたがって次第に西向きに大きくカーブしていく。工場から三十分も歩けば、すっかり川から遠ざかってしまい、道の両側には、鬱蒼とした森が広がるばかりだ。小屋まで徒歩で戻るためには、川と森の間の道なき水辺を進むしかない。

僕らは細い命綱のような陸と川の境目を、足を水に浸しながら歩いた。川にせり出す樹木の枝や、足元に点在するブロッコリーみたいな水草が邪魔で、駆けていくというわけにはいかなかった。舟がなくなるという予期しない事態に疲れ果てていた僕らには、そうする気力もなかった。

小屋の立つ空き地にたどり着いたときには、おそらく一時間以上が経っていた。夕方になり、森の木立の間に、曇天《どんてん》の色に似た薄闇が生まれ始めている。夜になる前に戻れたことに、誰からともなく安堵のため息が洩れる。

足早に小屋に向かうふたりを追いながら、ふと川に目を転じた僕は、川岸に舟を見つけて驚いた。おんぼろ舟は羊歯《しだ》の陰に、まるで隠すようにして止められている。どうして消えたはずの舟が、ここにあるのだろう。状況が呑み込めないことで胸の内に芽生えた不安は、対岸に目を向けてさらに膨らんだ。

ソム兄さんの姿がなかった。

「ねえ、待って。何か変じゃ――」

言いかけた僕の前に、人影が躍り出た。

声を上げる間もなく、フラワーの身体が真横に吹っ飛ぶ。

何が起きたのか理解できずに足を止めた僕の後頭部を、衝撃が襲った。視界が目まぐるしく回転し、一面が緑色に染まった次の瞬間には、真っ黒になる。引っくり返って地面に突っ伏した僕の首を、誰かの手がうしろから摑んで、顔を地面に押しつけた。強烈な緑のにおいが、鼻腔に立ち込める。

「よう、遅いじゃないか」

聞こえてきた声は、粘りつくような響きを含んでいた。

「待ちくたびれたぜ。ガキらしく、お早い時間に家に戻らないといけないなあ」

必死で首をねじり、横を向く。傾いた視界に、地面にへたり込むフラワーと、その隣に立つ虹色のヘアバンドを頭に巻いたひげ面の男の姿が入った。

「聞いたぜ。ヴェニイが死んだって？　大丈夫かい、可愛いフラウェム」

口元をこぶしで覆いながら、ザナコッタはくぐもった声で、フラワーを見下ろして言う。

ふたりの奥に立つ高床式の小屋の、その脇に生えたバナナの木に、別の青年が背中を預けていた。山で見かけた墓守のひとりだ。顔をだらしなく弛緩《しかん》させ、足で何かを踏みつけている。

倒れている僕には見えない青年の足元から、いつもの泣き声が聞こえる。

「――何で」

ひざまずくような姿勢で、フラワーが顔を上げた。額を切ったのか、白い肌に流れる赤い血がなまめかしい。問われたザナコッタは、何でだって、とつぶやき、不意に哄笑した。

「それは、どうして俺たちがヴェニイの死を知ってるかって質問か。それとも、どうしてこの場所を知ってるかってことかな」喋りながら、フラワーの周囲をうろつくザナコッタの足元は、酔っているみたいに覚束《おぼつか》なかった。「簡単なことだぜ。全部教えてくれたのさ。そいつがな」

ザナコッタは右のこぶしを僕の方に向けて突き出す。つられてこちらを向いたフラワーの目の奥に、ほの暗い炎が再燃する。

草いきれの中に、僕は不快なにおいを感じた。ごみ拾いを職業にする者が発する独特の体臭に、心当たりがあった。両手を地面につき、全力で身体をひねると、首を押さえつける手はたやすく外れた。勢いそのままに仰向けになった僕は、視界を遮る影に息を呑んだ。膝を地面につけ、僕の上に馬乗りになった髪の長い少年は、コンだった。

コンは僕と目を合わせようとせず、一瞬口の端を歪めてみせた。それから、そうすれば正体がばれないとでも思っているかのように、左の握りこぶしで口元を隠した。

「墓地の前で、ごみ山の方から走ってきたこいつに会ったんだよ。腹が減ったのに食べるものもなくて、おまけに殴られたんだって? 可哀想に。優しい俺たちは、最高の飯をふるまってやった」

最高の食事にありつけたというコンは、媚びるような視線をザナコッタに送っている。

墓守が住処《すみか》にしている墓地は、山と街を結ぶ道の途中、ちょうど沈みの橋への分岐点にあたる場所にある。山から消えたコンは、街の方に向かったらしい。もしかしたら、最初から墓守に助けを求めるつもりだったのかもしれない。

「そして見返りに、ここまで舟で案内してもらった」

ザナコッタは立ち止まると、フラワーの髪を摑んで引っ張り上げた。

「どうしてかわかるか？」無理やり立たされ、悲鳴を上げるフラワーに、髪を摑んだままザナコッタは顔を寄せる。「決まってる。復讐さ」

叫び声と一緒に、小屋から上半身裸の少年が飛び出してくる。階段につまずき転げ落ちた大柄の少年は、一度地面にバウンドして、伸び放題の雑草の中に顔を埋《うず》めた。こいつ耳がないぜ――甲高い声で笑いながら、男がふたり小屋から姿を現す。ふたりとも青年と呼べる年頃で、褐色の顔に無精ひげを生やしているのは、ザナコッタをまねているのだろうか。ふたりがやはり山で絡んできた墓守の中にいたことを、僕はぼんやり憶えていた。

手を離し、フラワーを突き飛ばすと、ザナコッタは川原の中央にゆっくりと歩み出た。ふたりの子分がすぐにそのうしろを固める。

「これで全員か」

地面に転がる僕らを指で差して数えるザナコッタに、僕の上のコンが身体をびくつかせた。

「あと、ソム兄さんがいる。ヴェ、ヴェニイの兄貴なんだ」

「そいつはどこにいる」

「さあ」舌打ちに、慌ててコンは早口でまくし立てる。「でも、近くにはいるはずだよ。小屋から遠くには行けないんだ」

僕はそっと対岸の様子をうかがった。六月の温い風が吹きつける川原には、とがった葦がときおり揺れるだけで、人影はなかった。ソム兄さんは泳げないし、歩くのにも時間がかかる。コンの言うとおり、遠くに行けるはずはないのに、どこにいるのだろう——疑問に思いながら、視線を外そうとして、思わず目をしばたたいた。青々と茂った葦の間から、細長い鈍色の棒が突き出ている。ソム兄さんが愛用している、鉄パイプだ。目を凝らすと、風のせいにするには不自然な揺れ方をしている葦の一群があった。

慌てて僕は視線を戻した。言葉を交わしている四人の墓守とコンが、対岸の気配に気づいた様子はない。それは僕の仲間も同じだった。誰ひとり、対岸に目を向けようとさえしていない。

「その辺をうろついてるんじゃないか」

墓守のひとりがそう告げると、ザナコッタはコンに目で訊いた。コンは首振り人形のようにかくかくと頷く。

「そ、そうだ。きっと、ソム兄さんは森で、食べ物でも探してるんだ」

ザナコッタの機嫌を損ねないためにか、コンは適当なことを口にする。けれどザナコッタは納得した様子で、食べ物か、とつぶやいた。それから、倒れ伏しているティアネンに近づき、

「おい、耳なし。お前も、腹減ってるんだろ」ティアネンの裸の背中を破けたサンダルで踏みつける。「どうした。いつもは事あるごとにきゃんきゃん吠えるじゃないか。知ってるぜ。ホームで徹底的に苛められて、反動で暴力的になったんだよな。殴られる前に、他人を殴れって

か。そんなお前が、どうして黙ってるんだよ。ほら、何か言えって」

「――何で、こんな目に遭わなきゃいけないんだよ」

頭を持ち上げたティアネンが、頬に泥をつけたまま、上目遣いにつぶやく。

「言っただろ。復讐さ」

「俺たちは何もして――」

「お前らが、ルウを殺したんだ」

ザナコッタの顔から、唐突に笑みが消える。伏し目がちに、くちびるをわななかせて、彼は声を絞り出す。

「お前らが、俺たちの大切な仲間を殺したんだ」

身に憶えのない、予想外の糾弾に、僕は戸惑った。坊主頭の青年の姿が脳裏に浮かんだ。間延びした口調で喋り、まるで仲の良い兄弟のように常にザナコッタと肩を組んでいた青年、その彼が、殺された。僕らが、殺した――

「このあいだ、NGOのババアが墓地にやってきた」ザナコッタの口調は、閉じかけた傷口をなぞって開くような痛みを伴っていた。「ホームに入ることをしつこく勧めに来たんだ。もちろん、怒鳴って追い払ってやった」

墓地を訪れたNGOのババアとは、ヨシコのことだろう。墓守には明日また会いに行く予定です――雨乞いとの会話の中で、彼女はそう言っていた。

「そうしたら、次の日警官が来やがった。墓地に入ってくるなり、勝手に住みつくのは犯罪だとかぬかして、銃をぶっ放しやがったんだ。パン、パン、パン、パン——何発も、何発もだ」

言葉の切れ間に、誰かが唾を呑み込む音がする。

「逃げるしかなかった。俺は必死に、皆を急《せ》かした。だけど、だけどよ——」洟《はな》をすすり、かすれた声で言う。「ルウは逃げなかった。あいつ、のろいんだよ。すぐに立てなくて、ひとり墓石に寄りかかって、ぼんやりしてんだ。まったく、困ったやつだ」

そこでザナコッタは突然表情を崩し、へらへら笑った。

「逃げている間ずっと、うしろから音が聞こえるんだ。やけに軽い音が、何度も響くんだ」

パン、パン、パン、パン——楽しげな素振りさえ見せて、ザナコッタはリズム良く繰り返す。傷ついた左耳を押さえたティアネンが、悲鳴を上げて身を縮《ちぢ》める。

悲鳴に、ザナコッタは言葉を切った。そして、虚ろな笑みを張りつけた顔で、ぽつりとこぼす。

「ルウは撃たれて死んじまった」

すうっと視界が陰った。頭上で、重たそうに見える雲が風に流されていた。

「俺たちの住処も、奪われちまった」

灰色の雲を厭《いと》うように、墓守のリーダーは足元に目を落とし、言葉を吐き続ける。

「今まで何事もなかったのに、どうして突然警官が来たんだ？　俺は考えて、答えにたどり着いた。あのババアが警官に教えたに違いない。素直にホームに行かない俺たちに、むかついたんだ。じゃあなぜ、ババアはあの日、墓地に来たんだ？　俺はまた考えた」

――考えなきゃ駄目だって、ヴェニイは言ったんだ。

「そしてわかった」

彼は僕に目を向けた。

「お前らが、そそのかしたんだ」

彼の瞳には、獰猛な肉食獣を連想させる猛々しさが宿っていた。

「俺たちに絡まれたことが面白くなくて、お前らはババアに墓地の場所を喋ったんだ。そうしなければ、俺たちは襲われることもなかった。お前らが俺たちから寝床とルウを奪ったんだ」

ザナコッタの話は滅茶苦茶だった。墓地の場所を教えるも何も、ヨシコの口振りでは、彼女はすでに墓守と面識があるはずだった。僕らは墓守に会えと彼女に勧めたりしなかったし、そもそも、ヨシコは邪険にあしらわれたからといって、警官をけしかけるような女性ではないだろう。ヨシコの真摯な人柄は、短い会話の間にもうっとうしいほどに感じられた。

けれど、そうした反論は何ひとつ、声に出せなかった。狂気の色を目に、かりそめの笑みを顔に浮かべる墓守のリーダーを前に、僕の喉はただ、壊れた縦笛みたいにひゅう、ひゅうと貧弱な音を立てた。

「だから復讐なのさ」彼は宣言する。「俺たちが失ったものを、お前らから奪う。まずは寝床だ。今日からは俺たちがここに住む」

いまだに左耳を押さえているティアネンの背中を、サンダルの底をひねるようにして再び踏みつける。

「ついでに仕事もだ。お前らを働けなくしてやる」

バナナの木に寄りかかっていた墓守が、羊歯の陰に置かれた舟に飛び乗った。舟底に積まれた引っかけ棒や麻袋を、何のためらいも見せずに川に放り投げる。息を吞む僕らの前で、櫂を漕ぐまねをして、げらげら下品な笑い声を立てる。

「そして一番大切な、ルウを奪ったことの代償——それはもちろん、お前らだ」

森の奥から、けたたましい鳥の鳴き声が聞こえる。枝をしならせ、頭上に飛び出した影は、樹上を飛びまわってから、薄闇の向こうに姿を消した。

いつの間にか周囲は暗くなり、夜の時間が迫っていた。

「といっても、優しい俺たちは、お前らを殺したりはしない」薄く開いたザナコッタの口から、赤い舌がちらりとのぞく。「そうだな——犬みたいに、けつを振りながら、鳴いてくれよ」

すぐには、意味が吞み込めなかった。

ただ、青ざめるのを通り越して顔色が紙のように白くなったフラワーと、下卑た表情で顔を歪める墓守を見て、僕は本能的にその言葉の含む汚らわしさを悟った。

「い、いやだ！」

血の気の引いた顔で拒絶するフラワーに、ザナコッタが一歩近づく。

「なあ、可愛いフラウェム。昔みたいに、俺を楽しませてくれよ」

「やめて、やめてよう」

尻を地面についたまま、手足をみっともなくばたつかせて後ずさる。こんなに弱々しいフラワーの姿を、僕は初めて目にした。裸で雪原に放り出されたかのように、彼は全身を震わせている。

「ほら、笑ってくれよ。女言葉は、得意だろう?」

――線の細い、はっとするような美少年は、ふふ、と女の子みたいな笑い声を上げた。

「傑作だよな」じわじわと、ザナコッタは一歩ずつフラワーとの距離を縮める。「きれいな顔をしているから、毎晩皆に可愛がられて、そのうちに自分が男か女かわからなくなったんだよな」

黒く焼けたザナコッタの手が、震えるフラワーの頭の上に置かれる。

「安心しな、俺が教えてやるよ」

フラワーの髪を優しく撫でて、ザナコッタは耳元でささやくように言う。

「お前は男でも女でもない。俺たちを楽しませるための、ただの人形だってな」

表情が消える瞬間を、目の当たりにした。

抵抗をやめたフラワーと、彼の上に圧《の》しかかるザナコッタ。ふたりの顔は、片や泣き顔で、片や笑顔だった。けれどそのどちらもが、薄っぺらい仮面のように思えた。仮面の奥に見え隠れするのは、寒気を覚えるほどの無表情だ。

――あの子は無表情の上に〝笑い〟のお面をかぶっているだけみたい。

ヨシコの言葉が、頭の中をぐるぐるまわる。

――人形みたいで怖いですよ。

「お前らは獣だ！」

ティアネンが耳を手で押さえたまま、悲痛な声でののしる。隣に立っていた墓守が、彼を蹴り飛ばす。それでも、彼は叫ぶことを止めない。

「お前らは、薄汚い、野良犬だ！　だから、黒に追い出されて、ルウは殺されたんだ」

「ああ、そうさ」ティアネンの絶叫に、ザナコッタはあっさりと同意する。「俺たちはお前らと同じ野良犬さ。だからルウは死んだ。ヴェニイも死んだ」

「違う！」

今度は幼い叫び声が、バナナの木の根元から聞こえてくる。フラワーのズボンに手をかけていたザナコッタが振り返り、

「泣き虫ハヌルじゃないか。金持ちの家に生まれて、読み書きもできて、なのに親に安値で売られた哀れなハヌル。何が違うって？」

「ヴェニイは偉大な人間だ。お前らなんかと一緒にするな！」

――俺は偉い人間だ！　ハヌル、よく覚えておけ。

かつてヴェニイが口にした台詞《せりふ》を、忠実な家来が繰り返す。

彼にとって、ヴェニイは絶対だった。親に捨てられて、誰ひとり信じることができなくなった泣き虫少年の、ヴェニイは唯一の例外だった。

「そうかい、じゃあヴェニイは偉大な人間だったんだろうさ」

ザナコッタは頷いて、

「だけどお前は？」より残酷な問いを突きつける。

「お前はヴェニイとは違う」

「僕は、僕だって——」

「いいや、お前はヴェニイとは違う。お前は俺たちと同じ、野良犬なんだ」

涙声で、僕は、僕は、と繰り返す少年を救う太陽はもういない。

——ヴェニイは死んだ。

——黒に殺された。

「容姿が優れていても、喧嘩が強くても、読み書きができても、関係ない。俺たちは誰からも疎《うと》まれる、ごみみたいな存在だ。なぜかわかるか」

——ここに転がっているのは、野良犬の、いや虫けらの死骸じゃないか。

——飛んでいる蠅を一匹殺したくらいで、騒ぐなよ。滑稽だぞ。

ザナコッタは天を仰ぐ。空虚な笑い声を川原に響かせる。

「俺たちは、ストリートチルドレンだからさ」

夕方の終わりに吹く冷たい風が、森の木々をざわめかせる。あたりは次第に夜の色に染まっていく。そうして、周りの風景がどんどん見えなくなる中で、ザナコッタは僕らが目を逸らしていた現実を露にしていく。

対岸はすっかり暗くなり、どこにソム兄さんが潜んでいるのか、もうわからない。誰も居場所を知らないソム兄さんは、ひとり隠れて僕らが痛めつけられるのを眺めている。けれどそれを責めることはできない。ソム兄さんは、泳いで僕らを助けに来ることはできない。

彼には、右脚がないからだ。

昔、僕がまだヴェニイと出会う前、山で狩りをしているときに、崩れたごみの下敷きになったソム兄さんは、命と引き換えに脚を失った。そのときのショックで、彼は声をも失った。それ以来、彼は弟が山で見つけてきた鉄パイプを右脚代わりにして、川の魚を獲《と》るのを習慣にしてきた。

ソム兄さんは、忙《せわ》しないヴェニイとは対照的に、いつものんびり川縁に寝そべっていた。本当は、右脚を失い、歩くこともままならず、川縁に寝そべっているしかなかったのだ。

それが、現実なのだ。

僕は顔を上げた。コンは茫然とした表情でザナコッタを見やっている。山の煙で汚れた服装で、他の墓守と同じようにこぶしを口元に当て、ゆっくりと息を吸っては吐いている。

「ねえ、コン」

気がつくと、僕は勝手に喋っていた。

「ソム兄さんだけじゃないんだよ」

コンが僕の言葉に注意を払う素振りはなかった。それでも、僕はただ胸中《きょうちゅう》に溜まったものを吐き出したくて、言葉を続けた。

「ティアネンは、すぐに何かにつけて突っかかってくる」

路上で、ホームで暴力に曝される日々の中では、誰かを攻撃することでしか、自分を守れなかった。

「漢字の読み書きができるハヌルは、いつもヴェニイを慕っていたよね」

裕福な家庭に生まれながら親に捨てられ、ヴェニイ以外の誰も信じられなくなった。

「フラウェムにはいつもどきっとするんだ。色白で、涼やかに目を細めて微笑む姿は、本当に美少年としか言いようがないよ」

美しい顔のために、慰み者にされていくうち、自分の性別がわからなくなった。

山を覆うスモッグが晴れるように、川を包む朝靄が消えるように、僕らが目を逸らしていた現実が、露になっていく。

コンは相変わらず、うつろな眼差しのまま、右手のこぶしを口元に当てている。

――咳き込んでいるみたいに、誰もが口元に手を当てている。

――喋りながら、フラワーの周囲をうろつくザナコッタの足元は、酔っているみたいに覚束なかった。

コンの体臭に混じって、一瞬、奇妙なにおいが鼻をつく。

――お前ら、またやっているのか。

――優しい俺たちは、最高の飯をふるまってやった。

瞬きを忘れたように目を見開き、鼻を膨らませたあと、コンは右手を開いて振った。しわしわになった新聞紙の切れ端が、地面に落ちる。つんとしたにおいが強くなる。

——俺らにごみ拾いで稼がせて、何するかっていうと、ペールを買うんだ。

——ペールというのが接着剤の名前であることは、僕も知っていた。本来の用途とは違う、その使い道も。

千リエルで手に入る市販の接着剤をティッシュや新聞紙に浸し、手に握って鼻先に当て、息を吸い込む。それだけで、気分が穏やかになり、宙に浮いているような心地よさを感じることができる。絶対に手を出すなよとの前置きのあとに、ヴェニイはそう説明してくれた。ふわふわとした、何だか頭の中に靄がかかった感じになるんだ。

ヴェニイの父親が求め、多くの路上生活者が溺れていく手軽なドラッグに、墓守もまた深く依存していた。頭の中を霞ませることで、むごい現実が見えなくなると信じて、手を出すのだ。けれど、まやかしの時間は長くは続かない。むしろ、吸うほどに効果は短くなっていく。そしてついに、歩行がふらふらになるまで溺れた果てに、ペールではごまかし切れなくなる。猛威を振るい始めた黒たち警官が、それを助長した。だから彼らはどうしていいのかわからないままに、やり場のない怒りと悲しみを僕らにぶつけている。

無意識にポケットにやった手が、紙幣を探り当てる。

たとえば、巨大なごみ捨て場を山と呼び、ごみ拾いを狩りと称していたこと。吐き気を催すにおいの中、汚物の中に手を突っ込み、気味の悪い虫の湧くごみを拾い続ける——野良犬の残飯漁りと同じ自分たちの仕事、そのおぞましさを直視できないから、恰好のいい呼び方でごまかしていただけだ。

たとえば、稼ぎを皆で平等に分け合っていたこと。それはヴェニイがいたから可能だったのだ。自分の稼ぎは自分だけのために使い、他人の稼ぎも暴力を辞さずに奪い取る。奪い取られて落ち込む仲間を、見て見ないふりをする。

――お前らは獣だ！

そう、本当の僕らは卑しく餌に群がり、餌がなくなればそっぽを向く野良犬なのだ。

「さっきから、何でポケットばかり触ってるんだ」

僕を見下ろすコンが、乱暴に僕のズボンのポケットをまさぐった。身動きの取れない僕の顔の前で、コンは抜き取った五百リエル紙幣をひらひら振る。

「何だよ、これは」

コンの顔が、紅潮する。あっと思う間もなく、こぶしが僕を襲う。

「俺を殴ったくせに、お前は五百リエルを隠し持ってたのかよ」

声を裏返らせながら、僕に向けてこぶしを振り下ろす。ペールで感覚が鈍っているせいか、こぶしは僕にうまく当たらなかったけれど、そんなことはお構いなしに、コンは闇雲に両腕を振りまわす。

そのうしろに、一ヶ月以上前から変わることのない天気が広がっていた。

僕を、空の泣き声が襲う。

突然、怒りに似た感情が、僕の中に湧き起こった。口から炎を吐き散らす、巨大な化け物が一頭、身体の中で暴れまわっているみたいだった。赤く、ときに黒く色を変え、不気味にうごめく化け物は、山の姿に似ていた。噴き上げる炎は冷たさを感じさせるほどに青く、僕の身体を内側から焼いていく。

過去から逃げてきたはずなのに、過去と現在は全く変わらない。

僕らはまるで、自由じゃない。

捨て鉢な気分で、僕はコンを殴り飛ばした。地面に転がったコンの上に、僕は馬乗りになる。五百リエルを奪い返しただけでは飽き足らず、感情に身を委《ゆだ》ねたまま、こぶしを振り上げた僕を、コンが怯えた目で見返した。

彼は泣いていた。

冷水を浴びせられた気がした。

弾かれたように立ち上がる。すぐそばではザナコッタがフラワーを地面に組み敷き、他の墓守がティアネンたちを囲んでいる。笑顔、泣き顔、怒りの顔——皆の仮面に似た表情の下に、感情のない顔が見え隠れしている。

めまいと吐き気がした。

僕は五百リエルをポケットに仕舞うと、フラワーのもとに駆け寄り、彼の上に乗ったザナコッタに体当たりした。あっけないくらい簡単に、ザナコッタは吹っ飛んだ。僕の反抗に気がついた他の墓守が、ふらつく足取りで近寄ってくる。その墓守を突き飛ばし、僕は川に向かって走った。途中で舟に目を向ける。舟の場所は遠く、そばには別の墓守が立っていた。僕は足を止めることなく、そのまま川縁を南に逃げる。

うしろから怒声が聞こえた。誰かが追いかけてくる足音が聞こえる。

そのすべてをかき消すように、意味をなさない叫び声を上げながら、僕は陸地とも川底ともつかない場所を、闇雲に駆けた。身体がつんのめりそうになるのをこらえ、ただひたすら逃げた。

突然、目の前に葉を茂らせた枝が現れた。夜の薄暗い視界の中では直前まで気づけず、気づいたときには遅かった。枝に正面から激突した。

身体が宙を舞う。

一瞬の浮遊感の中で、僕はなぜかソム兄さんの網を思い出した。ちぎれて使い物にならなくなり、川底に沈んでいった網の残像が、目の前にちらつく。今や何色かもわからない雲、澱んだ川の流れ、せり出すように水面に向かって伸びる梢——くるくる入れ替わる視界を、格子状の網目が刻み、細切れにしていく。網目はどんどん太くなり、次第に視界は暗くなって、闇に沈んだ。

†

——沈みの橋の名前の由来を、知ってるか。

街で食料を調達したあとの帰り道、煉瓦造りの橋を渡りながら、ヴェニイが僕に訊いた。煉瓦と煉瓦の境目を踏まない遊びに興じているのか、片足で飛び跳ねるたびに、黄色いTシャツの裾がはためく。

——雨が降ると、沈むんだ。

昔話だけどな、と前置きして、ヴェニイはそう言った。

——沈む？

首をひねる僕に、ヴェニイははっと息を吐いて大きく飛んだ。最後の煉瓦を飛び越えて、草地に着地したヴェニイは、息を弾ませながら頷く。

——昔は、スコールとかの急な雨で水かさが増すと、いつも橋が壊れて、流されたんだ。橋がよく沈む場所だから、架けられる橋はいつも沈みの橋って呼ばれてきたんだってさ。

——こんな川に、流されるの？

流れが止まっているようにしか見えない川を前に、ヴェニイはにんまり笑ってみせた。

——ばかにするなよ。昔の話には、大切な真実が含まれてるんだぜ。

会心の名言だと言わんばかりの満足げな笑みを浮かべる。

——雨が降ると、沈むんだ。

†

目の前に、水色の帽子が浮いていた。目を凝らすと、それは帽子ではなく、裂けたビニールの切れ端だった。長い間水に浸かっていたのか、川の水の色に汚れたビニールは、小さな波にさらわれて、ゆっくりと遠ざかっていく。目で追おうとした僕は、水しぶきに思わずまぶたを閉じた。

再び目を開けたときには、ビニールは視界から消えていた。

ゴウ、ゴウとくぐもった音が耳元で鳴る。そのたびに、水しぶきが顔にかかる。

半身を水に浸した恰好で、僕は川岸に倒れていた。水を吸った服のせいで、身体は鎖を巻かれたみたいに重く、身動きがとりづらかった。

頭をもたげようとした途端、こめかみのあたりに痛みが走った。撫でると、ざらざらした感触があった。木の枝に打ちつけたときに、怪我をしたのかもしれない。

痛みが和らぐまで待ってから、僕はそっと立ち上がった。周囲は白み始めていた。夜明けなのだとしたら、僕は相当の時間、気を失っていたことになる。

けれど、それ以上思考を働かせることができなかった。頭が痛むだけでなく、悪寒がする。長時間水に浸かっていたせいだろうか、寒さで震えが止まなかった。どこでもいい、どこか暖かい場所へ——僕はふらつきながら、一歩踏み出す。ブロッコリーみたいな形の水草に足をとられ、すぐに僕は転ぶ。急速に意識が遠ざかる。

——雨が降ると、沈むんだ。

眠気を振り払うように、僕は必死に身体を起こす。

消えそうになる意識をどうにか保ちながら、僕は這うようにして川原を南に進んだ。実際には何度か意識を失っていたのかもしれない。気がつくと地面に倒れていたことも、二度や三度ではなかった。そのたびに僕は身体を起こし、暖かい場所を求めて前に進んだ。

どれくらいの時間、そうしていたのだろう。

気づくと、目の前に新聞紙の山があった。一際葦の生い茂る一角に、広げられたそれが山となって積み上げられている。

何でこんな場所に新聞紙が山積みされているのか、考えることさえできなかった。ただ、いつも新聞紙を腹にかけて寝ているティアネンの姿を思い出して、僕は寒さをしのごうと新聞紙の山に倒れ込んだ。

身体が、何か半端に硬いものにぶつかる。気持ちの悪い感触に、僕は考えもなく新聞紙を取り払った。

虹色のヘアバンドをつけた顔が、いきなり目の前に現れる。

顔はわずかにむくみ、厚いゴムのような質感だった。目は中途半端に見開かれ、瞬きひとつしない。ひげに覆われた口元から、つんとしたにおいを嗅ぎとる。

墓守のリーダー、ザナコッタだった。

ザナコッタの頭の右側には、何かで殴られたのか裂傷《れっしょう》ができていた。視線を移すと、すぐ脇に大人のこぶしほどの石が転がっている。石には、絵の具を塗ったみたいな赤い模様が浮かんでいた。

石から視線を戻す。わずかに開いた口元が、もぞもぞと動いた。目を近づけると、そこに蛆《うじ》とも百足ともつかない不気味な生き物がいた。生き物は口の中から這い出て、鼻の穴の中に消えていく。

僕は叫び声を上げた。

身体に残された最後の力を振り絞って、僕は立ち上がり、ザナコッタの死体から逃げた。怖い。怖くてたまらなかった。足が何かを蹴っ飛ばす。開きすぎてYの字になった黒い傘が、葦の原に転がっていた。地面に落ちている傘の意味などわかるわけもなかった。

我に返ると、すぐ目の前に、灰色の煉瓦で組まれた橋脚があった。水面の上と下で、アーチを支える橋脚の崩れ具合はずいぶんと違った。川に沈んだ場所は、濁った水の中でもわかるくらいに、びっしりと藻に覆われ、今にも朽ちてしまいそうに見えた。

すとん、と音がしたみたいに、身体から力が抜けた。抗えず、地面に膝をつく。上体を支えようと両手を伸ばす余力もなく、僕はそのまま水辺にうつぶせに倒れ込む。

口の中にざらざらした感触を覚えて、僕は咳き込んだ。吐き出した砂粒は、粘り気のある赤い唾に塗れていた。二度、三度と咳をしても、口内のざらつきはなかなか取れない。何もかも吐き出してしまいたいのに、砂は鉄の味と一緒に、口の中に居座って離れようとしない。

ヴェニイは黒に銃殺された。小屋での生活は墓守に破壊された。墓守のリーダーは、石で殴り殺されていた。

ザナコッタもまた、黒に殺されたんだ——何の根拠もなく、僕はそう思い込む。

混乱と疲労が、急速に身体を包んでいく。

消えていく意識の中で、不意にヴェニイの顔が浮かんだ。ヴェニイが死んで、露になった現実。その重みに耐え切れず、僕のまやかしの世界はゆっくりと沈んでいく。

——雨が降ると、沈むんだ。

身体を濡らす水の冷たさを感じながら、またしても僕は意識を失った。

間奏　ある映画の話

昔、黒い森を割って流れる黒い川のほとりに、小さな王国があった。王国には川を見下ろす白い城がそびえ、城を取り囲むように白い街が広がっていた。建物の外観はどれも白く、そこに暮らす人々も皆透けるような肌の持ち主ばかりで、王国は白の国と呼ばれていた。対して黒い川の向こうに広がる黒い森は、魔や異形《いぎょう》のものたちが支配する、黒の地と呼ばれていた。

街の片隅に、ひとりの幼い少年が暮らしていた。少年は小さな街を背負って立つ人間になろうと、毎日ラビという教師のもとに通って、勉学に励んでいた。ラビは白の国一番の知恵者で、王からも絶大な信頼を得ていた。この世に知らない物事はなく、喋れない言語はなく、読めない書物はなかった。いつか自分もラビのような偉大な教師になるのだ、少年はそう心に誓って、一生懸命ラビの教えに耳を傾けた。

ある日、いつものようにラビに教えを受け、家へ戻る途中で、少年は聖なる書物を白い礼拝堂に置き忘れたことに気がついた。聖なる書物は授業の教材で、少年はラビに読み書きを習い始めたところだった。仕方なく来た道を戻り、礼拝堂を再訪したが、ラビは不在だった。外は今にも雨の降りそうな曇りぞらで、礼拝堂の中は薄暗く、何やら気味が悪かったが、少年は己を鼓舞《こぶ》して奥に進んだ。聖なる書物は、少年がいつも座る椅子にぽつんと置いてあった。無事忘れ物を手にし、ほっとして礼拝堂を出ようとした少年は、隅に置かれた鏡の中に、異様なものが映っているのを認めて息を呑んだ。鏡はラビが所有する、真実を映し出すという異国の産物だった。普段は礼拝堂の飾りと化しているその鏡の中に、左右の入れ替わった礼拝堂の出入り口と、黒いものが映っていた。最初は人の形をした影に見えた。けれど、影は影というには生々しい質感を伴っていた。それはどんな大人よりも巨大で、白の国には存在しない黒さを備えていた。黒の地、とつぶやいた少年を、それが見た。鏡に映る黒い影がゆっくりと一歩室内に踏み込んできたところで少年は悲鳴を上げ、意識を失った。

　気がつくと、少年はベッドに寝かされ、傍らにラビが座っていた。怯える少年に、あれは泥《ゴー》人形《レム》だ、とラビは教えた。泥人形は、黒い川の土をこね、それに魔法の文字を刻むことで生命を与えた人形だった。偉大なラビは、古代の書物をひもとき、ついに生命の秘術を手にしたのだという。そしてラビは、この人形を使役し、有用であるならば王に献上しようと考えていると少年に話した。

　その日から、礼拝堂に泥人形の働く姿が加わった。泥人形はとても役に立った。その力は強大で、白の国の屈強な兵士でさえ大きな泥人形には敵《かな》わなかった。あまりに力があるので、危険があってはいけないと、使役されないときには足枷《あしかせ》がはめられ、少年はすぐそばに近づくことを禁じられるほどだった。もっとも、泥人形はとても従順で、暴れることも、文句ひとつ言うこともなかった。ラビによると、生命の秘術には膨大な魔力が必要で、感情や言葉といったものを与える余裕はなかったらしい。けれどそれがかえって良かったのではないか、と少年は黙々と働く泥人形を眺め考えた。巨大で黒々とした、泥製の恐ろしい外見さえ気にしなければ、泥人形は優れた道具だった。

しかしそんな泥人形にもひとつ、問題があった。使役できる時間が限られていた。生命の秘術は膨大な魔力を食う。そのため、定期的に魔法の文字を泥人形の背中に刻まないと、魔法が切れて、言うことを聞かなくなった挙句、土くれに戻ってしまうのだった。少年は一度、ラビに隠れてこっそり泥人形に近づき魔法の文字を見てみたことがあったが、それは少年が今まで目にしたことのない、不思議な形をしていた。読めない文字を前にして少年は古き時代に思いを馳せ、そして遠い古代の文字にまで精通しているラビの偉大さに、あらためて感じ入るのだった。

数ヶ月が過ぎたある日、王のもとに、さる貴族の娘が輿入れすることになった。国中がお祝いの雰囲気に包まれ、白い城では祝賀会が催された。国一番の知恵者であるラビも、城に招かれた。そのことをすっかり失念していた少年は、いつものように白い礼拝堂を訪ねた。折しも天気は初めて泥人形を目にした日と同じ、今にも雨の降りそうな曇りぞらで、誰もいない礼拝堂にひとり座っていると、少年は得体の知れない不安に襲われた。今日は帰ろうと腰を上げた少年は、隅に置かれた鏡に誰かが映っていることに気づいた。ラビかと思い、振り返った先にいたのは泥人形だった。泥人形は足枷を引きずりながら、ゆっくりと少年のそばまで来ると、おもむろに聖なる書物を手に取った。黒土の指で中身をぱらぱらとめくりながら、泥人形は鏡に背中を映し、しばし動きを止めた。それから、突然異様な音を発した。おおおおおおうん。地響きに似た、低く重たい音で吼えながら、泥人形は真実を映すという鏡と聖なる書物を何度も指差した。おおおおおおうん。その音に我に返った少年は、不意に悟った。魔法が切れたのだ。いつもラビが定期的に魔法の文字を刻んでいる、その頃合いが今日なのだ。けれど今、ラビはいない。だから、泥人形は聖なる書物の文字を示し、次に鏡に映った己の背中を示して、文字を刻むよう訴えているのだ。言葉を操らない従順な泥人形が必死に吼えているという事実こそ、魔法の効果が不安定になっている証拠なのだと少年は納得した。そのとき、一際重たい音が響いて、泥人形の足枷が裂けた。枷の解けた泥人形は、そのまま礼拝堂の外へ飛び出していった。魔法の文字を刻んでくれるラビを探しに行ったのだ、そう考えた少年は、慌てて白い城に向かった。

けれど少年がラビを探し当てる前に、白い街は叫喚《きようかん》に包まれていた。あちこちで黒い煙が上がり、建物が燃えていた。魔法の文字の効果が切れた泥人形は、ラビを探しまわるあまり、その怪力で街を破壊していたのだった。慌てて城からやってきた兵士たちも、たちどころに泥人形に放り投げられ、宙を舞った。おおおおおおうん。土でできたこぶしは石を砕き、鉄を捻《ね》じ曲げた。

そこに、ようやくラビが現れた。ラビは泥人形の前に立つと、意味のわからない言葉で、呪文を詠唱した。途端に、泥人形は動きを止めた。ラビが呪文を唱えるたび、泥人形は大人しくなり、ついには地面に膝をついてうずくまった。ラビはその機を逃さず、聖なる水を振りかけると、松明《たいまつ》の火を放った。泥人形は燃え上がり、巨大な火柱は小さな街を煌々《こうこう》と照らした。泥人形よ、土くれとなって黒の地に戻るがよい——群衆の前で、ラビはおごそかに言い放った。燃える泥人形は狂ったように走りまわると、黒い川に飛び込んだ。炎は一瞬赤々と川面を照らし、あとにはいつもと変わらぬ黒い流れだけが残った。

ラビは白の国を危険に陥れた罪で投獄され、牢から出ることなく死んだ。少年は嘆き悲しみ、やがて王を恨むようになった。確かに泥人形は、危険な造形物になり果てたが、魔法の文字を刻んでいる限り、従順で有用な存在だった。しかも、ラビが魔法の文字を刻めなかったのは、王が結婚の祝賀会を城で催していたからなのだ。少年はラビの遺志を継ぐために、生命の秘術の研究に没頭した。やがてそれは、王国を滅ぼす泥人形の創造に変わった。大きな泥人形は、何よりも巨大であるべきだろう。火で燃やされて土くれに戻った泥人形は、火を自在に操れるべきだろう。かつての少年は歪んだ学者となり、生涯を泥人形の研究に捧げた。

まもなく、白の国は黒の地の巨大な帝国に滅ぼされた。帝国のある兵士が、歪んだ学者の話を耳にして、学者の住処だった白い礼拝堂を訪ねた。学者はすでに死に、礼拝堂は廃墟さながらの有り様だったが、そこでは夜な夜な何かがうごめいている、という不気味な噂がささやかれていた。薄暗い礼拝堂の中をあらためていた兵士は、割れた鏡のうしろに、地下に続く階段を見つけた。下っていくと、不気味な音がこだました。おおおおおおうん。地震に似た、規則的な揺れに螺旋状の階段が軋んだ。最下層まで下り切った兵士が、不快な熱気の中、奥に進んでいくと、突然蒸気に包まれた部屋に出た。部屋の床は、黒い川を連想させる黒々とした液体に浸かり、その中央で巨大な影がうごめいていた。兵士は最初、それが何なのかわからなかった。わかった瞬間、嘔吐《おうと》した。

しゅう、しゅう、と噴き出す蒸気の奥で、赤黒い巨大な心臓がぬらぬらと脈打っていた。

第四章　夜の傘

しゅう、しゅうという音が、耳元で鳴っている。

火の化身が息を吐いたら、こういう音がするのだろうな、と僕は突飛な連想をする。火の化身は一見人に似た姿をしているけれど、その身体は赤く燃え盛り、高熱を発している。大きな口はだらしなく開き、そこから白い煙が洩れている。彼の体内で熱せられた空気が、蒸気となって吐き出されるたびに、しゅう、しゅうと音がするのだ。

どうしてこんなイメージが浮かぶのだろう。まぶたの裏にちらつく赤い像を眺めるうちに、僕は気づく。これは巨人だ。いつか観た映画のグロテスクな心臓と、断続的な噴出音が重なって、頭の中で勝手な巨人の像を結んでいるのだ。

僕の隣には今、巨人がいる。

くだらない思いつきを笑い飛ばそうとする。途端に、音が強く、高く、急かすように速まる。全身がゆっくりと、生々しい恐怖にむしばまれていく。赤々と身を燃やす巨人が、僕を見下ろしている。あまりに大きな顔をぐいと僕に近づける。炎と化した赤い舌で僕を舐め、そのまま焼きつくそうとしている。

金切り声に似た音が鳴り響く。

我慢できずに僕は目を開けた。

すえたにおいの中に、しゅう、とも、きーん、ともつかない高い音が響いている。右を向くと、土床に置かれた赤いガスコンロの上で、やかんが火にかけられていた。錆びて傷だらけの、普通ならとっくに捨てられてしまいそうなやかんの口から、薄い湯気が立ち上っている。

巨人の姿など、どこにも見当たらなかった。

くたりと肩から力が抜けて、深い息がこぼれた。やかんは沸騰を訴えている。僕は身を起こし、ガスコンロのスイッチをひねった。一時色を濃くした湯気が次第に薄まっていくのに合わせ、音は尻すぼみに小さくなって、やがて消えた。心細くなるほど静かになった周囲を、僕は見まわした。そこでようやく、自分が小さな部屋で横になっていたことに気づく。

お化け屋敷の中にいるみたいだ、というのが最初に受けた印象だった。格子状に組んだ竹板に、黒いビニールシートを張りつけた壁が、四方を囲んでいる。奥の壁のビニールシートが大きく破け、そこから弱い外光が差し込んでいるほかには、屋内に明かりはない。顔を上げると、錆びたトタン板の天井が目に入った。細い竹板だけで支え切れるのか、心配になる。

けれど一方で、お化けがいないのも一目瞭然だった。屋内にはほとんど物がなかった。ガスコンロを除けば、部屋の隅の方に衣類や金物がいくらかまとめられているくらいだ。衣類を吊るすためのロープも、床に散乱するタオルケットや新聞紙もない。装飾と言えるのは、壁に一枚だけ貼られた、Ａ４サイズの写真だけだ。色あせた写真には、軍服で正装した中年の男の胸から上が写っている。

僕は大きく息を吸い込んだ。慣れ親しんだ川のにおいはしない。代わりに、僕の鼻はかすかなごみのにおいを嗅ぎとった。

何とも言えない気持ち悪さを僕は感じた。それは眠りから覚めたあと、夢の内容は思い出せないのに悪夢の手触りははっきりと憶えていたときの感覚に似ていた。

ここはどこだろう。

思わず腹の上の薄布を抱き寄せた瞬間、室内が明るくなった。奥の破けたビニールシートがめくれ、ピンクのズボンを穿いた脚がのぞいたかと思うと、小柄な男が中に入ってきた。上半身は裸で、汗をかいているので、風呂上がりみたいに見える。あっと声を上げた僕に、男は細めていた目を一層細め、それから足元のガスコンロを見つめて、

「おう、悪かった」肩に背負った袋を土床に下ろしながら、しわがれた声で謝った。「火を消してもらったみたいだな」

男はガスコンロの手前でかがむと、せっかちな様子でやかんを手に取った。どこから出したのか、くすんだブリキのカップにやかんを傾ける。注がれたのは、驚いたことに水気の多い粥だった。

「ほら、食え」

なみなみと粥で満ちたカップが、僕に差し出される。有無を言わせぬ様子で伸ばされた細い腕には、模様とも、文字ともとれる青紫色の図柄と、赤い単線の刺青が施されていた。

「まだ調子が悪くて食べる気がしないか？」

空いている方の手が僕の額に触れる。熱は下がったみたいだな、とつぶやく口元が、ほっとしたように緩められる。

「あ、あの――」

「どうした。二日ぶりの食事だろう？」

心の緊張を解くような、飄々とした口調で僕を遮って、雨乞いの老人は笑う。

勧められるままに口をつけた粥は塩気がなく、味もろくにしなかった。水分が多すぎて、ただ白濁した湯を飲んでいるだけのようだった。それなのに身体は粥を求めることを止めず、僕は息を吹きかけ、熱を冷ましながら必死に飲み込み続けた。向かいに座った雨乞いは、カップがからになるたびに、やかんの粥を注ぎ足してくれた。

「ここはどこなの？」

立て続けに三杯粥を飲み干し、人心地ついたところで、僕は雨乞いに訊いた。

「ふむ、わからないか。ごみ山の隣の街だよ」

「――スラム街？」

「外の人間は、そう呼んでいるな」

もう一杯食べるかと僕に身振りで尋ねる雨乞いに、首を横に振って応える。身体が温まっているのを感じた。洟をすすり上げると、なじみの腐臭がかすかににおう。

「何が何だか、という顔だな。お前は倒れていたんだ。沈みの橋の、すぐそばに」

痩せてたるんだ肌をかきながら、雨乞いは簡単に経緯を話してくれた。

雨乞いが僕を発見したのは、早朝だった。街での雑用を終えた帰り道、まだ人気のない沈みの橋のたもとで、雨乞いは対岸に奇妙なものを見つけた。丸まった、雨ざらしの布団のようなものが落ちていると思い、使えるものなら拾って帰ろうと橋を渡って、それが全身ずぶ濡れの、うずくまった人間であることに気づいた。つまり僕だったらしい。高熱を発し、意識が朦朧《もうろう》とした僕を、雨乞いはこの部屋まで運び、二日間にわたって看病してくれたという。

「二日間？」

「老いた身ひとりでここまで連れてくるのは大変だったんだぞ。誰も助けてくれんし。お前は憶えてないだろうがな」

恩着せがましい口調でそう言って、雨乞いはからからと笑い、むせて咳き込んだ。部屋の隅に痰を吐き捨てる。僕は自分の服に目をやった。水色のシャツの胸元は泥と潰れた草の汁で汚れ、汗染みがかちかちに乾いていた。

雨乞いはやかんのふたを開けると、やはりいつの間にか手にしていたスプーンで中の粥をすくった。小さな部屋の中に、金属がかちあう音が響く。

「ふむ、なかなかの味だな」信じられないことをつぶやいて、それから雨乞いは、ふと思いついたように僕に尋ねる。「ところで、ミサキ、だったな。何があった」

僕ははっと顔を上げた。雨乞いは口笛を吹くみたいに口をすぼめて、すくった粥に息を吹きかける。

「お前はヴェニイと一緒に暮らしているんだったな。何であんな場所にひとりで倒れていた。ヴェニイはどうした、ん？　どうなんだ、ミサキ」

僕の名前を、雨乞いは繰り返す。

ただそれだけのことが僕を揺さぶった。忘れていたはずの悪夢の内容が、三日前の記憶がまざまざとよみがえり、僕は慌てて頭を振る。すべてを吐き出したいという思いと、忘れたいという思いが相争う。葛藤のあまり何も言えずに、口をぱくぱくさせている僕を見やって、

「まあいいか」

雨乞いはやかんを傾けると、何だ、もうないのか、と口をとがらせた。スプーンで残りを一気にすくいとる。からん、という音が鳴る。

「どれ、少し散歩してきたらどうだい。何せ二日間寝ていたんだからな。少しは身体を動かさないと、また体調が悪くなるぞ」

礼も言えず、倒れていたわけも説明できずに、僕はただ言われるがまま頷いた。


ビニールシートをめくって外に出た途端、冷たい雫が頬を濡らした。

相変わらずの天気だった。二日ぶりの屋外の明るさに目が驚いて、思わず瞬きを繰り返す。首をまわすと、すぐ頭上に突き出た水色の塩化ビニールのホースが視界に入った。灰色の液体が垂れるホースは、トタン板の屋根に積まれた銀色のたらいから伸びている。雨水を溜めておくものだろうか。雨乞いといえば、皆が嫌う赤い刺青の印象が強いけれど、別に住処まで赤く

はなかった。屋根を支える壁は真っ黒なビニールシートで覆われ、やはりお化け屋敷に見える。お化け屋敷は、細い路地めいた道に面していた。両隣には、ほとんど密着する恰好でバラックが立っている。すだれや緑色のネットをそのまま壁代わりにしただけの建物で、どちらも中が透けて見える。そして同じようなバラックが、道の先にどこまでも続いていた。吹けば飛びそうなテントハウスや、目を疑うほど斜めに傾いた家など、まともな家は一軒もない。道を挟んだ反対側にも、同じようなバラックが連なっている。

寄ってくる虫を払いながら、僕は視線を上げた。家屋のうしろに、ごみの山が広がっている。雨風に曝され続けたのか、ごみはもとが何であったのか想像できないくらいに風化して、注視しなければただの黄色い土砂に見えた。ごみはバラックを押しつぶしそうな勢いで迫り、強烈なにおいが、風に乗ってやってくる。

山の南東に広がる、一体何人が暮らしているのか見当もつかないスラム街のただ中にいることを、僕は改めて実感する。

じりじりとした暑さの中、僕は迷路のようなスラム街を歩いた。道は蛇行し、幅も広くなったり狭くなったり、まるで一定しない。道を敷いたというよりは、バラックで埋まっていない場所をとりあえず道として利用しているだけのように思えた。

天気のせいか、においのせいか、道を歩く人の姿は少ない。酒屋と思しき建物の前も閑散としていて、人通りは街とは比べるべくもなかった。その代わり、道幅が広い場所ではたいてい、大人が数人、地面に輪になって座っている。ときにはその中に、僕より幼い子供が交じっていることもあった。彼らは皆、しわくちゃのトランプを手に握っていた。男のひとりが顔を上げ、真っ黒に汚れた顔に黄色い歯をのぞかせて僕を一瞥すると、そのままゲームに戻る。僕に対する興味は、すぐに失せたようだった。ここではストリートチルドレンなど、珍しくも何ともないのだろう。

山を右手に見ながら、足の向くままに歩を運んでいると、建物がまばらになり、やがて草原に出た。吹き抜ける風に、膝まで伸びた草が、きれいに整えられた毛足の長い絨毯のようになびく。草原の先には川が流れていた。川のすぐそばには、真っ直ぐ天に伸びた太く大きな木が立っていて、川原に影を落としている。

その木陰に、見覚えのある赤い傘が揺れていた。

草を踏む音に気づいたのか、振り返った少女は、あら、という感じで口を小さく開くと、けれど何も言わずに、右隣にスペースを空けてくれた。

大振りの枝の下で、僕はおずおずとナクリーに並んで座る。流れる風に、汗ばんだシャツがひんやりする。対岸の青々とした森の枝葉が、音もなく揺れる。

「熱、下がったんだ」

反射的に頷いてから、なぜナクリーが熱のことを知っているのか不思議になる。ナクリーは風に膨らんだ長い髪を指で梳《す》きながら、少しだけ口元を緩める。

「私も、三日前からお爺ちゃんの家にお世話になってるの」お爺ちゃんというのは、雨乞いのことだろう。「沈みの橋のすぐそばで、ずぶ濡れになって倒れてたんでしょ。お爺ちゃんから聞いたよ」

彼女はくすりと笑みを洩らした。

「日本人も、風邪引くんだね」

「当たり前だよ」あんまりな言い草に、つい僕は口をとがらす。「同じ人間なんだから」

「そんなの、わからないじゃない」

「日本人を何だと思ってるんだ」

むきになる僕に、彼女は微笑む。

会話が途切れて、ただ梢が風にしなる音が、川原をわがもの顔に駆けまわる。頭上から、瑞々しい葉が一枚、風にあおられて落ちてきた。落ち葉はナクリーの傘をたくみによけて、彼女のスカートに描かれた湖面の上に、静かに着水する。

「舟の木っていうの」指でつまみ、深緑色の葉をかざす。「とても堅くて丈夫で、真っ直ぐに生える木。頭の部分はきれいなお椀形になるんだよ」

下から仰ぎ見る樹木は、きれいなシンメトリー構造をしていた。薄茶色のなめらかな幹はまっすぐに伸び、ある高さに達したところから、一斉に放射状に立派な枝が茂っている。ふと、巨大な傘を僕は連想した。雨風から僕らを守ってくれる、大きな深緑色の傘の内側に、僕らは座っている。

「とびっきり丈夫だから、昔は舟に利用したの。王様の舟ね。だから、今でもアンコールワットの近くには、舟の木がたくさん生えてるんだって」

ナクリーは傘を地面に置くと、空いた左手で幹を撫でる。少しつり上がり気味の目を細める彼女を見つめるうちに、僕の脳裏に想像上の光景が浮かぶ。

燦々《さんさん》と日が降り注ぐ中、見渡す限りに田圃が広がっている。青い稲穂の絨毯の真ん中を、川が一本流れている。水は澄み、波紋ひとつない水面の下を、彩り豊かな魚の群れが泳いでいる。

川の上流から、丸木舟が一艘ゆっくりとやってくる。舟の木で造られた、赤い立派な舟に乗っているのは、川の仲間だ。どれだけ揺らしてもびくともしない舟の上で、皆が好き勝手に振る舞っている。舟に乗った少年のひとりが、僕を認める。僕に向けてピースサインを送りながら、黄色いTシャツを着た少年は笑顔で口を開く。

サバイ。

突然、ギイイ、という櫂の軋みに似た幻聴を僕の耳が捉える。

想像上の川面に波紋が生まれる。頭上は厚い雨雲に覆われ、大粒の雨が降り注ぐ。増水し、濁りを増した川の上で、丸木舟が揺れる。黒々とした巨大な雲の中から、長い腕が雷光のように伸びてきて、舟を摑むと、宙で握りつぶす。丈夫なはずの舟はあっさり砕け散り、赤い木片となって、血しぶきのように川に落ちていく——

「ねえ、何であんな場所に倒れてたの？」

僕の妄想など知る由もないナクリーが、気楽な口調で訊く。僕が何かを答えるより先に、彼女はあっと声を張る。

「また逃げてたんでしょ。街で財布を盗んだみたいに、今度も何か盗んで。それでどうにか逃げ切って、だけど疲れて倒れちゃったのね」

ひとり納得した様子で、彼女は僕の顔をのぞき込む。

そのどこか茶化すような笑顔に、僕は急に怒りに駆られた。僕が意識を失って倒れていたのは、誰のせいだ。三日前、僕から仕事を、家を、仲間を奪ったのは、お前たち墓守じゃないか。

八つ当たりなのはわかっていた。ヴェニイが死んだあの日から、僕らの日常は壊れ始めていた。奈落への坂を転がり落ちる僕らの背中を、墓守は軽く押したに過ぎない。そもそも、ナクリーはザナコッタたちと無関係なのかもしれなかった。けれど、それではどこに怒りをぶつければいいのかわからない。すぐ目の前で僕を笑う少女が、その仲間が、僕らから暴力ですべてを奪ったから——そう考えるほうが簡単だった。

「逃げてたんだ」やっぱり、というナクリーの声を遮って、震える声で僕は言う。「お前らから」

戸惑う彼女を、僕は睨みつける。

「お前らが全部悪いんだ」

「——どういうこと?」

耳元で、しゅう、しゅうという幻の音が鳴る。音は強く、高く、速まっていく。

「お前ら墓守が、僕らの住処を奪ったんだ。ルウが死んだ腹いせに、僕らを殴って、僕らのすべてを奪ったんだ!」

「それって」

「ザナコッタと、あと三人だ。僕らを地面に押さえつけて、馬乗りになって、ペールを吸いながら、へらへら笑いながら——」

「ねえ!」ナクリーが僕の肩を摑む。「ザナコッタに会ったの?」

一瞬気圧されて頷く僕に、どこで、と彼女はつめ寄る。

「ねえ、どこで会ったの。どこに行けば——」

「うるさい!」彼女の取り乱しように、僕はなぜかまた憤りを覚えた。「何でそんなに必死なのさ。あんなやつ、どうだって」

「良くない! 教えて、彼はどこに」

「教えても無駄だよ」

「どうして!」

すがりつくような態度に、意地の悪い思いが頭をもたげた。細い腕を振り払い、汚れたスニーカーのつま先に目を落としながら、僕は衝動に任せてナクリーに告げる。

「死んでるから」

ナクリーが絶句するのが、気配でわかった。

「ザナコッタは死んだ。川辺で、石で頭を打ち砕かれて、殺されてた」

熱に浮かされている中、目にした光景を、僕は思い出す。草が繁茂する川原に新聞紙が積み上がり、数匹の蠅が飛び交っている。その下で、汚れたバンダナを頭に巻いた死体は、光を失った瞳を宙に向けている。どこか悪夢めいた光景は、あるいは夢みたいだったからこそ、今でも細部をはっきりと思い出すことができた。

「嘘」

「本当だよ」

「嘘」

「本当だって——」

壊れて先へ進まない時計の針みたいに同じ言葉を繰り返すナクリーに、苛立ちを覚えて顔を上げた僕は、言葉を失った。彼女の、少し前髪がかかった目元から涙がこぼれ落ち、スカートの睡蓮の柄に小さな染みが生まれる。

まるで湖に雨が降っているかのように。

うろたえる僕の前で、ナクリーは両の手のひらで顔を覆った。細い腕が、冷たい雨に打たれるうさぎみたいに小刻みに震え、指の隙間から、嗚咽が洩れる。

ナクリーがここまで悲しむとは、僕は思っていなかった。僕にとってザナコッタは、ペールに溺れた暴力青年でしかなかった。死んだからといって、誰かに泣いてもらえる人徳があったとは思えなかった。

だけど、彼女は泣いている。

川原にひとり取り残された迷子にでもなった気分で、僕はとりあえず謝った。謝ってもザナコッタが戻ってくるわけではなく、それでも、もう一度謝ろうと口を開きかけたとき——

突然ナクリーが立ち上がった。うつむいたまま駆け出して、草原の向こうの、バラックの迷宮に姿を消す。

　後には、開かれた赤い傘と僕だけが残った。

　どうすればいいのかわからず、僕は川向こうを見やる。森は、よく見れば様々な色に満ちていた。明るい黄緑の葉をつけた木や、ほとんど黒に近い濃緑の茂みなど、一言ではくくれないたくさんの緑が広がっている。森だけではない。茶色い川には、焦げ茶色の枯れ木がせり出し、白い鳥が羽を休めている。

　けれどそれらのどんな色よりも、彼女が置き忘れた傘の色は鮮やかに映った。


　舟の木の下でじっと川面を眺めていた僕は、夕方になるのを待って、傘を手に雨乞いの小屋に戻った。雨乞いはガスコンロの火に鉄鍋をかけ、白湯《さゆ》でひと口大の芋を煮ていた。目が合うと、隣から借りてきたんだ、と鉄鍋を指差し、「ただ飯は今日までだからな」とくぎを刺した。

「夕飯、食べていいの？」

「他にあてがあるのかい」雨乞いは口の端を片方持ち上げて、僕に応える。

　ナクリーが戻ってきたのは、あたりがすっかり暗くなった頃だった。彼女は雨乞いに挨拶をすると、僕には目もくれず、離れた場所に腰を下ろした。彼女はもう泣いてはいなかったけれど、心をどこかに置き忘れてきたみたいに、ぼんやりとしていた。声をかけようとすると、彼女はそれを遮るように決まって雨乞いに話しかけるので、僕は傘を渡すことができず、黙り込むしかなかった。昼間よりも風が強まっていて、ときおり黒いビニールシートがばたばたとめくれ上がり、壁の竹板が軋んだ。

「どうだ、身体の調子は」

雨乞いがそう尋ねたのは、夕食も終わりに近づいた頃だった。ガスコンロの火はすでに消され、天井からぶら下げられた懐中電灯だけが部屋の中を照らしている。ブリキのカップにスプーンが当たる音が、静けさを一層際立たせた。大丈夫、とぼそぼそ答える僕に、雨乞いは大きく頷くと、

「これからどうするつもりだ。ごみ拾いを続けるのかい」

「そうしたいけど」

僕はナクリーを横目で見た。懐中電灯の明かりは、狭い部屋の中を照らすのにも十分ではなく、うつむきがちな彼女の表情はうかがえない。

「もう無理だよ。全部、なくなっちゃったから」

僕は引っかけ棒や舟を墓守に奪われてしまったことを思い起こし、そう言った。けれど雨乞いは違う意味にとったらしい。

「ごみの搬入も止まっているみたいだからな」深刻そうな口調で言った。

「――どういうこと?」

「何だ、知らなかったのか?」

目を丸くする僕を、雨乞いも驚いた様子で見返す。

「どう説明したものかな」雨乞いは禿げ上がった頭を二、三度、手のひらで叩いた。「つまり、

政府は、汚いものを排除することに決めたんだ」

説明する雨乞いの声音に、不機嫌そうな響きがわずかににじむ。

「カンボジアはアジアでも一番弱い国だ。つまり、金がない。手っ取り早く金を稼ぐ方法は何か。国外から、観光客を呼ぶことだ。幸い、カンボジアにはアンコールワット遺跡や、トンレサップ湖などの観光地がある。街の近くにも、遺跡がひとつあるのを知ってるよな」雨乞いがちらりとナクリーを見やる。「墓守の住処さ」

墓守がねぐらにしていたところは、いわゆる共同墓地の類ではなく、墓地遺跡だったことを僕は知る。

「ところが、観光客を招くのに、邪魔なものがある。それがごみ山だ」風にはためくビニールシートを、雨乞いはあごで示す。「遺跡の近くに、こんなにでかいごみ山があったら、そりゃあ観光客も来ないよなあ。だから、政府はごみ山をなくすことにした。その手始めに、ごみの搬入を止めたんだよ」

雨乞いの言葉が、頭の中にこだまする。ごみの搬入が止まった——それが何を意味するのかを、僕は必死で考える。

——カンボジアには焼却施設というものがないから、ごみは全部そのまま運ばれてくる。だから、あそこには生ごみがたくさん積み上がっている。

これまでは、たくさんのトラックが毎日ごみを運んできた。積まれたごみは、ものによっては業者が換金してくれる。だから僕らは、他のごみ拾いと競い合いながら、毎日引っかけ棒と麻袋を手に、エモノを狩ってきた。

——前と比べて、エモノが減ってる。

だけど、これからは新しいごみが運ばれてこなくなる。新しいごみがなければ、古いごみを拾うしかなくなる。

——墓守もおかしなこと言ってたよねえ。ごみ拾いから足を洗うって。

古いごみの中に値のつくエモノなど少ないだろう。わずかに残ったエモノも、大勢のごみ拾いが、すぐに狩りつくしてしまうに違いない。そして後には、黒く燃え尽きた、本当に役に立たないごみだけが残る。

——エモノを狩れないやつは、役立たずだからな。

「それって」気づくと僕は立ち上がっていた。膝の上に置いていたブリキのカップが地面に落ちて、間の抜けた音を立てる。「それって、すごく、まずいんじゃないの？」

「おいおい、食器を大切に——」

「それじゃあ、僕らはどうなるの。僕らは、ごみを拾って生きているんだよ」のんびりとカップを拾い上げる雨乞いの態度が、無性にかんに障る。「おかしいよ、だって、僕らの生活源がなくなっちゃうんだよ」

「ああ、そうだな」

「そうだなって、そんなのひどすぎるじゃないか！」

エモノが減ってる——ティアネンにそう言われたときから、不安はあった。でもそれは漠然とした不安だった。川の向こうの出来事だと思っていた。

だけど今、不安は現実の恐怖へと姿を変えた。

興奮する僕の前で、雨乞いは背中を丸め、カップについた汚れを指で払う。

「言っただろう。政府は汚いものを排除することにしたんだとな」

微量の土が、骨ばった指の間からこぼれ落ちた。

「ごみ山があるから、周囲にスラム街ができ、ごみ拾いを生業《なりわい》とする者が大勢たむろするようになる」すべては繋がっているんだ、と雨乞いは言う。「そしてそのすべてが、彼らにとっては汚いものなんだよ。俺たちはごみと同じなんだ、ミサキ」

感情のこもらない口調で、雨乞いは言う。

「だから、政府は全部いっぺんに取り除くことにした。きれいな街にして観光客を呼び寄せるために、わしらを消してしまうことにしたんだよ」

そこで雨乞いは咳をした。吐き捨てられた痰が、部屋の隅の暗がりに消える。

その光景が引き金になった。

——路上には、想像していたよりはるかに多い観光客が行き来していた。

——カンボジアは観光国として、これから大きく発展していこうとしている。

——煉瓦造りの橋のたもとで、ぼろ布を地面に敷いた露天商が数人、車座になって何かを喋っていた。

——驚くことに、それらを物色する観光客の姿もちらほらと見受けられた。

ビニールシートが舞い上がり、生温い風が小屋の中に吹き込んでくる。腐ったごみのにおいが、絶えず漂う。

どうしてごみが減ったのか。どうして黒とあちこちで遭遇するようになったのか。どうして街を想像以上の数の観光客が行き交っているのか。どうして墓守は仕事を変えたのか。どうしてストリートエデュケーターのヨシコが突然山を訪ねてきたのか。どうして彼女はあれだけ必死に僕らを説得したのか。たくさんの問いの答えは、とても簡単なものだった。

――彼らにとっては汚いものなんだよ。俺たちはごみと同じなんだ。

「だから、ザナコッタは死んだの?」

突然の声に我に返った。膝を抱えたナクリーが、顔を上げていた。

「お爺ちゃんは、何でも知ってるんだよね」彼女は瞬きを忘れたように、見開いた目を雨乞いに向ける。「いつも外国のお話をしてくれるし、いろんな言葉を喋ることもできる。だから、教えてよ。ねえ、どうしてザナコッタは死んだの?」

「――そうか、ザナコッタが死んだか」虚を衝かれた様子だった雨乞いが、目を伏せる。「それは、前世の行いが、悪かったんだなあ」

「前世のせい――」

「烏《からす》と猟師の話を知ってるかい」雨乞いは部屋の隅に置かれた麻袋をたぐり寄せると、中から煙草を取り出した。「弓の扱いに長《た》けた猟師が、自分の腕を誇るためだけに、食べるわけでもないのに毎日烏を弓で射殺《いころ》していた。ある日、いつものように矢を放っていると、射抜かれた鳥が猟師の頭に落ちてきて、猟師は死んでしまった。気づくと猟師は鳥となり、羽を広げて飛んでいた。地面を見下ろすと、何人もの猟師が引き絞った弓を自分に向けていた。何本もの矢に串刺しにされて、生まれ変わった猟師はすぐに死んでしまった」

話の展開に戸惑いつつ、僕は小学校の道徳の授業を思い出した。仏教の世界では、悪いことをすると、いずれ自分にかえってきます。そしてまた、人は死ぬと生まれ変わると考えられています。だから、前世で悪いことをすると、現世で罰を受けることになるのですよ――

「ザナコッタはきっと、前世で何か悪行をしたんだな。だから、若くして死んで――」

鉄鍋の引っくり返る音が、雨乞いの喋りを遮った。

ナクリーが顔を伏せ、両手でスカートを握りしめていた。手の中で、色鮮やかな睡蓮がぐしゃぐしゃになっている。彼女は立ち上がると、何も言わずに部屋を飛び出してしまった。

「おい、ナクリー」

呆れ声でつぶやいた雨乞いが、ため息と一緒に首を振った。ガスコンロの火をつけ、指に挟んだ煙草に火をつける。紫煙が、懐中電灯の黄色い明かりに吸い寄せられるように立ち上る。

追いかけようと僕は小屋の出入り口に足を向けた。

「どこに行くんだ」

思いのほか強い口調に、振り返る。雨乞いが口をすぼめ、天井に向けて煙を吐き出す。

「ひとりにしてやれ」

「でも」

「ザナコッタは死んでも仕方がなかった。そう受け入れるしかないんだよ」

達観したような台詞を耳にした瞬間、再び頭に血が上るのがわかった。

「違う!」考えるより先に、僕は怒鳴っていた。「前世の行いだとか、そんな理由でザナコッタは死んだんじゃない。ザナコッタは殺されたんだ。誰かが、彼を殺したんだ!」

「何をそんなにむきになってる。ここじゃ人の死なんてありふれている。死んだ原因なんて何でもいいだろう。それに、ザナコッタが死んだことが、お前に何の関係があるんだ」

「関係ないよ。でも――」僕の剣幕にも動じない雨乞いを前に、言葉が自然に口をついて出る。

「でも、ヴェニイが死んだんだ」

雨乞いが、目を見開いた。

「ヴェニイは、黒に殺されたんだ」

赤い舟を、財布を盗んだから。ストリートチルドレンは、汚いものだから。

「ヴェニイは黒に、邪魔だからっていう理不尽な理由で殺されたんだ。前世とか、そんな曖昧な理由でじゃない!」

「それはお前が日本人だから、そう言える」

とっさに言葉が出ない僕を、雨乞いが優しく見つめる。

「ナクリーに聞いたよ。ミサキは日本人なんだろう? わしは、日本を訪れたことがある。もう、ずいぶん昔の話だが」それは僕を透かして遠い異国の地を思い出そうとしている眼差しに思えた。「わしはカンボジアの若き留学生だった。一ヶ月という短い期間だったが、信じられない速度で発展していく日本の力を知りたくて、わしは必死に勉強した」

わしにも若い時代があったんだぞ、と雨乞いは日本語でおどける。その流暢《りゅうちょう》さに、僕は改めて感心するのと同時に、以前ナクリーが僕の独り言を日本語だと認識できた理由に思い至った。雨乞いの流暢な日本語をどこかで耳にする機会があって、その響きが耳に残っていたのだろうか。

「そして知った。人間とは決して、平等ではないのだと。日本人がわしに辛くあたったわけでも、カンボジア人を蔑んだわけでもない。だが、それでも一ヶ月の間にわしは悟ったのだ。日本人とカンボジア人は、やはり異なる世界の人間だ」

だからわしは帰国後、戦いに身を投じることにした——そう言って、雨乞いは壁に貼られた写真を見やった。写真の中の正装した軍人は、厳《いか》めしい雰囲気をまとっている。

戦いというのが何を指しているのか、どうしてその結論に至ったのかの説明はなかった。けれど、淡々とした口調と、左腕に刻まれた大きな裂傷の痕が、言葉に重みを感じさせた。

「ミサキ、お前とナクリーは違う。日本人がこんなところで何をやっているのか、それは問うまい。だが、お前にあの子の苦しみはわかるまい。あの子は親に売られたんだ。貧しい親に、一時の収入のために。いいかい、日本人の坊や」

雨乞いは一度言葉を切った。煙草をくわえ、煙と一緒に言葉を吐き出す。

「あの子の値段は五十ドルなんだ」

今朝方夢と現実の狭間で目にした、口から煙を洩らす火の化身のイメージが、なぜだか雨乞

い の姿と重なった。

「売られてからの彼女の人生もひどいものだった。ひどい人生、言葉にすればそれだけだ。だが、言葉にすることと、その意味をわかることは違う。お前にわかるかい。親からも捨てられた子供にとっての仲間の重さを。その仲間が、ただ邪魔だから、汚いからという理由で死んでいく辛さを。そんな悲しみを、子供が受け入れられるわけがない。なら、諦めて納得してしまった方がいい。ザナコッタは前世の行いが悪かった。だから仕方がないのだ、とな」

そして雨乞いは、少し間をおいて言う。

「そうすれば、いずれ自分たちの身の上も、諦めることができる」

小屋の外から、賑やかな話し声が聞こえてきた。めくれたビニールシートの向こうを、数人の男が通り過ぎる。全員がつけているヘッドランプの明かりが、小屋の中を一瞬照らす。まん丸の黄色い光は、月にたとえるにはなおまぶしく、それはまるで太陽のような——

「違う」

僕の言葉に、雨乞いが怪訝そうな表情を浮かべた。

ナクリーと出会い、彼女がストリートチルドレンであると知ったときの驚きを思い出す。僕を驚かせたのは、彼女の眼差しだ。他の墓守の、澱んだ川の水のような濁りがそこにはなかった。それは、見慣れた誰かの眼差しに似ていた。

ああ、と僕は気づく。どうして今まで思い至らなかったのだろう。

彼女の眼差しは、ヴェニイのそれと一緒なのだ。毎日同じ黄色いTシャツを着て、膝下を切り落としたジーンズを穿き、薄汚れた水色の帽子をかぶった少年は、恰好こそみすぼらしかったけれど、いつも笑顔を振りまいていた。彼の眼差しもまた、澱みとは無縁だった。それは、彼が諦めてなどいなかったからだ。不条理な世界にいながら、彼はまぶしい笑顔で、つい諦めそうになる僕らを励ましてくれた。

彼は僕らの、太陽だった。

「僕だって、わかるよ」

「お前がヴェニイの仲間だったからか。確かに仲間を失った悲しみはいくらかわかるだろう。だが、お前が日本人であることに変わりはない」

「僕は日本人だよ」

初めて彼と出会ったときのことを、僕は一瞬たりとも忘れたことはない。

「僕は恵まれた環境で育ってきた。父も母も弟もいて、学校にも通って、毎日三食温かいご飯を食べてきた。僕は、皆とは違う」

雨が降り始めて三日目のあの夜、父の長い腕から僕を守ってくれた少年を、忘れられるはずがない。

「でも、僕にはナクリーの気持ちがわかるよ」

彼は日本人とカンボジア人の間の垣根を消してみせた。彼のおかげで、僕は短期間でカンボジア語を話せるようになるくらい、必死に生きることができた。

「僕は日本人だけど、自分の値段を知っているから」

ヴェニイが死んで、僕らの目は、ストリートチルドレンの目になった。たぶん、因果応報や運命といった大仰な言葉を掲げて、いろいろなことを諦めた瞬間に、涙に溺れ悲しみに浸ってしまった瞬間に、僕らの目の色は少しずつ汚れていく。

「それに知ってるんだ。泣いちゃいけないんだって」

言い放ってすぐに、僕はナクリーの傘を摑んで小屋の外に飛び出した。連なるバラックから洩れる光を頼りに、迷路じみた道を駆け出す。スニーカーで土を蹴るたび、ざらついた音がして、それはあの日の土砂降りの雨の音に似ていた。

†

再び遠雷が響いて、僕は階段の踊り場で足を止め、窓の外に目を向けた。

窓ガラスの向こう側は、三日続きの雨で煙っていた。ホテルの三階に位置する踊り場の窓からは、雨でにじんだ赤や青のネオンが見える。本当なら、今頃は観光を満喫していたはずなのに——ウエストポーチの中の辞書とガイドブックを指でもてあそびながら、僕はため息をつく。カンボジアに着くのと同時に降り出した雨は、一向に止む気配がない。

カンボジア訪問は、初めての海外旅行だった。そして、父との初めての旅行だ。

父は医者で、とても忙しい人だ。物心ついたときから、僕は父と休日を一緒に過ごした記憶がない。家に飾ってある写真にうつっているのは、いつも母と弟と僕の三人だった。そんな父が、僕を旅行に誘った。小学校を卒業し、母と弟の三回忌を終えて間もないこの時期に。二年前の春、母と弟は交通事故でこの世を去った。たぶん、父は母と弟の死を引きずる僕を元気づけるために、海外旅行に連れてきてくれたのだ。それなのに――

少しの間、雨に沈む街を眺めてから、僕は小さく頭を振り、ロビーのトイレを目指して階段を下る。

話し声が聞こえてきたのは、二階の踊り場にさしかかったときだった。

何気なく聞き耳を立てた僕は、思わず立ち止まった。廊下から聞こえてきたのは、父の声だった。

――パスポートは持ってきたぞ。

父は日本語で誰かと喋っているようだった。

――子供はまだ起きている。だから、接触はもっと遅い時間にするようにと言っただろう。

――そいつは失礼しました。

――これで、手配は大丈夫なのか。

――少しは信用してくださいよ、水澤さん。

――危険な橋を渡っているんだ。信用だけで済む話ではないだろう。

――パスポートは保険です。本当は、カンボジアとタイの間にパスポートは要らないんですよ。国境なんて、簡単に抜けられるんです。実際、ごみ拾いやら荷物運びやら、物売りやら物乞いやら――ああいった卑しい連中が、毎日大勢行ったり来たりしてますしね。ほら、こっちだってちゃんと考えてるんですよ。

相手の男の口調は、妙になれなれしい。

――計画は単純な方がいいんです。カンボジアからタイに連れていき、そこで金に換える。カンボジア警察は見つけられないし、タイなら値段が跳ね上がる。それに、日本でやるにはリスクが大きすぎるし、欧米では、アジア人は目立ちますしねえ。

それにしても、素晴らしいものです！　男は皮肉っぽく言った。

――何がだ。

――あなたの決意がですよ。自分のために……るとは。

不意に鳴り響いた雷の音が、会話をかき消す。言葉が聞きとりづらくなって、僕はもう一歩、廊下の方に近づいた。雷鳴が遠ざかり、静まった廊下に声が響く。

――子供は親の道具だ。

それは父の言葉だった。

――だから、いくらでも、替えがきく。

さっきより近くで発せられている言葉の意味が、頭に入ってこなかった。

――患者の声に応えるのが、医者の務めだろう。

――邪魔な子供を捨てるために、の間違いじゃないですか。

混乱する僕を嘲るような若い男の笑い声が、耳に響く。

——残酷な方だ。自分の子供の心臓を、＊＊＊円で売るなんて。

不意に、ハンマーで鐘を滅多打ちにするような音が頭の中で鳴り響いた。鼓動が激しくなる。

ふたりは何を言っているのだろう。

がさり、と音がした。目を落とすと、ウエストポーチが木の床に落ちていた。僕は手に残った辞書とガイドブックを茫然と見やり、それから顔を上げた。

廊下から顔をのぞかせた父と、目が合った。

——お父さん。

——おやおや、聞かれちゃったんですか。

粘り気のある声がして、父の横から若い男が現れる。

——商品の管理くらい、きちんとやってくださいよ。いくら私が優秀なトラフィッカーでも、そこまで面倒は見切れません。

——ねえ、お父さん。どうしたの。

僕の言葉を無視して、父は軽く首を横に振った。

——まったく、どうして部屋で大人しくしていないかな。

黒いジャケットにしわが寄るのも構わず、胸の前で腕を組む。

——これだから子供は嫌いなんだ。俺は忙しいのに。

父は眼鏡の奥の眼差しを、床に落ちたウエストポーチに注いでいる。隣に立つ男は、へらへら笑いながら僕と父を眺めている。

全身が恐怖に包まれるのと、世界が光るのが同時だった。

踊り場の窓から稲光が差し込んで、周囲を一瞬黄色く染める。

その一瞬に、僕はウエストポーチを拾い上げると、身を翻し、階段に向かって駆けた。

何が何だかわからなかった。ただ、逃げなければいけない、ここにいてはいけないという思いが、はちきれんばかりに頭の中を占めていた。

――トラフィッカーの仕事は運ぶこと。捕まえるのは私の仕事じゃありませんよ。

――黙っていろ。

一拍遅れて鳴り響く雷鳴の合間に、ふたりの会話が聞こえる。階段を駆け下りながら、僕はうしろを振り返る。

長い腕が眼前に迫っていた。

黒いジャケットに包まれた腕が、僕のウエストポーチをわしづかみにする。暴力的な勢いで引っ張られ、僕はあっさりとウエストポーチから手を離す。力がからまわりしたせいか、父が一瞬たたらを踏み、その隙に螺旋状の階段を下り終えた僕は、ホテルのドアマンを突き飛ばすと屋外に躍り出た。

雨の音が、急に大きくなる。水滴が顔を叩きつける。

二車線ほどの幅の道を、車が幾台も走り抜けている。道の向こう側には、猥雑な雰囲気に満ちた店が並び、赤や青のネオンが冷たい光を放っている。

――子供の分際で、逃げ切れるわけがないだろう。

背後から、父の声が聞こえる。

ためらっている余裕はなかった。自分が置かれた状況もわからないまま、ただ衝動に駆られて、僕は土砂降りの中、異国の街に飛び出した。

†

夜に浮かぶ舟の木のシルエットは、大きなこうもり傘を思わせた。

川原に根を下ろした均一の太さの幹が、垂直に立ち、六、七メートルの高さのところで、いくつもの枝に分かれている。薄闇に浮かび上がる豊かな枝葉が傘の布で、幹が柄の部分だ。

ナクリーは、その傘の柄にもたれて座っていた。

上がった息を整えて、少し迷ってから、僕は昼間と同じように彼女の右隣にそっと腰を下ろした。野草の冷たさをズボン越しに感じながら、横目で様子をうかがう。暗がりのせいで、彼女がどんな表情を浮かべているのかはわからない。それでも、洟をすすり上げる音や、ときおり唾を呑み込む気配から、彼女が泣いていることはわかった。

あたりには、コオロギに似た虫の鳴き声が満ちていた。鳴き声は葉擦れの音や水音と混じり、不思議な音楽を奏でているように聴こえる。

隣に座ったものの、僕はかけるべき言葉を見つけ切れないでいた。単純な慰めや、謝罪の言葉が意味を持つとは思えない。それでも、気まずい沈黙に耐え切れず、必死で言葉を探してい

たそのとき、

「星みたい」

湿った声で、彼女がそう言った。

きょとんとする僕の前で、彼女は川の方を向いたまま、星みたい、と繰り返す。

「夜のごみの山——星ぞらみたい」

川沿いに広がる野原の向こう側には、間に貧相なバラック群を挟んで、煙を上げる山の姿が望めるはずだった。昼間の光景を思い起こしながら、僕はうしろを振り返る。

星が瞬いていた。

山がある場所、夜は真っ暗で何も見えないはずの場所に、橙《だいだい》色の光がぽつぽつと浮かんでいる。光は山のあちこちに無数に散らばっていて、注意して見ると、少しずつ動いていた。星、蛍、高層ビルから眺める都会の夜景——いろんな言葉を頭に浮かべて、一番近いたとえを僕は探す。

けれどどんな言葉も、目の前の光景の美しさには足りない気がした。

「夜だって、ごみは拾えるの」ナクリーがささやく。「昼間より涼しいから、長時間働けるし。ヘッドランプを頭につけて、ごみを拾う。私も、何度かザナコッタと行ったわ」

雨乞いの小屋の前を通り過ぎた集団を僕は思い出す。

「遠くから見れば、きれいなのに。近くで見たら、ひどいにおいのごみ」彼女は洟をすすり上げる。「本当は汚いのに、夜でごまかされているだけ」

――彼らにとっては汚いものなんだよ。

「そう、星ぞらなんて嘘。見えるはずがない。だって、雨が止まないもの。もうずっと、私が目にする景色はにじんで、ぼやけたまま」

どくん、と心臓の鼓動が耳にこだました。

ヴェニイを喪った日に抱いた得体の知れない感情が、身体のあちこちから外に出ようとする。身体の中心が乾いたスポンジみたいにすかすかになり、僕は自分を支え切れず、崩れ落ちそうになる。

「それはたぶん、逆なんだよ」

それでも僕は必死に踏ん張って、ヴェニイならどう答えただろうと想像した。

「どんなに汚いものだって、きれいな星に見える一瞬があるんだ。そう考えるべきなんだよ」

僕の言葉に、彼女は何も答えない。ただ肩を震わせて、泣いている。

僕にとってヴェニイが太陽だったように、彼女にとってはザナコッタが救いだったのだ。すべてを失った僕らに手を差し伸べてくれた仲間との、理不尽な別れ。それを受け止められる強さを、僕らは持っているだろうか。

――死んでも仕方がなかった。そう受け入れるしかないんだよ。

どうしてヴェニイの言葉には、不思議な力があったのだろう。どうすれば、僕も同じような言葉を紡げるのだろう。彼女を打つ雨を止ませることができるのだろう。

手に握った傘の冷たさが、身を浸す。

無性に悲しくなって、僕はくちびるを噛んだ。

――泣いちゃいけないよ。

不意に思い出したのは、笑顔で言うヴェニイの姿だった。

あの土砂降りの夜、肩に麻袋を下げたヴェニイは、ずぶ濡れになった僕を見下ろしてそう言った。そのときはまだ、彼が何と言ったのか、カンボジア語を解さない僕には理解できなかった。それでも、耳慣れない言葉の響きは、不思議と僕を癒してくれた。

――泣いちゃいけないよ。


「――土砂降り、土砂降り、今日も雨」

気づくと、僕は歌っていた。

「おそらがぽろぽろ、泣いている」

赤い傘を開き、彼女の頭上に差しかけながら、いつかの子守歌を、口ずさむ。

「お池はみるみる、川になる」

傘の下から聞こえるすすり泣きが、激しさを増す。

「土砂降り、土砂降り、明日も雨。おそらはどうして泣くのかな?」

それからゆっくりと収まっていく。

彼女に降る雨が、少しでも弱まることを願って、僕は歌う。

やがて、ナクリーの震えが止まった。黒いシルエットは、膝を抱えて、川面を見つめている。僕が子守歌を歌う間、彼女はずっとそうしていた。

やがて、ナクリーは訥々《とつとつ》と身の上話をしてくれた。

彼女の父親は、椰子の木の樹液から砂糖を作って売る仕事をしていた。毎朝、十メートルくらいの高さの木をするするよじ登り、幹に傷をつけて、ペットボトルをぶら下げる。午後にもう一度木に登ってペットボトルを回収し、中に溜まった樹液を煮つめて砂糖を作り、隣村に卸《おろ》す。暮らし向きは楽ではなかったが、困窮するほどでもなかったという。

けれど、ある日父親が木から落ちて、脚に怪我を負ってしまった。命に別状はなかったものの、完治させるためには治療代が要り、また治療の間は、別の稼ぎ手が必要になった。ナクリーは両親とふたりの弟の五人家族だった。母親は身体が弱く、弟は五歳と三歳、働けるような歳ではなかった。ナクリーは急遽働き口を探す必要に迫られた。そんな彼女に、街に住む親戚の叔父が仕事を紹介してくれた。村から半日かかるところにある街で、レストランの掃除婦の仕事がある。住み込みで働くことになるが、給料は弾んでくれるそうだ。これは前金だ、そう言って叔父は五十ドルを母親に渡した。ナクリーは母と手を取って喜び合い、勇んで叔父についていった。連れていかれた先は、レストランにしてはずいぶんひなびた場所にある小屋だった。叔父は彼女を樽みたいに太った男に引き合わせると、そそくさと帰っていった。叔父の姿が見えなくなった途端、樽男は彼女の腕を乱暴に摑むと、奥の部屋に放り込んだ。

彼女はそこで、自分が売春宿に売られたことを知った。

彼女が売春宿から解放されたのは、それから三ヶ月後だった。店が小火《ぼや》を出した隙をついて、逃げ出したのだ。けれど、彼女は自分の村がどこにあるのか、わからなかった。雨水を飲み生ごみを漁りながら、彼女は生きる術を求めて、街から街へ流れた。そしてザナコッタや雨乞いと出会った——


「どうして、君が日本人だと見抜けたか、わかる？」

売春宿の話が出たとき、ナクリーは僕に訊いた。

「仕事の相手は、日本人が多かったの。日本人はよく喋るから、何となく覚えちゃったのね」

あっけらかんとした口調で話す彼女を前に、僕は当時の彼女の暮らしぶりを想像しようとした。けれどできなかった。ひとりで生きる彼女の前に存在したいくつものハードル、それをどう越えてきたのか考えようとしたところで、思考が止まってしまった。それでも、目をつむるのだけは耐えた。目をつむることは、彼女への裏切りになる気がした。

「ザナコッタは、機嫌が悪いとすぐに暴力的になったし、良くないこともたくさんしてた」努めて感情を抑えている様子で、ナクリーは語る。「だけど、仲間は大切にしてたの。彼は決して仲間を見捨てるようなことはしなかったし、私たちはそんな彼を慕っていた」

僕は、ルウの死で取り乱していたザナコッタの姿を思い描く。

「でも三日前、そんな生活が壊された。私たちは警官に墓を追い出された。仲間とはぐれた私は命からがら、お爺ちゃんのところに逃げてきたの。それ以来、スラム街で会う人会う人に訊いてみたけれど、ザナコッタたちの行方を知る人はいなかった。沈みの橋とか、街に行けばもっと情報が手に入ったかもしれないけど、それは怖くてできなかった。また警官に会ったら、今度こそ殺される、そう思ったから」

だから僕も、君の口からザナコッタの話が出たとき、自分を止められなかった。

「ねえ、どこでザナコッタと会ったの？」

請われて、僕はザナコッタたち墓守と衝突した経緯を話した。教科書を朗読するみたいに、淡々とした喋り方を心がける。僕の話を聞き終えた彼女は、ごめんね、とつぶやいた。謝りたいのは僕の方だった。彼女を責める気持ちはとうに失せていた。

僕は再び山の方に顔を向けた。濃紺の夜の中、無数の橙色の光が変わらず瞬いている。

「どんなに汚いものだって、きれいな星に見える一瞬がある」

ナクリーは僕の言葉を繰り返すと、くつくつと笑った。

「何がおかしいの」

「すごく恰好つけてる」

「本当にそう思ったんだ」込み上げてくる気恥ずかしさを紛らわそうと、僕はむきになる。

「昼間は巨人の心臓にしか見えないのに、今はこんなにきれいなんだ。しょうがないだろ」

けれど僕が喋れば喋るほど、彼女はますます肩を震わせた。あんまり長く笑うので、僕は自分の顔がどんどん赤くなるのを感じる。

「巨人の、心臓？」

息も絶え絶えといった様子で彼女が尋ねた。

「ごみの山のことだよ。僕にはあれが、何だか巨人の心臓に見えるんだ」

「どうして？」

「昔観た映画に出てきた、巨人の心臓を思い出させるんだよ」

「日本の映画？」

「そう」

「ふうん。ねえ、どんなお話なの？」

「よく憶えてないんだ。確か、泥人形《ゴーレム》っていうやつが出てきて、暴れまわる話だったような」

「泥人形なら、私知ってるよ。モルダウ川の土をこねてできた、巨大な人形だよね」目を丸くする僕に、ナクリーは得意げに髪を撫でる。「お爺ちゃんに教えてもらったの。お爺ちゃんはたくさんのことを知っていて、特にソビエトとか、東欧って国の話をよく知ってるんだよ。理由は教えてくれないけど」

彼女の言葉が、記憶の箱を揺り動かす。主人公の少年、偉大な教師、真っ黒な泥人形――次第に映画の内容がよみがえってくる。

「泥人形《ゴーレム》伝説は、とっても悲しい物語なんだって」

「そうなの？」僕には、人の愚かさを風刺したアクション映画のように思えた。

「あれは死にゆく人の絶望を描いた物語だって、お爺ちゃんが言ってた」

死にゆく人の絶望とは、つまり偉大な教師や、妄執に取りつかれた少年の絶望のことだろう。

人の役に立つ人形を作ったはずが、人を滅ぼす道具になってしまう。難しいことはわからないけれど、もしかしたら映画はその悲劇性を描いていたのかもしれない。

「ねえ」

そんなことをぼんやりと考えていたから、彼女の問いは不意打ちだった。

「どうしてザナコッタは死んだのかな」

とっさのことに、僕は答えられなかった。彼女の表情は、今も暗がりでうかがえない。ただ、笑い転げていた彼女が決して心から笑っていたのではなかったことを、僕は理解した。

ザナコッタはどうして死んだのか。

彼は黒に殺されたのではないか、と僕は思っている。だけどたぶん、彼女が求めているのは、そういった答えではない。ザナコッタを死に追いやったこの世界の不条理さ、仲間が平気で死んでいくこの世界の理不尽さ、その理由を彼女は訊いているのだ。だけど僕にその答えがわかるはずがなかった。僕にわかるのは、世界が歪《いびつ》だということだけだ。

「ザナコッタは、前世の行いが悪かったのかな」

「そうじゃないよ」それでも、僕は彼女の言葉を否定しなければならなかった。「ザナコッタは、殺されたんだ」

諦めが、絶望が何も生まないことを、僕はヴェニイから教わったはずだ。それを思い出させてくれたのは、初めて出会ったときのナクリーの眼差しだった。黒から逃げていたときの、彼女の機転だった。

「一緒に見つけよう。仲間が殺された理由を」

自分も、ヴェニイの死という現実を受け止めるべきだと思った。絶望している仲間がいるなら、声をかけたいと思った。ナクリーに、いつかの眼差しを取り戻してほしいと思った。どんなにおこがましくても、そう思わずにはいられなかった。

同じことを、ヴェニイならするはずだった。

黒いシルエットが、小首を傾げる。

「ねえ、きみの名前は？」

「僕は、ミサキ」

「うん、本当はお爺ちゃんに聞いて知ってた。私は、ナクリー」

よろしくね――そう言って、彼女は小さく頷き、僕が掲げていた傘の柄に手を添えた。

それから僕らは、雨乞いの小屋に戻った。道すがら彼女にせがまれて、僕は子守歌をもう一度歌った。彼女は一言も口を挟むことなく、歌に耳を澄ましていた。

雨乞いは、起きて僕らを待っていた。一緒に戻ってきた僕らを見て、雨乞いは早く寝ろと言い、すぐに横になった。まもなくいびきが聞こえてきた。寝入った雨乞いを起こさぬように、僕らはそっと小屋の隅で眠った。

新たな死体が見つかったのは、翌朝のことだった。

第五章　さまよう泥人形

スラム街の朝はやかましい。柵の中で放し飼いにされた鶏や豚が、空腹を訴えるように鳴いている。屋外は家畜の世話や朝食の準備をする人でいっぱいだ。飯屋の鍋を振るう音が、世間話のBGMになる。賑やかな早朝の路上は、川縁の小屋にはなかった活気に満ちている。

目をこすりながら、僕は布団代わりの薄布をのけて、けだるさが残る身体を起こした。外の喧騒に、壁の黒いビニールシートが風にはためく音が混じる。部屋の中央で、雨乞いがこちらに横顔を向けてあぐらをかいていた。隣で寝ていたはずのナクリーの姿はなく、半端に畳まれた薄布が土床に置いてあった。

風が強いな、とつぶやきながら顔を上げた雨乞いが、僕に気づく。

「熱は大丈夫か」

頷くと、彼は小さく肩をすくめ、またうつむいた。膝の前に置かれたバケツの水に両手を浸し、こすり合わせている。

「芋を洗っているんだよ」横顔を向けたまま、雨乞いは言った。「小屋の裏に自生しているんだ。痩せて硬い芋だが、煮れば食えんこともない」

細く骨ばった手の動きに合わせて、ぱしゃぱしゃと水音が響く。外の騒がしさを耳にするうち、昨晩の言い争いが頭を過った。雨乞いときちんと言葉を交わすのは、捨て台詞を残して小屋を飛び出して以来だ。どことなく気まずくて、会話の糸口を見つけられずにいると、

「それで、今日はどうするんだ」

「え?」

「身体の調子が戻ったのなら、働くんだろう? 何をして稼ぐつもりかね。昨日も言ったとおり、ごみの搬入は止まってるからな。新しい仕事を探さないといけない」

バケツから跳ねた水しぶきに、雨乞いは目を細める。

「わしも貧乏人だからな。病人でもない者をいつまでも養う余裕はないぞ」ほら、と雨乞いは出入り口のビニールシートを指差した。「ナクリーも、朝起きるなり外に出ていった。働きに行ったんだろう。お前はどうするね」

雨乞いの問いかけに、眠気が吹き飛んだ。考えてみれば当然だった。雨乞いが僕を助けてくれたのは、僕が単に子供だったからではない。僕が稼げない子供だったからだ。病気が治った以上、僕を養う理由はどこにもない。

スラム街で意味を持つのは、大人と子供という身分の違いではなく、稼げるか稼げないかだ。僕たちストリートチルドレンが、路上で自由に暮らすための代償だ。だから、僕らはお金にこだわる。お金は服であり、ご飯であり、寝床だ。生きるためには、お金が必要なのだ。

――エモノを狩れないやつは、役立たずだからな。

けれど僕らにも、ときにはお金以上に大切なものがあるはずだ。つきつけられた現実への無力感にさいなまれる一方で、僕は昨夜ナクリーと交わした約束を思い起こす。

――一緒に見つけよう。仲間が殺された理由を。

ヴェニイが死に、ルウが死に、ザナコッタが死んだ不条理な世界の真実を、僕らは知りたかった。それを知ったからといって何かが変わる保証はどこにもない。それでも、僕らは問わずにはいられなかった。

なぜ、ストリートチルドレンは死んでいくのか。

見つめる先で、雨乞いは洗った芋を、ガスコンロの上に用意した鉄鍋に入れた。すぐさま、次の芋を洗い始める。手を動かすたびに、腕の刺青が小刻みに揺れる。刺青は昔、決意と勇気の証《あかし》だったんだ――老人と初めて出会った日の帰り道、ヴェニイはそう教えてくれた。

「今日は、仲間を探しに行くんだ」衝動を抑え切れずに、僕は言う。「前に住んでいた小屋に行ってみようと思う」

ザナコッタが死んだ原因を探るなら、まずは事件当夜の状況を知る必要があった。僕が枝に頭をぶつけて気を失ったあと、何があったのか。それを知っているのは、あのとき現場にいた仲間だけだ。そして仲間の居場所の心当たりは、川縁の小屋しかない。小屋は墓守に占拠されているかもしれないけれど、ナクリーが一緒なら、いきなり襲われたりはしないだろう。

それに、仲間の安否が気がかりだった。ごみの搬入は止まり、ザナコッタは何者か――おそらく黒――に殺された。相次ぐ非日常的な事態を前に、僕は何か他にも取り返しのつかない事件が起きているのではないか、という不安を拭えなかった。

　雨乞いが、大きなため息をひとつこぼす。

「つまりお前は、働かずに遊びたいということか」

「遊びじゃないよ」

「金を稼がなきゃ何だって遊びさ。なら訊くが、お前さん、金はどうする気だ。当てがあるのか」

「それは――」

　言葉につまる僕を置き去りにして、雨乞いはマッチを取り出すと、ガスコンロのスイッチをひねった。マッチを擦って、鍋の下に火を近づける。風を切るような音がしてガスコンロに火が点《とも》ると、雨乞いは太い木の棒で、鉄鍋の中をかき混ぜ始めた。手のひら大の、ひん曲がった白い芋が、鍋の中でごろごろと転がる。

「お前も遊びか、ナクリー」

　一瞬虚を衝かれた僕は、慌ててうしろを向いた。風にめくれたビニールシートの向こうから、赤い傘がのぞく。

「てっきり、金を稼ぎに行ったものと思っていたが」

「同じなのよ、お爺ちゃん」傘を丁寧に閉じて、ナクリーは小屋の中に入ってきた。「私とミサキにとって、仲間の死んだ理由を知ることは、働くのと同じくらい、大切なことなの」

　ナクリーは、服をぐっしょりと濡らしていた。Tシャツの袖から伸びた腕を、水滴が伝い落ちる。その先に、黄色い果物の実が三つ握られていた。

「お爺ちゃん」

彼女は真剣な表情で、雨乞いの前に膝をついた。果物を、雨乞いに差し出す。

「ザナコッタが殺された世界で、私はこれからも生きなきゃいけないの」

小ぶりながら瑞々しさを湛える丸い果物から、ぽたぽたと雫が垂れる。

その様に、身体が勝手に反応した。僕はポケットに手を突っ込むと、中からしわしわになった五百リエル紙幣を取り出した。今の僕の全財産、一日分の食費にも満たない金額だ。僕はナクリーの隣に膝をつくと、同じように雨乞いに差し出した。

「何のつもりかな」

「これで」ナクリーは雨乞いに真っ直ぐ、視線を送る。「今日一日、私たちを養って」

沸き立つ湯の中で芋が転がる音がした。

長い沈黙のあと、雨乞いは突然、声を上げて笑い始めた。呆気にとられる僕らを尻目に、雨乞いはひとしきり豪快に笑うと、無造作に果物と紙幣を受け取り、脇に置いた。

「やれやれ――お前らはおかしな熱に浮かされているらしい」

熱があるなら仕方ない、と雨乞いは肩をすくめる。

「治るまでは、面倒をみてやろう」

そこで雨乞いは土床に置いたブリキの器を手に取ると、鍋から芋をよそって、僕らに差し出した。

「ほら、食え。どうした、腹が減ってるだろう?」
飄々とした口調でそう言って、雨乞いはにやりと笑った。

煙が消えた瞬間に山の天辺に立てば、スラム街はきっと大きなバナナみたいに見えるのだろう。埃っぽい空気と汚れたバラックのせいで変色したバナナだ。バナナの西の端は舟の木の生える川原に、東の端は山の入り口につながっている。茹でて塩を振った芋を胃に収め、雨乞いの小屋を後にした僕とナクリーは、スラム街を東に進んだ。山の入り口の前や沈みの橋を通り、川縁の小屋に向かう道々で仲間の消息を尋ねる、というのが僕らの立てた計画だった。街をあとまわしにしたのは、雨乞いの助言があったからだ。警官がうろうろしている場所に、朝っぱらから乗り込む度胸はわしにはないなあ――黄色い歯で芋をかじりながら、雨乞いは冗談めかしてそう言った。

スラム街の出口にたどり着いたところで、僕らは一度足を止めた。風がやたらと強い。スクラップにされた車の残骸に挟まった布切れが、音を立ててはためいている。ビニール袋が風に舞い、ざらざらした音を立てる。ナクリーが意地になって開いている傘は、今にも壊れそうだ。

山の入り口、街へ通じる道と交わるその場所に、人の姿はまばらだった。防塵《ぼうじん》マスクの女性や、風に負けまいと大きな袋を抱えて歩く子供が数人、目につくだけだ。道沿いの屋台も開店休業状態だし、そもそも数が少ない。お爺ちゃんの言ってたことは本当だったんだ、とつぶやくナクリーの横で、煙る山に目を向けた僕は、いつかのアイスキャンディの売り子を見つけた。

売り子の少女は売り荷を地面に下ろし、金網に背中を預けていた。風が黒い髪を撥ね上げている。少女の表情には、通い慣れている道を通ったはずが、知らない場所に出てしまったかのような困惑が浮かんでいた。

山から街へ向かう道にも、人の姿はほとんどなかった。道に出ていくらもしないうちに、歩いているのは僕らだけになった。赤茶けた道を通るのは、ときおり背後から僕らを追い越していくバイクだけだ。整備不良としか思えないエンジン音が遠ざかると、後には風の音だけが残った。道の脇に咲くシロツメクサが、風に震えている。

「ミサキのグループのリーダーは、ヴェニイっていう子だったんだよね」

沈黙を嫌がったのか、前を歩くナクリーが僕を振り返る。

「うん」

「どんな子だったの？」

「名言が大好きだった」

「名言？」

「思いついたことを、さも格言であるかのように口にしてね」温い風に汗ばむ顔を手で煽ぎながら、僕は右手に広がる田園風景を眺める。「時間は椰子の実より大事、とか。働くことは素晴らしい、とか」

田圃と田圃の間には、棒に刺さった飴玉みたいな可愛らしい木が、一定の距離を置いて生えている。電信柱のように並んだそれらの向こうには、なじみの川が流れている。

とても平穏な風景だった。変わらない天気のせいもあって、世界は永遠に同じ時間に留まっているかのような思いさえ抱いた。

「変わったリーダーだったんだね」

「うん」

けれど、髪の先から垂れる汗をシャツの裾で拭いながら、僕は考え直した。

世界は不変ではない。

「変わった、いいリーダーだった」

粘つく唾を呑み込んで、僕はつぶやく。

「ヴェニイは、偉大な人間だった」

数歩先を進むナクリーが、そっと頷くのを見た。赤い傘の下の小さな背中は、ザナコッタも同じ、と訴えていた。

と、その背中がくるりと振り返る。

「私も、ひとつ名言を知ってるよ」

微笑みとは裏腹に、彼女の目は驚くほど真剣さに満ちていた。

「観光客はね、雨でも晴れでも、傘をさしてるの」

――傘をさしているのって、皆観光客だろ。

「ヴェニイに会ったことがあるの⁉」

驚いて思わず問いかける僕に、ナクリーは不思議そうに首を傾げた。

「ううん、ないけど。どうして――？」

気まぐれな風が、赤土の道を吹き抜ける。あ、と声を洩らした少女が、風に乗って逃げようとする赤い傘に引きずられて小走りになる。

彼女がヴェニイと同じ名言を口にしたことに、僕は胸を衝かれた。今はもういない仲間と一瞬だけ再会できた気がして、腕が小さく震える。

観光客の姿を目にする中で、彼女もまた思い至ったのだろう。風に悪戦苦闘しながら、ナクリーは意固地になって傘を閉じまいとしている。その様子を微笑ましく眺めていた僕は、ふと、どうして彼女が傘をさすのか不思議に思った。彼女にとって傘は、売春宿を訪れる観光客の記憶を呼び起こす道具にはならないのだろうか。

疑問を口にする前に、ナクリーが足を止めた。

長く続いた田園風景が途切れ、右手にこんもりとした林が現れていた。ジャングルのように木々が密集して生えているわけでもないのに、林にはどこか濃密で重たい空気が漂っている。じっと目を凝らして、その理由に気がついた。木々の間からのぞく黒っぽい壁らしきものが、林の中を暗く、息苦しく感じさせているのだ。

「どうしたの？」

ナクリーの隣に並んだ僕は、何気なく傘の下の彼女をうかがって、戸惑った。彼女はくちびるを強く引き結んで、林を見すえている。長いまつげの下の瞳に、ほんの一瞬、いくつもの感情が宿っては消えた。彼女のただならぬ様子で、僕は悟る。

「あの林って、もしかして」

「四日前まで、私の家だったところ」

梢越しに見える黒っぽいものは、墓守が寝床にしていた遺跡なのだろう。

「昔の偉い人のお墓なんだよね」

雨乞いから聞いた話を口にする僕に、ナクリーは前を向いたまま頷く。

「でも今はただの、廃墟。壊れ果てた石の山」

墓の守り人は、もういなくなってしまったから——

痛みをこらえるように、彼女はぐっと目を強く閉じた。やがて目を開き、さしていた傘を下ろして、そっと畳む。

「寄っていこう。もしかしたら、私の仲間がいるかもしれない」

道の少し先から、獣道が林に向かって延びている。車の轍《わだち》のような道だ。けれど、ナクリーは獣道には目もくれず、右手の茂みの中に踏み込んだ。腰の高さまで伸びた草の海を泳ぐようにかき分け、林に向かっていく。警官に見つかることを警戒しているのだろう。すいすいと早足で進むナクリーを、僕は慌てて追いかける。

林に入り、ブナに似た樹木の間を抜けると、正面に瓦礫《がれき》の山があった。両腕を広げても抱え切れないくらい大きな石のブロックが山になっている様は、巨人のために用意された積木崩しの遊び場のようだ。ブロックの山の奥に、石壁が一枚寂しく立っている以外、かつての建物の姿を偲ばせる面影は残っていない。

瓦礫の山をまわり込んで進むうち、雑草の生い茂る地面が踏み固められた荒れ土に、やがて石畳に変わった。ところどころに、ティッシュや新聞紙の切れ端が落ちている。拾い上げてみると、つんとしたにおいが鼻をついた。顔をしかめて後ずさった拍子に、ぐにゃぐにゃしたものを踏みつける。汚れたスニーカーを上げると、へこんだ黄色い接着剤の容器が地面に転がっていた。

一瞬、ふらつくザナコッタの姿が、そして僕に馬乗りになるコンの姿がよみがえる。フラッシュバックする恐怖を、慌てて首を振って打ち消す。ふと、ナクリーの姿が見えないことに気がついた。石畳の道を先に進むと、木々の間に崩れかけた門が現れた。古びた石柱にツタが絡みつき、その間から繊細なレリーフがのぞいている。大きなくちばしを持つ鳥人間の彫刻は、ガイドブックで読んだガルーダという神様だろう。その横には、両手を胸の前で合わせた、首から上のない神像が何体も並んでいる。頭上のアーチを描く部分には、鼻がやたら長い象が踊り、適度にデフォルメされた花が周囲を飾っている。どれも日本では目にしたことのない、柔らかで、どこかなまめかしい装飾だ。

もっと眺めていたいのを我慢し、僕は半壊した門をくぐった。途端に、視界が大きくひらける。

中庭のような場所だった。一周二百メートルだった小学校のグラウンドと、ほぼ同じ広さだ。草の丈は短く、いくらか整えられている印象を受けた。四方には、今くぐったのと似たような門が、それぞれ崩れ方に差はあるものの立っている。

ナクリーは、中庭に少し入った場所で、立ち尽くしていた。

折り畳んだ傘を手に、微動だにしない。

まさか警官でもいたのだろうか。恐る恐る、僕は彼女の肩越しに、中庭の中央を見やった。

恐れていた警官の姿はなかった。

代わりに、異様な風体の死体が横たわっていた。


ああ、人が死んでいるんだ。

仰向けで、身体の左側をこちらに向けて倒れた死体を前に、僕は声に出さずにつぶやいた。

死体は半裸で、短パン一枚の恰好だった。大柄で肌は浅黒く、全身がびっしょり濡れている。

首は変な方向に曲がり、水に洗われたのか、きれいになった手足は無造作に広げられていた。

そうしたことを、丹念にひとつひとつ確認して、僕は自分に言い聞かせる。ただの死体じゃないか。そうして最後に、僕は何気なさをよそおって、死体の顔に目を向けた。

顔は、暴力的なまでに赤かった。

額からあごの下まで、わずかな隙もなく赤い。仮面をかぶせられているわけではなく、何かがべったり塗りつけられている。ペンキとも絵の具とも違う、ぬらぬらしたその正体を探ろうと数度瞬きをして、首に目がいった。ぱっくりと開いていた。切れない刃で裂かれたかのようにぐちゃぐちゃで、その内側は、顔に塗られたものよりも濃い色をしていた。

こらえようとする間もなく、僕は嘔吐した。芋の残骸が、石畳を汚す。

「な、なにこれ――」

地面に這いつくばる僕の前で、ナクリーが震えた声を上げる。

肩で息をしながら、もう一度死体に目を向けた。血塗れの顔からは、何者なのか判別できない。けれど、短パンの弓のエンブレムに、見覚えがあった。赤く塗られた左の耳たぶが、獣に食いちぎられたように欠けているのが、決定的だった。

「どうして」

刃でえぐられたような痛みが、胸を走る。

「どうして」

ゆっくりと死体に近づきながら、僕はうわごとのように繰り返す。

「そんな、どうして、ティアネンが――」

「彼を知ってるの？」

ナクリーの言葉が、ひどく遠くに聞こえる。ティアネンのすぐそばまで寄ると、僕はあたりを見まわした。死体の周りには、いくぶん荒れた雑草が生い茂るだけだ。ティアネンを死に至らしめた凶器になりそうなものは、何ひとつ落ちていなかった。

呻き声がした。それが自分の発したものだと気づいても、止められなかった。僕は意味をなさない声を上げながら、ティアネンの身体を揺さぶった。血のりがべったり塗りたくられた顔が、がくん、と揺れる。

不意にうしろから抱きすくめられた。振り返る間もなく、数歩うしろに引っ張られる。

「ミサキ、落ち着いて」

「殺された」

「落ち着いて」

「殺されたんだ。凶器がないんだ。凶器を持ち去ったやつがいるんだ。ティアネンは黒に殺されたんだ。ヴェニイと同じように、ティアネンも——」

「ミサキ!」

ナクリーの手が、僕の頬を張った。目の前が貧血を起こしたみたいにさっと暗くなり、また元の明るさに戻る。赤く塗られた顔がくっきりと視界に入って、僕は前のめりになると、もう一度胃の中のものを吐いた。


冷たい水流で、口をすすぐ。シャツを脱いで川の水に浸け、胸から腹にかけての汚れをこすって洗い落とす。黙々と手を動かしながら、僕は遺跡の傍らを流れる川を眺めた。代わり映えのしない光景は、川の水以上に冷たく感じられる。

「本当に、ティアネンで間違いない?」

隣で足先を川に浸すナクリーに、僕は小さく頷いた。

「そっか」少しためらう素振りを見せてから、彼女は続ける。「どうして、あんなことに」

何も答えられずに、ただシャツを強くこすった。水しぶきが上がる。シャツにできた染みを見つめながら、僕は先程の光景を思い出す。

どうにか落ち着きを取り戻した僕は、歯を食いしばって死体をあらためた。顔に塗られた血は固まりはじめていて、簡単には拭い落とすことはできない様子だった。それでも、じっくりと見つめてみれば、顔の造作はわかる。死体がティアネンであることは間違いなかった。

顔を確認したあと、僕は念のため、ティアネンの背の下を確認してみた。濡れて冷たい背中と草だけで、やはり刃物の類はなかった。

「黒がやったんだ。ルウと同じように、墓地にいるところを襲われて」

濡れた髪を両手で梳きながら、真っ先に浮かんだ名前を口にする。毛先から垂れた雫が目に入り、僕は目を閉じた。

なぜティアネンが墓地にいたのかはわからない。けれど彼はここで黒と鉢合わせして、ルウと同じように襲われた。

また黒だ。ヴェニイ、ザナコッタ、ルウ、ティアネン。汚いものを排除しようと、黒が次々とストリートチルドレンの命を奪っていく──

「そうじゃない」

小さな、けれどはっきりとした言葉に、僕は目を開いた。

「ティアネンを殺したのは、黒じゃないわ」

そんなはずがない、という言葉を喉元で呑み込んで、僕は振り返る。川原に転がる瓦礫のひとつに、ナクリーは腰かけていた。

「どうして、そう言えるの？」

「黒なら、拳銃で殺すはずよ」

施された彫刻がうっすらと残る板状の瓦礫は、草の上に置かれた棺を思わせる。僕の脳裏に、ヴェニイの亡骸《なきがら》が浮かんだ。ずぶ濡れの、眠っているような銃殺死体だった。

「たまたま、拳銃がなかったとか」

「私たちを排除しようとうろついている男が、拳銃を持たないなんてことがあるかしら」

「でも、持っていたとしても——たとえば、ティアネンと乱闘になって、ティアネンが拳銃を奪ったのかもしれないよ」

口にしてすぐ、その可能性がまずないことに僕は気づく。以前に川原で、ティアネンは黒にいともたやすく制圧されていた。そのときティアネンが負った左耳の怪我は、彼の心に拭い去れない傷跡を残したはずだ。黒に再び遭遇したとき、怪我の元凶に彼が立ち向かえるとは思えない。

「そんな、生易しい相手じゃない」

わかっているでしょう、という視線に、僕は頷くしかない。

「それに、ティアネンの顔は、血塗れだったんだよ」

ティアネンの顔に施された、不気味な血化粧。ティアネンを殺した犯人は、どうして首から流れ出た血を、顔に塗るなんていう行為に及んだのか。

「黒は、そんなことしないでしょ」

僕らを虫けら扱いし、ただ排除することだけを目的にしていた黒が、わざわざ死体をいじるような手間をかけるわけがない。

ナクリーの言うことはもっともだ。けれど、犯人が黒でないとは、俄《にわ》かには信じられなかった。

何か拳銃で殺さなかった理由があるのではないか——そこで僕は、はたと気づく。

「そうか。黒は、自分が犯人であると知られたくなかったんだ。だから、自分のトレードマークである拳銃を使わなかった。顔を血で塗りたくったのも、何か自分の犯行を隠すためだったのかもしれな——」

「ううん、そうじゃない。そうじゃないよ」

ナクリーは、棺に似た瓦礫の上で首を横に振った。

「だって、ティアネンは、ストリートチルドレンだったんだよ」

最初、僕は彼女の言葉の意味がわからなかった。わかった途端、鞭で打たれたような衝撃が、僕を襲った。

言葉を失う僕を前に、ナクリーは愁いを帯びた眼差しを川面に送る。

ぱしゃっという音がした。川魚が跳ねたのか、数メートル先の水面に、大きな波紋が生まれている。

ナクリーの言うとおりだった。黒が犯行を隠すために拳銃を使わなかったり、死体の顔に血を塗ったりするはずがない。つまり、黒が犯人であるはずはなかった。

そして彼女の示唆はまた、恐ろしい状況を浮き彫りにしていた。

黒だけではない。

他の誰だって、ティアネンの顔に血を塗る必要はなかったのだ。

どうして犯人は、ティアネンの顔に血を塗りつけたのか。

単純に、死体の顔を血塗れにする理由だけなら、僕にも思いつくことができる。真っ先に頭に浮かぶのは、恨みだ。ティアネンを深く恨んでいた犯人が、殺しただけでは飽き足らず、死体を汚《けが》したというものだ。だけど、そう考えるには、やり方が丁寧すぎた。身体中を刺したり、手足をばらばらにしたりというならともかく、顔に血を塗るというのは、恨みからくる行為としては異質な気がする。

悪戯や遊びといった動機も、やはり丁寧すぎるという理由もあって、しっくりこない。

そうなると、思い浮かぶのはもっと現実的な理由しかない。つまり、犯行がばれるのを防ぐためという理由だ。犯人の正体を明示するような痕跡、たとえば犯人自身の血が顔に残ってしまい、それを隠すために血で塗り潰した。あるいは、こうも考えられる。実はティアネンは首を絞められて殺されたため、首に犯人の手形がくっきりと残ってしまい、犯人は手形を消そうとして首を裂いた。だけどただ裂いただけではその理由に感づかれそうだから、顔に血を塗ることで注意を別に逸らし――

僕は天を仰ぐ。そんな理由はあり得ない。犯行がばれることを恐れたという可能性は、絶対にないのだ。

なぜなら、殺されたのはストリートチルドレンだから。

この国では、ストリートチルドレンを殺しても、咎められることはない。

警官さえストリートチルドレンを殺す世界で、犯行を隠そうとする者などいない。

そしてまた、路肩に転がったごみと同じ扱いしか受けないストリートチルドレンの死体の顔を、念入りに血で汚そう、などと考える酔狂な人間がいるわけがなかった。

天には、大きな灰色の雲が横たわっている。繰り返し夢に見る、視界さえ遮ってしまいそうな豪雨が、今にも降り出しそうな気配を漂わせていた。

けれどきっと、土砂降りにはならない。

――弱い雨はたいてい霧のように細かく、濡れたという感じもしない。

もしかしたら、ティアネンの顔に血を塗った理由は、すぐ目の前に転がっているのかもしれない。知らぬ間に洋服を濡らす雨のように、ただ気づいていないだけかもしれない。

だけど、いくら湿った髪を触っても、僕には何も思いつかなかった。

「ザナコッタが殺されたことと、ティアネンが殺されたことに、何か関係はあるのかな」

思いつめた様子で、ナクリーはどこか遠くを見つめている。

漣が立つように、震えが身体の内側から起こり始めた。震えはやがて全身に広がり、僕にはそれを止める術がなかった。

ザナコッタの死の理由を探ろうとした矢先に、ティアネンの死体が現れた。

もしふたつの事件につながりがあるなら、その共通項はひとつしかなかった。ストリートチルドレンだということだ。そしてそれは、ふたつの疑問を呼び起こす。ティアネンを殺したのが黒ではないとしたら、ザナコッタを殺したのもまた、黒ではないのではないか。

そして、他の仲間は、無事なのか。

何が起きているのか、誰か、教えてほしい。

警察、という言葉が頭に浮かんで、僕はくちびるを噛んだ。僕らを見つけるなり発砲する連中に、仲間の死を告げて、何になるだろう。

誰にも、何も、頼ることができない。

ヴェニイ。

もういない仲間の姿を探して振り返った僕は、岸辺の一角に目を奪われた。

背の低い、濃い赤紫の花が咲いている。いや、それは花本来の色ではなかった。周囲には同じ形をした花が群生していて、それらの花の色は皆透き通るような白だ。

赤紫の正体は、血だった。注視すれば、すぐ近くの草叢のそこかしこが血で汚れていた。鼓動が激しくなるのを感じながら、僕は濃い赤紫の花に目を戻す。

花の傍らに、大振りのナイフが落ちていた。

引き寄せられるように、僕はナイフのそばに寄り、それを拾い上げた。思いのほか軽いナイフの刃先は黒ずみ、鈍い光沢を放っている。

ナクリーが小さな悲鳴を上げた。

顔を上げた先に、遺跡を囲む林が広がっている。僕らのいる川岸とその林の間は小さな野原になっていて、その中央に雑草がしなったり折れたりしてできた一本道があった。思い違いかもしれなかった。けれど僕の目の前に一瞬、野原の真ん中を、ティアネンを引きずって進む殺人者の後ろ姿が現れ、消えた。

「ティアネンはここで殺されたんだ。そして遺跡の中央まで運ばれて――」

僕の言葉は、より大きな悲鳴に遮られた。

ナクリーのものではない。悲鳴は、遺跡の方から聞こえた。ナクリーと顔を見合わせ、慌てて川岸から上がると、遺跡の中に駆け戻る。崩れた門に左手を添えて、そっと広場をのぞき込んだ。

「悪魔よ。こんなの、人間のやることじゃないわ！」

ティアネンの傍らに、ふたりの女性がいた。ひとりは、腰を抜かした姿勢で地面に手をついていて、もうひとりはそのうしろで口角泡を飛ばしてカンボジア語でまくし立てている。

「ねえ、嘘じゃないでしょう。子供の死体よ。朝、墓守を訪ねてみたら、こんな死体があって。一体誰がこんなことを。悪魔に違いないわ。ねえ、そうでしょう」

饒舌すぎる女性は、裾の膨らんだ動きやすそうなワンピースに、丸みのある帽子をかぶった、ごく普通のカンボジア人というふうだった。早口のわりに、女性のカンボジア語は聞きとりやすい。だから、彼女のむき出しの感情が、胸に突き刺さった。

目を逸らすように、しゃがみ込んで硬直したままの女性に目を向ける。鮮やかな緑色のポロシャツに、細身の青いジーンズというさっぱりとした身なりのその女性に、見覚えがあった。

「ヨシコ」

ほんの小さなつぶやきに、饒舌な女性は悲鳴を上げ、ヨシコも弾かれたように立ち上がった。抱えていた半透明のレインコートが、はらりと地面に落ちる。

「あ、あなたたちは、ごみ捨て場の」ヨシコはティアネンと僕らに、交互に視線を向ける。

「何、何なの、これは。この子は、どうしてこんなことに」

日本語で問いかけていることが、彼女の動揺を伝えていた。

「ザナコッタたちを訪ねようとしただけなのよ。ほら、この間はろくに話も聞いてもらえなかったから、日を改めようと思って」黙ったままの僕らに、彼女は訊いてもいない言い訳を日本語で続ける。「それなのに、子供の死体があるなんてエリザが言うから慌てて駆けつけたら、こんな――」

突然ヨシコは身体をびくつかせた。瞳に、怯えの色が浮かぶ。

「まさか、あなたたちが、こんなことを」

「悪魔よ！」エリザと呼ばれた女性が、カンボジア語で金切り声を上げる。「あなたたちが、この子を殺した人でなしなのね！」

ふたりの態度に、僕は戸惑った。それから、彼女たちが僕の右手を見つめていることに気がついた。固く閉じた右手は、川岸で拾った、血に濡れたナイフを握っていた。

うわっと叫んで、僕はナイフを放り出す。ナイフが落ちた草叢から、小汚いトカゲが飛び出した。エリザがまた悲鳴を上げる。

「違うよ、僕らは殺してなんか——」

「きっと喧嘩よ！　縄張り争いか何かよ！　あんたたちは加減を知らないから。殺した挙句、こんな気持ちの悪いことまでして」

エリザは恐慌状態に陥っているらしく、唾を飛ばして喋り続ける。

「そんなだから、親に売られるのよ！」

時間が止まった。

「エリザ、お願い、日本語で——」

「そう、そうに違いないわ」エリザは化け物を見る目で、僕らにカンボジア語を投げつける。

「そうでなきゃ、どうしてこんな所業ができるのよ！」

背中がむずがゆくなる。かこうと背中にまわした腕に、ナクリーがしがみつく。

彼女の手は、震えていた。

とっさに僕はその手を握って、身を翻した。ああ！　というエリザの驚きを背に門をくぐり、そのまま林の中を走る。

石壁の向こうから、甲高い叫び声が聞こえてくる。悪魔、人でなし。背中に悲鳴を浴びながら、僕らは石畳の道を駆け抜ける。走りながら、横を向く。石壁に彫られた神々のレリーフが、柔らかい笑みを浮かべていた。

——そんなだから、親に売られるのよ！

物言わぬ像が口ぐちにそうささやいている。そんな幻を振り切りたくて、僕はがむしゃらに走った。

トラフィッカーという言葉の意味を知ったのは、父から逃れ、ヴェニイたちと一緒に暮らし始めてまもなくのことだった。カンボジア語が全くわからない僕は、少しでも言葉を身につけようと辞書とガイドブックをめくっていて、たまたま開いたページの片隅にその言葉を見つけた。

トラフィッカーとは、人身売買の仲介者を指す言葉だという。

貧しい家庭から子供を買い取り、労働力として売り払う。タイとカンボジアの国境に広がるスラムでは、二国の経済力の差から人身売買が横行し、トラフィッカーが大勢うろついているらしい。貧しい家庭にとって、トラフィッカーはときに救いの神にさえなる。だから、スラム街では、トラフィッカーは職業のひとつとして成立している。そしてトラフィッカーは、何も専門の業者に限らない。貧しい人々が親族を相手に、即席のトラフィッカーに変貌するのは、決して珍しいことではないそうだ。

ガイドブックの素っ気ない説明を何度も読み返して、僕は自分の置かれた立場を理解していった。

売られた子供たちは、トラフィックト・チルドレンと呼ばれる。

つまり僕はカンボジアで、トラフィックト・チルドレンのひとりになった。

どうして父は僕を売ったのか。母と弟が死んだからか、父が再婚するからか、お金が入用なのか。その理由が僕にわかるわけはない。ただ、売られたという言葉が、いつまでも頭に残った。路上で暮らすようになってから、僕は自分の背中をかくくせがついた。僕の背中には値札が貼られていて、すれ違う誰もが僕を金額で評価している、そんな妄想が、いつも頭にこびりついて離れなかった。

「ふたりとも、ホームの職員よ」

ナクリーの言葉に我に返り、僕は背にやっていた手を戻した。

道の端に、僕らは腰を下ろしていた。道に沿って川が流れ、五十メートルほど先に、沈みの橋が架かっている。誰かが捨てたジュースの缶からオレンジ色の液体がこぼれ、路肩に小さな水溜りを作っていた。生温い風に乗って、甘ったるいにおいが鼻をくすぐる。

遺跡を飛び出した僕らは、川沿いを南に逃げた。僕らが悪魔の化身だと思い込んで怖気づいたのか、ヨシコたちが追ってくる気配はなかった。それでも僕らは走り続けた。ようやく足を止めたのは、沈みの橋のそばだった。

「エリザは現地のスタッフ。カンボジア語だけじゃなくて、英語や日本語も喋れるの。日本人の女の人は、確かヨシコっていう、一ヶ月と少し前からホームにいるボランティアよ」

ちょうど天気がおかしくなった頃ね、とナクリーは頭上を指差す。

「ふたりとも、何度か私たち墓守に会いに来たことがあるわ」

エリザは、僕らより先にティアネンの死体を発見していたようだった。ふたりの言葉から推測する限り、エリザが見つけたあと、一度ホームに戻ってヨシコを呼んできたのだろう。警察を呼んでいないのは、カンボジアの警察を信用していないからかもしれない。

「前に会ったときは、とても優しかったのに。どうしてあんなひどいことを」

――悪魔、人でなし。

口の中に湧く苦みを呑み込んで、僕は一ヶ月と少し前か、とつぶやいた。異常気象が始まったのと同じタイミングで、ヨシコはカンボジアに現れた――

カチッという音が聞こえた気がした。

頭の中で、様々な記憶の断片が浮上する。

僕がストリートチルドレンになったあと、ヨシコはカンボジアに現れた。ただの偶然かもしれない。だけど、そうではないとしたら。

ヨシコは、僕を探すために現れたとしたら。

妄想じみた思いつきは、記憶の粘土をこねくりまわし、思いもしない絵を組み上げていく。

ヨシコは父の手先なのではないか。ヨシコ自身が父と直接つながりがあるのか、あるいはトラフィッカーの男を介しているのかは不明だ。けれど、いずれにしろ彼女は僕を探しにカンボジアにやってきた。生活する術を持たない僕が、早晩ストリートチルドレンに身を落とすことは簡単に想像できただろう。路上生活者に紛れ込んだ僕を探すには、どうすればいいか。考えた末、彼女はホームの職員の身分を得ることにした。ストリートチルドレンと日常的に接する仕事なら、当然情報は得やすい。ボランティアという体《てい》を装えば、資格や身分を厳しく問われることもないだろう。

ヨシコは次々とストリートチルドレンに接触し、日本人の子供を探し続けた。そうしてついに、彼女は山で僕を見つけた。

――坊や、名前は?

――新入りのミサキさ。

――そうか、ミサキか。面白い名前だな。

コンと雨乞いの会話を耳にしたヨシコは、驚愕したことだろう。けれど彼女は慎重だった。早口のコンの発音は聞き取りづらかったし、単純に似た響きの名前を持つカンボジア人なのかもしれない。顔を確認したところで、薄汚れたストリートチルドレンに、日本にいた頃の僕の面影を見つけるのは難しいだろう。

だから、ヨシコはひと芝居打つことにした。僕に関心のないふりをして、日本語で話を始めた。カンボジア語がわからないというのは、きっと嘘だ。わざと日本語で喋りながら、僕の反応を盗み見ていたのだ。日本語がわかる子供ならば、他の子供と違う反応を示す。そして彼女は、僕が水澤岬であることを確信した。

不意に怖気を感じた。

今の推理が正しいなら、ヨシコの演技はプロ級だ。少なくとも、僕やヴェニイは彼女の本性を全く見抜けなかった。

それなら、ティアネンの死体を前にした際も、演技をしていたとは考えられないか。

ヨシコが混乱した様子を演じていたとしたら、本心では驚いていなかったことになる。つまり、彼女は死体の存在を知っていた。

死体を生み出したのが彼女だから。

思考が奔流となって押し寄せる。

ヨシコがティアネン殺しの犯人だとしたら、その動機は何か。

たぶん——たぶん、僕を探すために、彼女はティアネンを殺したのだ。

山で僕を見つけたヨシコは、すぐにでも僕を捕まえたかっただろう。けれど、雨乞いの目があったし、下手に警戒されてもまずいと考えた。だから僕の心証を良くしようと服を分け与えた。効果覿面《てきめん》と見るや、急いでホームに戻り、僕を待った。

——今度ホームに遊びに行く、とあっさり前言を翻して、ヨシコを喜ばせた。

ヴェニイの発言を真に受けたのだ。けれど、もちろん僕らは行かなかった。そこで彼女は再び僕やその仲間を探すことにした。墓守の襲撃で散り散りになった僕らを見つけ出すのは容易ではなかったはずだ。けれど彼女は遺跡、あるいはその周辺でティアネンと出くわし、僕の行方を聞き出そうとした。

そして、ティアネンを殺した。

この世界では、ストリートチルドレンはいわば見えない存在だ。政府も観光客も地元民も皆、ストリートチルドレンをいないものとして取り扱う。ストリートチルドレンの言葉など聞こえないふりをする。

だけど、今回は例外だった。他の誰もが無視しても、仲間である僕は耳を傾けるからだ。僕を探している日本人がいると知れば、僕は身を隠そうとするだろう。だから、僕に話が伝わらないようにする必要があった。

ティアネンは、口封じのために殺されたのだ。

ナクリーを追って、沈みの橋を渡る。赤と焦げ茶のモザイク状になった煉瓦はすっかりすり減っている。前を行くナクリーが、ときおり僕を振り返り、けれど何も言わずにまた前を向く。僕は橋の下に目をやった。茶色い川面に、水色の帽子が浮かんでいる気がして、僕はすぐに顔を背けた。思わず早足になる。ヴェニイの死体を見つけた場所だという意識が、同時に黒への恐怖を呼び起こした。恐怖から目を逸らしたくて、けれど別のことを考えようとすれば、浮かぶのはより恐ろしい想像だ。

ヨシコは僕を捕らえに来た。その過程で、ティアネンを殺した。

僕はたどりついた結論を妄想だと笑い捨てるための根拠を探していた。そうしなければ、真摯にストリートチルドレンの身を案じる女性という印象がこなごなになってしまうからだ。信じていた事実がまたひとつ崩れ落ちて、水底に沈んでしまう。これ以上何かを失うのは、耐えられなかった。

疑問がひとつ、頭に浮かんだ。

では、ザナコッタを殺したのもまた、ヨシコなのだろうか。

あるはずのない答えを足元に探して、目を落とした。煉瓦の道は、生い茂る緑に変わってい
る。いつの間にか沈みの橋を通過していたことに、けれど安堵する暇はなかった。草いきれの
中に、川原にそぐわないにおいを嗅ぎとったからだ。

僕は足を止めた。ナクリーも立ち止まっている。

右手に、緩やかに蛇行する川が流れていた。大きな枯れ枝が一本、岸辺から突き出している。

その枝先に、水を吸って濃い灰色になった新聞紙が貼りついていた。

川原は一面、葦が生い茂っている。その緑の野原のところどころが、虫に食われたように灰
色になっていた。何枚もの新聞紙が散乱しているのだ。一ヶ所だけ黒い虫食いがあって、それ
は開きすぎたみたいにYの字になった黒い傘だった。新聞紙と傘が川原に転がっている光景は、
前衛芸術みたいに現実感がなかった。

けれど、胸を悪くするにおいが、それを否定する。

川原の左手に、新聞紙が密集している場所があった。他の場所の新聞紙よりも黒ずんでいる。

目を凝らすと、色の正体は新聞紙にたかる大量の蝿だった。

死体は、そこにあった。

熱に浮かされている最中の、白昼夢のような映像そのままに、葦の原っぱに、新聞紙を掛布

団にして、ザナコッタは横たわっていた。全身が隠れていても、大量の蠅と、吐き気をもよお

すにおいが、十分にそれを示している。

くちびるを引き結んだナクリーが、果敢に近づいて、新聞紙をめくった。大量の蠅が宙に舞う。遠巻きにしていた僕にも、彼女の肩が震えるのが見えた。

しばらく立ち尽くしたあと、ナクリーは険しい顔で戻ってきた。僕の隣に立つと、気力を振り絞るようにして頷く。僕は彼女の手を取ると、川岸の枯れ枝のところまで連れていった。彼女はぱしゃぱしゃと川の水で顔を念入りに洗う。洗いすぎて、目が沁みる——真っ赤な目でそうつぶやく彼女は痛々しくて、僕は何も言えなかった。

しゃがみ込んだまま、ナクリーは枯れ枝を手で揺らす。枝先に引っかかっていた新聞紙が、茶色の水に呑まれて一瞬消えた。

「どうしてザナコッタは、あんな目に」

彼女の小さな声が、葦の葉先のように僕を刺す。

気づけば、僕はヨシコが犯人だ、という考えをまくし立てていた。そうすることで、彼女の気が少しでも紛れるだろう、と心のなかで自分に言い訳をした。本当は、耐えられなかっただけだ。自分のせいでザナコッタは死んだのかもしれない——その罪の意識が、彼女の涙で膨らみ、彼女の言葉で今にも破裂しそうだった。

しかし、喋り終えた僕に、ナクリーは尋ねた。

「ミサキは本当に、ヨシコがそんな悪魔みたいな女性だと思うの」

「思いたくないよ。でも、僕の人を見る目は当てにならないから。ヨシコが演技をしてなかった、とは断言できない」

十年以上良き親だと思って暮らしてきた父に裏切られた僕が、自分の目を信じられるわけがない。

「彼女はミサキを捕まえるために、ストリートチルドレンを尋ね歩いた。けれどそのことがミサキにばれないように、口を封じた」

頭の中を整理しているのか、小声でつぶやいていたナクリーが、首を傾げた。

「でもそれなら、どうしてティアネンの顔に、血を塗ったの？」

それこそが最後の壁だった。犯行を隠す必要のないストリートチルドレン殺しにおいて、顔に血を塗りたくる理由などないはずだ。

けれど、僕はその問いに対する答えを、思いついてしまう。

「たぶん、餌だったんだ」

「餌？」

「僕をおびき寄せるための」

顔に血を塗ったことには、ふたつの意味があるのだ。ひとつは、死体の存在を目立たせたかった。本来、ストリートチルドレンがひとり死んだからといって、注目を浴びることはない。けれど、死体があまりに異様であれば、話は別だ。そしてもうひとつは、死体の身元を隠すことだ。血を塗ることで、死体は誰なのか、一目見ただけでは判別できなくなる。

結果、身元不明のストリートチルドレンの異様な死体の噂が、街やスラム街に広まるだろう。その噂が僕に伝わることを、ヨシコは期待した。

噂を耳にした僕はきっと、殺されたのははぐれた仲間ではないかと不安になって、死体を確認しに遺跡に行ったはずだ。ヨシコは、そこで僕を待ち伏せしていればいい。

死体は遺跡の中でもひらけた、わりと目立つ場所に置かれていた。それも、死体を発見しやすくするためだったのではないか。本当はもっと人目につきやすい街の近くまで運びたかったけれど、大変だし、その現場を人に見られるかもしれないから、諦めたのだ。

僕は自分の推理を必死にナクリーに伝えた。そうしなければ、自責の念に押しつぶされそうだった。すべての事件の中心にいたのは僕だった。僕がいなければ、こんなひどい殺人は起きず、彼女を苦しめることもなかったのだ。責任をとる術を知らない僕は、ただ誰かに責めてほしかった。

けれど、ナクリーは僕を責めなかった。

代わりに、僕の推理を首を振って否定した。

「ミサキの話は、おかしい」

「そんな、だって悪いのは僕で――」

「異様な演出をしてミサキをおびき出す、ってことだよね。でも、そんなにうまくはいかないと思うよ」

「どうして？」

「そもそも無関係かもしれない死体に、ミサキは興味を持つかな。ミサキが関心を抱かなければ、餌にならないよ。仮に抱いたとしても、そんな異様な死体があれば、ミサキを怯えさせることになるかもしれない」

「それは」

「ミサキが怖がって隠れてしまったら、元も子もないんだよね。その危険性を、ヨシコは考えなかったの？　それに、今の話はティアネンの場合だよね。じゃあザナコッタは？　数日経っても死体がそのまま放置されているような、こんな人気のない場所にどうして死体を置いて、新聞紙で隠したの？　どうしてザナコッタの顔は血塗れじゃないの？」

ナクリーの疑問はいちいちもっともで、僕は彼女のどの疑問にも答えられなかった。

不意に僕は恥ずかしくなった。事件の中心には間違いなく自分がいる、というのは、あまりにおこがましい考えではないか。顔が赤くなるのをごまかそうとして、僕はナクリーから顔を背けた。視線の先の鋭い葦の間に、破けた新聞紙が挟まり、そのすぐそばに、Yの字になった傘が転がっている。僕は意味もなく傘に寄り、拾い上げた。壊れてしまったのか、強く力を入れても、傘は本来の形に戻らない。

ふと、その傘に見覚えがある気がした。

黒い傘なんて、どこで見ただろうか。もちろん日本では幾度も目にしているけれど、ありふれすぎていていちいち記憶に留まるわけはない。でもカンボジアで黒い傘なんて――

記憶を探る僕の脳裏に、掘っ立て小屋が浮かんだ。

川を挟んで、僕らの小屋の向かいに立つ建物。赤く錆びたトタン壁。軒下に転がっていたバケツ。埃が積もって灰色になった、もとは黒い傘――

突然のスコールのように、不安が僕を襲った。

掘っ立て小屋の近くに放置されていたはずの傘が、ザナコッタの死体のそばにある。誰かが、ふたつの地点を行き来している。そのことが、ひどく禍々《まがまが》しい事実を示している気がしてならなかった。

いてもたってもいられず、僕は傘を放ると、ナクリーの方を向いた。

「早く小屋に行こう」

高床式の小屋は、最後に目にしたときと何ら変わらずに立っていた。

傍らに生えたバナナの木の葉が、風に揺れている。風が梢の間を吹き抜けるたび、ザザア、ザザアと音がして、まるで威嚇されているみたいだった。

見渡す範囲に、人影はなかった。僕らを追い出した墓守の姿も、期待していた仲間の姿もない。

誰もいないことに気落ちして、ため息をついた僕の耳に、ごとりという音が飛んできた。僕らは同時に小屋の方を向いた。ナクリーを手で制して、小屋に近づく。入り口の階段に向かおうとして、一瞬悩んだあと、息を吐き出すと、一気に小屋に駆け寄った。そのまま全力で飛び上がり、窓の縁を掴んで身体を引き上げる。階段は歩くだけで軋むから相手に気づかれるし、窓の方が川に近いので逃げやすい。小屋の中に危険が待ち受けていることを考えての、用心のつもりだった。

薄暗い小屋の中に、人影があった。ふたりだ。ひっ、と情けない声が喉から洩れ、逃げようとして、留まった。ふたりとも床に寝そべったまま、突然現れた僕に反応する様子もない。困惑しているうち、暗がりに目が慣れて、僕はふたりの正体に気づく。ひとりはザナコッタと一緒に僕らを襲った墓守だ。そしてもうひとりは――

「コン！」

窓際で寝そべっていた少年が、小さく身じろぎをする。けれど、起き上がったり、何か言葉を発したりする様子はない。墓守も同じだ。ナクリーに大丈夫だと合図して、窓の縁を乗り越えた。散乱した衣類の上に立ち、コンの肩を揺する。数度声をかけてようやく、コンが目を開けた。頬がこけ、あごはとがり、長い髪は普段より一層脂でべたついて、寝ぐせで跳ねている。トイレのにおいが鼻をついて、僕は息を止め、彼のズボンに目をやった。大きな染みが、腰から太ももにかけて広がっている。

「コン、一体、どうしたの」

「ミサキ？」

うつろな眼差しで僕を見て、コンはゆっくりとこちらに腕を伸ばした。

「水、水をちょうだい」

床に転がるポリタンクを手に取ると、僕は窓から飛び出した。着地の拍子に脱げた靴を放ったまま、裸足で川まで走る。水を汲んで、今度は小屋の入り口から戻る。部屋の隅で言葉を交わすナクリーと墓守の脇を抜け、起き上がる気力もないコンの口に向け、ポリタンクを傾ける。胸元を濡らしながら、コンはむさぼるように水を飲んだ。それから僕を見て、お腹が空いた、と言った。

「ご飯の時間なんだ」

再び細い腕を伸ばす。床の上に手を這わせ、口元に戻す。その仕草を見て、僕はとっさに彼の手をはたいた。竹板の上で接着剤の容器が跳ね、軽い音を立てる。

コンは不思議そうに僕を見て、

「ご飯の時間なんだ」

そう言って、また腕を伸ばす。

僕はペールの容器を摑むと、窓の外に放り投げた。

コンは明らかにやつれていた。ほとんど飲まず食わずで、ペールを吸っていたのだ。どうすればいいのかわからなくて、ナクリーと目を合わせる。

「助けよう」ナクリーは墓守に気遣わしげな視線を向けた。「舟でお爺ちゃんのところに連れていこう」

反射的に窓に目をやった僕は、川岸に、おんぼろの小舟が乗り上がっていることに気づいた。舟を見てくる、と言い置いて、僕はまた窓から飛び降りると、川岸まで駆ける。見たところ、舟が壊れている様子はなかった。中をのぞき込むと、舟底に櫂が転がっている。

墓守に破壊されていなかったことに安堵を覚えながら、僕は顔を上げた。向こう岸に、赤く錆びた掘っ立て小屋が立っている。厚い灰色の雲に映える濁った赤を目にした僕は、本来の目的を思い出した。

どうして、ザナコッタの死体のそばに黒い傘が転がっていたのか。

気がつくと、僕は舟に乗り、対岸に向かって漕ぎ出していた。櫂を漕ぐたび、川の水が跳ねて、身体にかかる。なかなか進まない舟に苛立ちを覚えながら、僕は必死で腕を動かす。必死に動かしすぎて、腕の痛みでもう漕げないと思ったとき、舟が向こう岸についた。

たくさんの葦が、すぐ目の前でよそよそしく揺れている。

引き寄せられるように、足が掘っ立て小屋に向いた。裸足で葦を踏みしめる。庇の下が妙に寂しく思えて、捨て置かれていたはずの新聞紙と傘がないからだと気づいた。

朽ちかけた木製の扉は、開いていた。黒く腐食した蝶番《ちょうつがい》を横目に、掘っ立て小屋の中を覗き込む。

小屋の中央で、鉄製のパイプを抱くようにして、ソム兄さんがこと切れていた。

ティアネンとザナコッタ、ふたりの死体を相次いで目にしたせいだろうか。意外に冷静だな、と他人事のように自分を分析しながら、僕は目の前の死体を観察した。

ソム兄さんは仰向けに倒れていた。とても穏やかな表情だ。ティアネンのように顔を血だらけにされているわけではなかったが、こめかみから耳にかけて血が流れており、まだ固まってはいないようだったが、息をしていないことは確かだった。

あらためて小屋の中を見まわす。赤茶けたトタン壁には、畑仕事用の道具が立てかけられている。どれも使い古された様子で、すっかり固まった土汚れは埃をかぶっていた。足元はむき出しの土で、乾いていて硬い。この小屋が長く使われていないことは明らかだ。

再び僕はソム兄さんに視線を戻す。鉄パイプの先が、黒ずんでいた。髪の毛が数本こびりついている。ソム兄さんは自身の杖で殴られて死んだのだ。

急に、笑いたくなる。叫びたくなる。

冷静なわけがなかった。僕はただ、溢れる感情を持て余しているだけだ。

僕が熱で寝込んでからの三日間に、何があったのか。

カンボジアで一緒に暮らしてきた仲間が、次々にこの世を去っていく。

残っている仲間は、あと三人だ。

ソム兄さんをそのままにして、掘っ立て小屋を出て舟に乗り、小屋に戻る。

小屋の窓からナクリーが顔を出した。遅いよ、と責めているような顔が、もの問いたげな表情に変わる。

「ソム兄さんが死んでた」自分のものとは思えない平板な声が、喉から出る。「川の向こうの小屋で、頭を殴られて。ヴェニイの兄貴なんだ。片足を怪我で失って、いつも杖代わりの鉄パイプをそばに置いてた」

日がな一日、川の向こうでのんびりと寝そべる様は、寝仏さながらだった。

僕のつまらない愚痴や自慢を、嫌な顔ひとつ見せずに聞いてくれた。

まだ言葉がうまく操れない頃、小屋にひとり残され、ひたすらカンボジア語の練習をする僕につき合って、身振りで発音や言葉遣いを正してくれた——

足元に、さっき脱いだスニーカーが転がっていた。履き古した靴の表面から、ナイキのマークが剝げかけている。僕は濡れた足を、スニーカーにねじ込んだ。解けた靴ひもを結ぼうとしゃがむ。けれど、濡れた靴ひもは滑って、うまく結べなかった。

僕とナクリーは、ペールで朦朧とするふたりを舟に乗せた。僕とナクリーに加えて、新たにふたりが雨乞いの厄介になることにためらいがないわけではなかったけれど、他に当てがなかった。漕ぎ出そうとするナクリーを止めて、櫂を受け取ると、僕は対岸の掘っ立て小屋に目を向けた。小屋からは物音ひとつ聞こえず、ただ耳元に飛び交う虫の翅音が水音を遮っていた。

舟に乗れる人数は四人が限界だった。ソム兄さんを連れていくことはできなかった。

櫂を操って川を下りながらも、思いはソム兄さんに向いた。

僕は心のどこかで、ソム兄さんはあらゆる事件と無関係だと思っていた。ときおりその存在を忘れそうになるくらい、彼は日常から少し浮いた位置にいた。

だけど、ソム兄さんは殺された。彼もまた、謎めいた殺人事件の輪の中に組み込まれた。

山で働くことも、街に買い物に行くこともない。会話にも争い事にも加わらず、いつもひとり穏やかに過ごしていたソム兄さんを、一体誰が、何の目的で殺《あや》めたのだろう。

水のにおいに浸り、両岸を覆う濃い緑を眺める。いつかの時点で、犯人も同じ景色を目にしたのだろうか──何気なく思い浮かべた疑問に、僕は固まった。

ソム兄さんは掘っ立て小屋で殺されていた。

つまり、犯人は、僕らの住処である高床式の小屋の場所を知っている。

首筋を汗が伝った。川のにおいが遠ざかる。

当たり前のことだった。ソム兄さんを殺した犯人は、川縁の小屋まで来たのだ。

そして川縁の小屋の存在を知っているのは、僕と、僕の仲間と、墓守だけだった。

そう、ヨシコでも、黒でもない。犯人は、僕とナクリーの仲間の中にいる。ティアネン、ソム兄さん、ザナコッタは殺された。残るのは、コンと、まだ居場所のわからないふたりの仲間、そしてザナコッタを除いた三人の墓守──

「コン、起きてる?」

いつの間にか漕ぐ手を止めていた僕は、櫂を握り直しながら尋ねた。コンは身体をもぞもぞと動かし、眠っているのか起きているのか、どちらともつかない様子で舟の縁にもたれている。ナクリーがそっとコンの肩を揺すると、ようやくコンは目を開けた。

「何」

意識ははっきりしているようだった。僕はほっとしながら、ずっと知りたかった疑問を口にする。

「あれから、何があったの。その──僕が逃げてから」

墓守に襲われてから、と言いかけるのを、どうにか踏みとどまる。質問が曖昧で意図が伝わらなかったのだろうか、コンはぼんやりとした表情で黙っていた。焦《じ》れた僕がもう一度訊こうとした矢先、

「皆いなくなった」ひどく早口に、コンは告げた。「ミサキだけじゃない。フラウェムも、ティアネンも、ハヌルも、ザナコッタも。俺を置いて、いなくなった」

言っている内容ほど、声音は恨みがましくはなかった。

「あっという間だった。ふらふらしたザナコッタも、足の遅いハヌルも、気がついたらいなかった」コンは髪をかきむしる。「残ったのは、俺と三人の墓守だけだった。身体を動かすのもだるかったし、俺たちは小屋に入って、寝た」

小屋の中に漂う接着剤のにおいを思い出した。

「俺も墓守も、ずっと小屋で寝てた。いや、次の日の昼くらいかな、墓守がふたり、腹が減ったって外に出ていった。無駄なのに。食料調達なんか、うまく行きっこない」そこで、コンは面白いことを思いついたように頬を緩める。「そもそも、ご馳走は小屋の中にあるのに」

「ソム兄さんは?」

コンの心身をむしばむものから目を背けるように、僕は話を変える。

「知らない」想定外の質問をされたかのような表情で、コンは瞬きをする。「最初からいなかった。きっとそのあたりにいるんだよ。墓守がそう言ってただろ。違うの、ミサキ?」

言葉につまった僕は、力なく首を振り、他のふたりに目を向けた。墓守の少年を見守るナク

リーの表情も、悲しげだった。

「コンの言ってることは、たぶん本当。さっき彼からも小屋で同じことを聞いたわ」

そっと墓守の少年の肩に手を添えるナクリーに、当たり前だ、とコンが口をとがらせる。

「ふたりはどこに行ったのかしら」

「さあ。川沿いを、下流に向かったきり」

「小屋に戻らなかったの?」

「帰ってこなかった。きっと、野良犬みたいに野垂れ死んじゃったんだよ」

「──そんなの、わからないじゃない」

あまりな物言いに小さくこぼすナクリーを、コンが見る。

「どこかでご飯を調達したのかもしれないわ」

信じられないことを耳にしたかのように、コンは目を見開いた。それから突然声を張り上げる。

「そんなの、ずるいじゃないか!」困惑する僕らをよそに、コンは吼える。「飯を独り占めしたのかよ!」

山でサンドイッチを頬張る彼の姿を思い出した。独り占めにしたのはコンじゃないか、と思ったけれど、口には出さなかった。不思議と怒りも生まれなかった。ただ、ずるさはコンの特徴なんだな、と納得した。生きるために身につけた、ずるさ。小ずるい性格が、コンという名前と相俟って、なんとなく狐を連想させた。

「そういえば、あのふたり、何かわりのいい仕事があるって言ってたし。そうか、金を稼いで飯にありついたのか。独り占めしやがって」

なおも文句を垂れるコンに、ナクリーがはっと顔を上げた。

「本当？　本当にそう言ったの？」

ナクリーの剣幕に、コンは怪訝そうな表情を浮かべる。

「本当だよ。なんだよ。お前、あいつらの何なんだよ。そもそも、お前誰だよ」

今になって、目の前の少女が誰なのか、気になったらしい。子犬が吠えるみたいに早口で、誰だよ、と唾を飛ばす。

ナクリーはコンの質問には答えず、目を伏せる。

どうしたの、と尋ねようとした僕を遮ったのは、くぐもった声だった。

急に喚くのを止めたコンが、胸を押さえ、川面に顔を近づけた。そのまま、くぐもった声と一緒に、胃の中のものを吐き出す。水が一瞬赤黒く染まり、けれどすぐに薄まって、元の濁った茶色に戻る。

慌てふためいた僕は、櫂を足元に放り出し、けれどどうしていいかもわからず、コンの肩を両手で摑んだ。舟底に櫂が当たる音さえ、僕を焦らす。

「行こう」

取り乱す僕の横で、ナクリーが決然とした表情を浮かべた。

「どこに？」

「医者の家に」

舟から眺めるカンボジアの田園風景は、続発する殺人事件などお構いなしのように、代わり映えしない。淡い緑色の稲穂が揺れ、ひょろりとした木々が立っている。灰色の雲が浮かび、笠をかぶった人たちが農作業に勤《いそ》しんでいる。

単調な風景は、心を落ち着かせもするし、逆に不安をあおることもある。

櫂を漕ぐ間、僕の心に満ちていたのは、言いようのない不安だった。

墓守の少年は舟に寝かせたまま、コンに肩を貸して、僕はナクリーの後について街に入った。冷静さを取り戻していれば、僕はもっと早く気づいただろう。スラム街まで行った方が、時間はかかるけれど安全だということに。街に入るのは、黒や他の警官といった脅威に遭遇する危険があるということに。けれど思い至ったときには、僕はすでにその場所にたどり着いてしまっていた。

そこは彼女と出会った場所だった。

黒い柵に囲まれた裏庭は、あらためて見ても飾り気がない。花壇の黄色い花は枯れ、戸口の横の、雨水を溜める大甕《おおがめ》は、一度も洗ったことがないみたいに薄汚れている。

ここは金持ちの医者の家ですよ――いつかの果物売りの言葉が、耳の奥によみがえる。

動揺を隠せない僕を残し、ナクリーは裏庭に入る。動かすたびに重くなる足を、叱咤しているような足取りだった。戸口の前に立つと、彼女は一度深呼吸して、戸をノックした。数秒置いて、また戸を叩く。三度手を伸ばしたところで、戸が開いた。中から、鷲鼻の、肉づきのいい中年の男が出てくる。襟つきシャツとカーキ色のズボンの柄は、どちらも南国にふさわしい派手なものだ。男は怪訝そうに僕らを見やり、最後にナクリーを見すえた。「一週間ぶりくらい？　お前が昼間から来るなんて」

「おや、珍しい」身体つきに似合わず、甲高い声だった。

「頼みがあるの」

「おや、仕事かい。今はないねえ。いつも言ってるだろう、夕方以降に来いって」

「仕事じゃなくて」

「他に何の用だい」

「友達を助けて。病気なの。ペールを吸いすぎて」

ナクリーが、コンを指差す。つられて首をまわした男は、大きなあくびを洩らした。

「おやおや——そいつは私の仕事じゃないよ」

「お願い。お金なら、後で働いて支払うから」

「前借りは認めていないだろう。それにねえ」男はドアノブから手を離すと、丸いあごを撫でる。「私は医者だよ。医者は、人の病気を診るのが仕事なんだ。お前らは専門外なんだよ。どうしても助けてほしいなら、獣医に行けば？」

そこで医者は、自分がさも面白い冗談を口にしたかのように、ほっほっと笑った。派手なシャツにしわが寄って、デフォルメされた動物の柄が形を変える。

男とナクリーの関係が、僕にはわからなかった。医者と患者や、父娘の間柄でないのは当然として、会話から推せば、雇い主と働き手、という関係が一番しっくりくる。けれど、医者とストリートチルドレンが一緒に携わる仕事などあるのだろうか。

「大体、お前の仕事はしばらくないよ。ちょうど良い子が戻ったところなんだ」僕の疑問は、男の言葉に遮られた。「あれはすごい美少年だね」

美少年という言葉に、引っかかりを覚える。

「フラワー」

思わず洩れた言葉に、医者が初めて僕の方を向く。

「そうそう、確かそんな名前だ。知り合いかい？　あれだけ顔がきれいだと、生半可な女より喜ばれるなあ。そう思わないかい」

医者の口元から、煙草のやにで汚れた歯がのぞく。

——僕は隠れ家を知っているから。

「フラワーがいるの？」

「そりゃあ、いるとも。私はあいつの世話人だからねえ」

「会わせて。フラワーに、会わせて！」

仲間内の通称を口にすることも、当初の目的も忘れ、医者に詰め寄る。僕の願いを、医者は一笑に付した。

「馬鹿言っちゃいけない」

「フラワーはどこに――」

「うるさいガキだなあ！」

突然、男が態度を豹変させた。次の瞬間、僕は突き飛ばされてコンもろとも裏庭に引っくり返った。ナクリーが悲鳴を上げ、駆け寄ってくる。

僕らを苛立たしそうに見やってから、医者の男は不意に戸口に顔を向け、すみません、と声を張った。硬い靴音がして、中から男がひとり、顔を出す。

「邪魔なガキがいるんですが、どうにかしてもらえませんか」

腹まわりの大きな医者とは対照的に、男は痩身で、黒い服がその体型の鋭さを際立たせている。きれいに整えられたひげを撫でながら、男は医者の横に立つ。

「邪魔なのは、こいつらかな」

「ええ。まったく、ゴミ同然のくせに」

僕を突き飛ばした手を、医者は汚らわしそうに払う。

男は頷いて、僕とコンを冷たく見下ろした。

僕は地面に尻をついたまま、呆然と男を見上げる。

「――何で」

何で、ここにいるのだろう。

「警官は、民間人を守るのが仕事だからな。たとえば、お前らみたいな危ないガキから」

退屈そうな声でそう言って、黒はゆっくりと口角を上げる。

「うるさいから、街には二度と来るなと言っただろう――虫けらには言葉さえ通じないか」

低い声が、条件反射のように身体を震えさせる。

足先から、恐怖が這い上ってくる。

「あの帽子のガキと一緒だな」

けれど、ひとつの約束が、僕に顔を上げさせた。

――一緒に見つけよう。仲間が殺された理由を。

首までせり上がってきた恐怖を、唾を呑み込んでこらえる。

「どうして」

悲鳴を上げる代わりに、僕は黒に問う。

「どうして、ヴェニイを殺したんだ」

水面に浮かんだ帽子が、波に洗われて沈んでいく。僕の脳裏を、その一瞬の光景が繰り返し過っていく。川原の光景は無音で、ただ音のない雨が帽子に降り注いでいる。

予想外の問いだったのだろう。しばし目を瞬いてから、黒は答えを告げる。

「飛んでいる蝿を殺すのに、理由がいるのか」

覚悟していても、黒の言葉は応えた。

歯を食いしばって、僕は続ける。

「だから、ルウも殺したのか」

「ルウ？」

「遺跡で暮らしていた、坊主頭の」

ああ、と黒が思い出したように指を弾く。

「接着剤ですっかり頭が呆けていたやつか。呆けすぎて、銃を向けても、怯えることさえなかったよ」

ナクリーが凍りつく気配を感じながら、僕は声を荒らげる。

「じゃあ、ザナコッタは。ティアネンは。ソム兄さんは！」

「おいおい、どうして俺がお前らの名前をいちいち知っていなきゃならないんだ」

黒は呆れたような声を出す。

「まったく、だからうるさい虫は嫌いなんだ」

黒がゆっくりと、右手を腰にやる。それまで黙っていた医者が、慌てた素振りで、ああ、と甲高い声を上げる。

「庭が汚れますから、外でお願いしますよ」

黒は頷いて、僕に一歩近づく。その瞬間、ナクリーが医者に飛びついた。

「やめて。お願い、仲間を助けて」

「お前もわからないガキだね」

「仕事するから！　その、この間と、同じようにするから」

勢いのままに、けれども最後は消え入りそうな声で言うナクリーを見て、不意に医者は頬を緩めた。

「そこまで言うなら、仕方がない――すみません、やっぱりその二匹は殺さないで、働かせましょう。下に放り込んでおいてください」

黒が頷くのを確認し、医者は安心した様子で、ナクリーの腰に手をまわした。

途端に、頭の中が沸騰した。黒に対する怒りと混じり合って、抑え切れない衝動に、僕は地面から飛び起きる。うわあ、と声を上げて医者に挑みかかったけれど、僕のこぶしは医者には届かなかった。間に割って入った黒が、僕のこぶしを軽々と受け止めた。

頬に痛みが走るのと、足が地面から離れるのが同時だった。身体が宙に浮いて、僕はつい最近似たような感覚を味わったことを思い出す。そうだ、木の枝に頭からぶつかったときと、同じだ。そう理解した次の瞬間、僕は再び地面に伏していた。

激痛とともに、無数の光が目の前を舞う。

ナクリーの悲鳴と、コンの病気と、他の仲間の行方と、でっぷりした医者の身体と、仕事の正体と、謎めく殺人事件と、ありとあらゆるものが頭の中で渦を巻いて、次第に遠のいていく。

意識を失う直前、僕は黒のうしろで肩をすくめる医者を見上げた。派手なシャツの柄が目に入る。シャツの真ん中で鰐が、大きく口を開け、鋭い歯を見せつけていた。

†

雨が降っている。

ひどく冷たい。大粒で、まるで僕を責めるように身体を打つ。

地面に寝転がっていることに気がついて、身を起こす。シャツもズボンもぐっしょり濡れて、身体に張りついている。頰を撫でると、泥が指に触れた。

そこは道の真ん中だった。路地と呼ぶには大きく、けれど大通りと呼ぶにはこぢんまりとしている。両側には長屋みたいにひと連なりの建物が並んでいる。黒々と濡れた庇は雨漏りがひどく、軒下にいくつも置かれたプラスチックのバケツの中に、水が絶え間なく落ちている。バケツは奇妙な色合いだった。普段よく目にする原色からはほど遠い上、ときおり色そのものが変わる。僕は頭を巡らし、その理由に気づいた。背後にあるネオンの明かりが、バケツに光を浴びせかけているのだ。

時刻は夜だった。それも、おそらくは深夜なのだろう。人っ子ひとりいない。

不意に僕は、自分が夢を見ていることを悟った。夢の中で夢見に気づくというのは初めての経験だ。けれど、それを面白がる余裕は僕にはなかった。今見ている夢が、現実そのままの記憶だと気づいたからだ。ネオンに照らされるバケツは、忘れられない一日に、深く結びついている。

背後でぱこっという音がした。何かがふくらはぎにぶつかって、見下ろすと、からのペットボトルが転がっていた。そうだ、僕はペットボトルに気がついて、それで振り返ったんだ。すると、その先にひとりの少年が立っていた。帽子をかぶった、降る雨をものともしない、太陽のような少年――

ヴェニイは最初、不思議なものを見るような目で僕を見つめた。僕は、何を言えばいいのかわからず、言葉が通じるとも思えず、ただ黙って少年を見返した。雨が絶え間なく降りかかり、頬についた泥が少しずつ洗い流されていく。じわりと込み上げてくるものがあった。手で拭うことも忘れて、僕は泣きながら、少年を見つめ続けた。

——泣いちゃいけないよ。

不意に、ヴェニイはそう言って笑った。当時の僕には、彼が何を言っているのか、まるでわからなかった。けれど夢の中では、言葉の壁はいともたやすく越えられる。

——泣いちゃいけないよ。

——どうして？

嗚咽混じりの僕の日本語を、まるで理解しているかのように、ヴェニイは肩をすくめる。得意げに口角を上げると、僕に告げる。

——雨が降っているからさ。

唐突に、場面が切り替わる。

僕は屋内に座っていた。服も乾いている。問うまでもなく、においで僕はそこが川縁の小屋だとわかった。

横に座るティアネンが水浴びで湿った髪をいじり、ソム兄さんは膝の上で鉄パイプをもてあそんでいる。他の仲間も思い思いの姿勢でくつろいでいる。僕らは小屋の中で、床に散らばった衣類を尻の下に敷き、車座になっていた。

ひとり輪の外に立つヴェニイが、窓辺に寄りかかりながら、得意げに仲間に説明している。

——知ってるか。犬が吠えるのは、目が四つあって、幽霊が見えるからなんだ。

——乳の実《スターアップル》って甘いだろ。あれは、食べ物の神様のお乳なんだぜ。

日本人の僕からしたら目が点になることをヴェニイは滔々と語り、仲間は皆、笑いながら聞いている。

誰かが、じゃあどうして天気が一向に変わらないのか、と訊いた。僕は窓の外に目を向ける。この夢は、今から半月くらい前、太陽を司る神様が休みに入って、もうすぐ一ヶ月が経とうとしていた頃の記憶だ。

少しの間、唸っていたヴェニイは、不意に、窓の縁を掴んでいた手で空を指差した。そして、泣き虫なのさ、と言った。

——泣き虫で、いつもめそめそ泣いているからな。

——それで？

——それだけさ。

途端に、仲間が一斉に文句を浴びせる。空が泣き虫とはつまりどういうことなのか説明が一切ないので、仲間の反応も当たり前だ。いつもぼんやりしているソム兄さんでさえ、困ったような表情をヴェニイに向けている。

けれど、僕は何も言わなかった。共犯者めいた意識を僕は抱く。ヴェニイが言っていることの意味が、このときの僕にはわかっていたからだ。同じ話を、僕は以前に一度聞いたことがあった。

――わかった、わかった。説明するよ。その代わり、ただじゃ教えないぞ。

ヴェニイは順繰りに僕らを見る。

――そうだな。じゃあ、芸を見せてくれよ。ひとりひとつ、俺が満足できる芸を見せてくれたら、説明してやらなくもない。

再び巻き起こるブーイングの嵐にも、ヴェニイは半笑いで首を振り続ける。最初に折れたのは、フラワーだった。仕方ないなあ、とつぶやいて、両膝を揃えて座ると、急に万歳をした。両手を伸ばしたまま、ゆっくりと上半身を折り曲げて、床につける。古代の儀式めいた動作を、フラワーは繰り返す。

――雨よ降れ！　雨よ、降れ！

お祈りをしながら、フラワーはひどくしわがれた声を発する。

ヴェニイが噴き出したのをきっかけに、皆が腹を抱えて笑い出す。

そうか、と夢を見る僕は考える。これは雨乞いのものまねだったのだ。当時は彼がただふざけているのかと思ったけれど、ものまねであれば、皆が喜ぶのも理解できる。

フラワーを皮切りに、皆が次々に芸を披露する。芸というほど大したものじゃなくて、言ってしまえばただの悪ふざけだ。けれど、僕らは大喜びで悪ふざけに興じた。ティアネンが逆立ちを披露し、コンが悪趣味なダンスを繰り返す。

——よし、仕方ないな。説明してやろう。

偉そうに頷いたヴェニイは、「ハヌル、あの文字を書いてくれよ」とリクエストする。

——何で？

——いいから、いいから。

他ならぬヴェニイの頼みを、断るわけがない。広げた乳の実の皮に爪で刻んだ文字は、歪んで不恰好だったけれど、「空」という漢字に見えた。さすが、とフラワーが感心する。

僕はヴェニイをそっとうかがった。なかなか悪ふざけに興じられない真面目な少年に、ヴェニイは見せ場を用意したのだ、と今ならわかるが、もちろん、それだけじゃない。ヴェニイは文字の意味を知っているのだろう。だから、最後にこの文字を書かせたのだ。

——よし、説明しよう。泣き虫ってことはつまり——


そこでまた、場面が切り替わる。


目の前に茶色い川が流れている。川の向こうには葦の原が広がり、その奥に朽ちかけた掘っ立て小屋の赤い壁が見えた。

見慣れた光景が、目の前に広がっている。

光の色で、今は夕方だとわかった。すでに小屋に戻っているのだろう、対岸にソム兄さんの姿はない。

代わりに、川の手前で少年がしゃがみ込んでいる。背中を丸め、濡れた髪のまま微動だにしない。

しゃがんでいるのは、僕自身だ。

――もう、嫌だよ。

夢の中の僕が、ぽつりとこぼす。小さな日本語のつぶやきに、応える声はない。

それでも、僕は同じ言葉を繰り返す。そのたびに声は大きくなり、最後には叫び声に変わった。

――もう、嫌だよ！

ぬかるんだ土に手をついて、僕は目の前の空に向かって叫ぶ。

空が僕の言葉を理解し、慰めの言葉を返すはずがなかった。それでも、僕は叫えることを止めない。

痛々しい自分の姿を見つめながら、僕は川縁の小屋で暮らし始めて間もない頃のことを振り返る。

この日僕は、初めて狩りに連れて行かれたのだった。麻袋と引っかけ棒を渡され、舟で山に向かった。ガイドブックから得た知識や仲間の様子から、狩場の環境のひどさは覚悟していたつもりだった。後から振り返れば、それは覚悟と呼ぶにはあまりに薄っぺらな、甘い料簡だった。

僕は山で打ちのめされた。

コールタールに似た、得体の知れない黒い沼が、僕の足を止めた。猛烈な臭気が正常な呼吸を奪い、飛び交う鳥と大量の虫が、身体中を嫌悪感でむしばんだ。結局、僕は山の天辺にたどり着くこともできずに、舟に逃げ帰った。一緒に狩りに向かった仲間のうち、弓のエンブレムが貼りつけられた短パンを穿いた少年は、小屋の前で僕を殴った。なす術もなく川に転げ落ちる僕に、少年は「役立たず」と吐き捨てて、足早に小屋に立ち去った。川岸には変わらない風景、何も言わない空だけが残った。

その瞬間、僕は耐え切れなくなったのだ。

ごみに塗れる仕事、風呂のない生活、始終鼻につく生ごみのにおい、満たされない空腹——日本では想像さえしなかった環境に、僕の心はたやすく折れてしまった。川の水に濡れた身体を引きずって岸に上がった僕は、地面にしゃがみ込んだまま、嫌だ、と言った。嫌だ、嫌だ、もう嫌だ——駄々っ子のように、叫んだ。

そのときの僕には、目の前の空が、カンボジアという異世界を体現しているような気がしてならなかった。だから、僕は空に向かって叫び続けた。川面を泳いでいた鳥が呆れたように飛び去り、風がなだめるように梢を揺らしても、僕は言葉を吐くのを止めなかった。

だけど、このあと、僕は口を閉じるのだ。

きっかけは、とても単純なことだった。眼前の光景に、ようやく気がついたのだ。

空が泣いている。

ただそれだけのことが、僕にそれ以上叫ぶのを止まらせた。

そうか、と思った。強張った肩から、力が抜けた。

空だって泣くんだ。

髪から流れ落ちた水滴が、頬を伝う。湿気が淡く顔を包む。

鳥だって驚けば逃げるし、木々だって風が吹けば、簡単に揺れる。

――どうしようもなく辛いときには、星が代わりに泣いてくれるんだ。

星でさえ、雨という涙を流すのだ。

僕を殴った少年も、きっと不安で怯えることがあるのだろう。平然と暮らしているように見える他の少年たちも、僕とそうは変わらないのだ。誰もが弱く、ひとりでできることは限られている。水辺で暮らす非力な子供に過ぎない。

だけど、生きている。

それなら僕にも、役立たずでは終わらない道が、あるのではないか。

空が泣いている。他の誰かにとっては、つまらないことだったり、迷惑なことだったりするのかもしれない。けれど僕には、違う意味をくれた。

空が泣いているなら、泣き止んでほしい、と思う。

叫ぶのを止めた僕は、しゃがんだまま仰ぎ見る。空は変わらず泣いている。口を開こうとしたそのとき、うしろから、夕食の時間を告げる仲間の声が、耳に入る。

黒々とした梁が一本、横向きに延びている。

†

暗い部屋の中で目が覚めた僕は、身体を起こした。無意識に、頭に手をやる。こぶができていて、触ると痛みが走った。顔をしかめ、それから左右を見まわす。長方形の、薄暗い部屋だ。長辺にあたるそれぞれの壁に沿うようにして、二段ベッドが据えられている。片方のベッドの下段に、僕は寝転んでいた。木製の手すりはあちこち欠け、ささくれ立っている。触ると、埃の乾いた感触が指に残った。

夢を見ていた気がする。悪夢を見た後のような嫌な感覚はないけれど、シャツは汗でぐっしょりと濡れていた。

カンボジアに来てから、夢を見ることが多くなった気がする。日本にいた頃は、楽しい夢であれ、悪夢であれ、こんなに夢ばかり見なかった。あるいは夢なんかすぐに忘れてしまうくらいに、毎日が忙しなかったということだろうか。

背をかこうとした手を途中で意識的に下ろし、僕はあたりの様子をうかがう。部屋に照明はなく、壁の少し高い場所から、ぼんやりと光が差していた。換気用なのか、素通しの小さな窓がある。ベッドから下りて、壁に近づいた。小窓は頭より少し高い位置にあるけれど、手が届かないほどではない。試しに、膝を曲げてジャンプする。

空が、見えた。

小窓の向こうは、細い路地のようだった。部屋が半地下なのか、視界は地べたから見上げたみたいなアングルだった。路地を囲む建物や地面の様子はよくわからない。それでも、路地の先に、僕ははっきりと見た。

いつもと変わらない空が、見えた。

時間にすればほんの一瞬だ。だけど、眠気を吹き飛ばすには十分だった。僕は自分が黒に殴られ、意識を失ったことを思い出した。医者に肩を掴まれたナクリーと、ペールでぼろぼろになったコンと、殺された仲間の姿が眼前に浮かんだ。

フラッシュバックする映像が、突然、夢とも現実ともつかないものに変わる。

ヴェニイがいる。ティアネンがいる。ナクリーもいる。ザナコッタの姿まである。見知ったストリートチルドレンが集合して、けれどそこに誰かが足りない気がする。次の瞬間、皆顔に血を塗られて息絶えている。集会に参加していない誰か、仲間を殺している誰かの正体を探して、僕は天を仰ぐ。

壊れた蛇口から水が溢れ出るように、言葉が口からこぼれ落ちる。

教えてよ、空。

「声は届かないよ」

かけられた声に、僕は驚いて振り返った。

僕が寝ていたのとは反対側にある二段ベッドの上から、若い男が首を突き出していた。

ほっそりとした、特徴のない顔だ。髪が短く、つんつんしている。幼くも見えるけれど、たぶん二十代だろう。男は中性的な笑みを浮かべると、ひょいと腕を伸ばし、ベッドの手すりを握って、そのまま床に飛び下りた。薄汚れたVネックのTシャツに、ジーンズを穿いている。痩せていて、だけど線が細いというよりは、引き締まっている。

驚かせたね、と男はすまなそうに微笑んだ。その瞬間、僕は懐かしさを覚えた。理由はすぐにわかった。

「君は日本人だね」

男は日本語で僕に話しかけていた。

どうして、と反射的に訊く僕に、男はにやりと笑い、教えてよ、そ、ら、と言った。自分の顔が赤くなるのがわかった。ナクリーが僕を日本人と見破ったときと同じだ。僕は日本語で独り言を口にするくせがあるらしい。

「好きな子の名前でも呼んでたのかい」

「そんなんじゃないよ」

気恥ずかしさをごまかす僕に、男は、むきになるな、と悪戯っぽく微笑んだ。

「外に出たい気持ちはわかるけどね。地下室ってのは、気が滅入る」

思ったとおり、この部屋は地下にあるらしい。男は下のベッドに腰かけると、緊張感のない様子で伸びをしながら、

「僕たちは監禁されているんだ。地下室に放り込まれてね」と、あっさり告げる。

小窓のある壁とは反対側のドアに向かう。錆の浮いた鉄のドアは、押しても引いてもびくともしなかった。殴られて意識を失ってから、何があったのかはわからない。ただ、監禁されているのは確かみたいだ。

「医者のくせに、乱暴なんだ。ちょっと家の中をのぞいてみただけなのに」振り返った僕に、男はわざとらしく肩をすくめる。「人を探していてね、訊いてみようと思って。ノックしても出てこない方が悪いのに」

不法侵入をまるで意に介さない口ぶりで男はそう言って、

「何より警官を抱き込んでいるのが、たちが悪い。たぶん、相応のお金を握らせているんだろうね」

警官というのは、黒のことだろう。男の言うとおりなら、黒は医者に金を貰って、この屋敷を陰に陽に警護しているのだ。

「で、君はどうしてここにいるんだい」

問われて考える。次の瞬間、僕は青くなった。理解がようやく状況に追いつく。ナクリーとコンはどうなったのか。ふたりはどこにいるのだろう。

パニックに陥りかけた僕を、男の言葉が止めた。

「焦りは何も生まないよ」

ひどく当たり前のことを言っているだけなのに、男の言葉には奇妙な力があった。そのとおりだと納得させせられてしまう。

「仲間を、助けなきゃいけないんだ」いくぶん冷静さを取り戻しながら、僕は男に訴える。

「ナクリーは医者と黒に連れていかれちゃったし、コンは病気だし」

「コンというのは、髪の長い少年のことかい」

「そうだけど、どうしてそれを」

男は斜め上を指差す。つられて首を向けると、さっきまで僕が寝ていたベッドの上段に、黒い頭が見えた。

「コン！」

急いで駆け寄る。コンは、身体を丸めて熟睡していた。僕と男の会話にもまるで反応しないで昏々と眠るコンの表情は、とても無防備だ。

「お菓子をむさぼるように食べたと思ったら、あっという間に眠ったよ。僕は医者じゃないから、この子の病気までは治せない。けれど、今この子に一番必要なのは、たぶん休息みたいだね」

そこで男は思い出したように、ジーンズのポケットをまさぐった。男はポケットからビニールに包まれたビスケットを取り出すと、僕に差し出した。

「どうぞ。食べるとエネルギーがみなぎる、魔法のお菓子さ」

日本ではなじみのバランス栄養食品を、おずおずと受け取る。顔を上げると、男は頷いた。我慢できずに封を切る。コンのことを笑えない。手のひらの大きさにも満たないビスケットを、僕はものの十秒で呑み込んでしまった。見計らったように、男が今度はペットボトルを差し出す。監禁するなら荷物くらい取り上げないとね、と茶化す男に礼を言う余裕もなく、僕はひと息にミネラルウォーターを飲む。温かったけれど、それでも胸の内側を冷たい感触が通り抜けた。

「だいぶ元気になっただろ？」

僕の様子を見て満足げに頷きながら、さて、と男は言った。

「話してごらん」

男は僕の前で、両手を開いて促す。

「ひとりで焦っても、何も解決しない。それなら、誰かに相談すればいい。一見遠まわりが、実は近道かもしれないよ」

特徴のない目元が、柔和に細められる。

よく考えれば、あまりにも唐突だった。男の素姓など、僕はまったく知らない。変てこな状況で、偶然出会っただけの見ず知らずの他人だ。

その他人に、気がつけば僕は話し始めていた。ナクリーの窮状に始まり、謎めいた殺人を、ストリートチルドレンの境遇を、僕を捨てた父の話をぶちまけた。

ひととおり話し終えるのに、どれくらいの時間がかかったのだろう。それはひどく長い時間にも思えたし、実際には大した時間ではなかった気もする。

質問を挟むこともなく、僕が喋るに任せていた男は、しばらくの間、黙っていた。疲労感を全身に覚えて、僕は大きく息を吐きながら、ふと小窓を見上げる。さっき空が見えた小窓からは、変わらず淡い光が差し込んでいた。小窓の下に、細長い亀裂のようなものがふたすじ見える。亀裂はもぞもぞと動き、しばらく見つめて、僕はそれが蟻の行列であることに気づいた。

「医者の裏の商売を、君は理解しているのかい」

視線を蟻の行列に向けたまま、僕は頷く。

本当は、最初から気がついていた。けれど、心が認めることを拒んでいた。

ナクリーがこの家に、自分で入れるわけはない。つまり、医者の側から迎え入れているのだ。

──路上に住むガキが逃げ込めるような家じゃないですよ。

それも、家人のプライベートな領域にまで近づいている。

──でも大丈夫。家の人は、今は寝てるから。

お金を稼ぐこともできる。

──前借りは認めてないだろう。

そしておそらく、フラワーが街で身を隠すことのできた場所だ。

──僕は隠れ家を知っているから。

ホームではない。ホームを嫌うフラワーが、ホームを隠れ家にするはずがないし、そもそもヨシコと医者では空気がまるで違う。まして、医者が善意でストリートチルドレンを迎え入れるわけがないのだ。フラワーやナクリーが居候でき、お金を稼ぐことさえできる場所は、ひとつしか考えられない。

「ここは、売春宿だ」

言葉にした途端、胸が圧迫されているみたいに痛んだ。

「あの医者は、売春の斡旋をしているんだ」

ここは、フラワー個人の隠れ家ではない。世間に対しての、医者のうしろ暗い隠れ家なのだ。あの日、黒から逃げていた僕の前に、ナクリーは突然現れた。どうして彼女は医者の家にいたのか。医者が眠っていることを知っていたのか。

山で墓守と遭ったあの日、ザナコッタは新しい仕事を見つけたと言った。実入りのよい仕事とは何だったのか。なぜ彼はナクリーに頭が上がらないふうだったのか。

コンと舟の中で話したとき、墓守がふたりいなくなる前に、何かわりのいい仕事があるって言っていたと聞いて、ナクリーは急に険しい表情になった。強い調子で医者の家に行こう、と言った。どうしてか。

そして、どうして黒が医者の家にいたのか。

答えはひとつだった。ナクリーは医者の家で売春をしていたのだ。医者や他の金持ちを客として、墓守を支えるために。

──雨が止まないもの。もうずっと、私が目にする景色はにじんで、ぼやけたまま。

僕は下くちびるを嚙む。

僕はコンを助けようと焦るあまり、売春宿へ向かおうとするナクリーを、止めることができなかった。

「僕は──」

僕は、何をしているのだろう。

「君は、現実とぶつかっているみたいだね」

声に、顔を上げる。

「現実と正面からぶつかれるのは、強い人だ」

男が中性的な微笑みを湛えて、僕の肩に手を添える。ひやりとした地下室の中で、肩に置かれた手は、ひどく温かかった。

「君は強いね」

不思議な力を宿す、どこか懐かしささえ抱かせる声に、僕は憶えがあった。

ヴェニイのそれと同じだ。

「君は仲間を気にかけている。親に捨てられ、日本人なのにどん底の生活を味わって、それでも生きることを諦めずに、仲間の身を案じている。それは、君が強いからだよ」

同情や慰めといったものではない。ただ、淡々とした男の口調には、優しさがあった。

込み上げてくるものを、歯を食いしばり、両手を強く握り合わせて抑え込む。

――泣いちゃいけないよ。

「泣かないよ」目の前の男に、僕は答える。「僕には、やらなきゃいけないことがある」

売春宿から逃げてきたはずなのに、結局身体を売ることしかできない少女。

持って生まれた美貌を、最悪の形でしか活かせない少年。

親に売られて、何者をも信じることができなくなった泣き虫の少年。

不可解な殺人事件に巻き込まれて、あえなく死んでいった仲間や墓守たち。

これまで皆を救ってきたのは、ヴェニイであり、ザナコッタだった。けれどふたりはもう、いない。

でも、僕はまだここにいるのだ。

──エモノを狩れないやつは、役立たずだからな。

本当に役に立たなければいけないのは、今だ。

強く握りすぎて赤くなった両手を見つめる僕に、男は告げた。

「これからも、泣かない覚悟はあるかい？」

僕は頷く。

「いい覚悟だ」

「僕は君に酷なことを要求している。それでも、君が本当に仲間を助けたいなら、君は泣かない覚悟が必要だ」

僕はもう一度頷いて、男を見つめる。

「雨が降るんだ」

きょとんとした表情の男に、僕は言う。

「どうしようもなく泣きたくなったときには、星が代わりに泣いてくれるんだ」

いつか僕を救ってくれたヴェニイの言葉を、僕は自分の言葉にして伝える。

遠くで、風が吹き荒れる音がする。小窓から差し込む光が、心なしか強まった気がする。

わずかな沈黙のあと、男は立ち上がると、ポケットに手を突っ込んだ。中から、四角い手のひらサイズのものを取り出す。

「海外で使える携帯電話って、便利だよね」

ストラップを指でつまみ、得意げにゆらゆら揺らすと、男はすっと笑いを引っ込めた。

「じゃあ、助けを待つ間に、やるべきことを済ませようか」

ひとつの直感をずっと抱いている。

僕らを取り巻く世界は、ヴェニイが死んだあの日から壊れ始めた。山へのごみの搬入は止まり、警官は僕らを排除し始めた。幸せな生活の幻想は砕け、現実が否応なく露になった——そうしたことの延長線上に、今回の連続殺人はある。何の根拠もないが、その直感は僕の心から離れない。

「仲間の心配をする前に、君にはやらなければいけないことがある」

心にとめどなく湧き起こる不安を呑み込み、僕は頷く。

仲間の安否は、地下室から出られないことには確かめようがない。それなら、今できることをするしかない。そして、できることはひとつだ。

「誰が、なぜストリートチルドレンを殺しているのか。その答えを見つけること」

ザナコッタ、ティアネネン、ソム兄さん——三人を殺した犯人は、誰か。それはティアネネンの死体を見つけたあと、一度ナクリーと検討した謎だった。だから僕は、現実と向き合わなければいけない。

「僕の仲間の誰が、殺人を犯しているのか」

それでも、実際に口にするときには、腕が震えるのを止められなかった。

「犯人は川縁の小屋までやってきている。僕らが住む小屋の場所を知っているのは、僕らの仲間と、襲撃してきた墓守だけだ。だけど、ザナコッタ以外の墓守三人とコンは、ずっと一緒にペールを吸って小屋にいた。途中で墓守がふたりいなくなったけれど、そのときすでにザナコッタは殺されていたんだから、アリバイが成立する。四人は犯人じゃない」

つまり、犯人はコンを除く仲間の中にいる。

仲間の死をまるで読み物の登場人物みたいに扱うのは、息がつまるような行為だった。仲間は架空の存在じゃない、れっきとした、生きていた人間だったんだ——叫びたくなる衝動を、僕は抑える。甘えは許されないと、僕は決めたのだ。

「まず、事件を整理してみよう。始まりは、ヴェニイが銃殺されたことだ。これについては、犯人が黒であることは間違いない。おそらくはこの事件が発端となって、連続殺人が幕を開けた」

男は立ち上がると、考え事には歩くのが良いと示すみたいに、狭い地下室をうろつきはじめた。

「墓守というグループに襲撃された君は、逃げている途中で意識を失い、目を覚ましたのは翌日の明け方だった。そして朦朧と歩くうちにザナコッタという少年の死体を発見した。死因は大きな石による撲殺。周囲には、なぜか新聞紙が大量に散乱していて、黒い傘が落ちていた。これが、連続殺人の第一の事件」

歩きながら、男は人差指を立てて、第一、と強調する。

「三日後、今度は墓守の遺跡——おそらく、パンヤ遺跡だろう——で、ティアネンの死体を発見した。死因は首を刺されての刺殺と思われる。死体の顔には血が塗られ、遺跡のそばの川原には、凶器と思われる刃物が落ちていた。これが、第二の事件」

今度は指を二本立て、男は話を続ける。

「その後、君らの住処だった小屋の真向かいにある掘っ立て小屋で、ソム兄さんが殺されていた。死因は第一の殺人と同じく撲殺で、凶器は鉄パイプだった。この死体には、それまでの殺人と違って、周囲の状況や死体の様子に不可解な点は見当たらなかった。これが、第三の事件。ここまではいいかい？」

たった一度聞いただけで、ここまで整然と話をまとめたことに感心しながら、僕は指を三本立てた男に頷いてみせる。

「それじゃあ、ひとつずつ考えていこう。まず、第一の事件について。ザナコッタは本当に殺されたのだろうか？」

思いがけない問いに、僕は面食らいながら答える。

「そんなの、他殺に決まってるよ」

「根拠は？」

「それは——死体の周りに、新聞紙やら傘やら、そういったものを散乱させた犯人がいるはずだ」

「そうだね。正確には、ザナコッタは転んで頭を石かなにかにぶつけて死んでしまっただけで、新聞紙とかをばらまいたのは何者かが別の理由でやったこと、と考えられなくもないんだけど。まあ、いずれにしろ、犯人——殺人を犯したかどうかは別として——は、現場に不可解な装飾を施した。ここでふたつ、考えるべきことがある。ひとつは、犯人が新聞紙と黒い傘を何に使ったのかということだ」

新聞紙は、ザナコッタの死体を覆っていた。死体を隠すために使ったのだろうか？　けれど僕は草叢に隠れていたソム兄さんのことを思い出し、頭を振る。川原には葦が群生していたのだから、放っておいたほうが目立たないのだ。わざわざ新聞紙で隠そうとすれば、逆に目立ってしまう。死臭の問題もあるし、本気で隠すつもりなら、川に沈めてしまった方が簡単で確実だ。

では、傘はどうだろうか。単純に考えれば、本来の用途、つまり雨や日射しを避けるために傘をさしたということになるが——僕は開きすぎてYの字になった傘を思い出す。犯人は、ザナコッタ殺害の最中に傘を壊してしまい、やむなく捨てたのだろうか。

「犯人は、観光客なのかな」

怪訝そうな顔をする男に、僕はヴェニイの名言を伝える。

「観光客なら、倒れているストリートチルドレンを気にしなくても不思議じゃないし」

「なるほど、面白い発想だね。だけど、傘は掘っ立て小屋に置いてあったものなんだよね？観光客がそんなところから傘を持ち出すかな」

　そうだ、あの傘のことなんか知ってるわけがない。

　気落ちしそうになるけれど、男は僕にその余裕を与えず、矢継ぎ早に続ける。

「もうひとつ、考えるべきことがある。それは、君の存在だ」

「僕？」

「墓守に襲われた君たちは、コンを除いて離散した。真っ先に逃げたのは君だった」

　男の言うとおり、僕は先頭を切って川辺を、街に向かって逃げた。

「君は途中で木の枝に激突して、意識を失った。明け方に意識を取り戻した君は、再び川沿いをふらふらと南に向かい、ザナコッタの死体を発見した。ということは、どういうことになると思う？」

　首を傾げる僕の前で立ち止まった男は、ゆっくりと僕の顔を指差す。

「ザナコッタと犯人は、倒れている君のすぐ横を通過したことになる」

「それが――」

　どうしたの、と言いかけて、彼の発言の意図を悟る。

「つまり、君は殺されなかった。どうしてだ」

　川沿いの道なき道は、決して広くない。薄暗くなっていたとはいえ、僕が倒れていたら、気づかないよりは気づく可能性の方が高いだろう。

「以上が、第一の事件で考えるべきポイントだ。では次に、第二の事件に移ろう。顔に血を塗られたティアネンの事件だ」

「ティアネンは、間違いなく他殺だよ」先手を取って、僕は言う。「だって、凶器は死体から離れた場所にあったんだ。自分で自分を傷つけたのだとしたら、もっと近くにあるはずだよ。それに、ティアネン自身が自分の首をナイフで切って、その血を自分の顔に塗るなんて、できっこない」

「そう、確かに凶器の落ちていた場所が遠すぎる。ナイフを放るには、距離がありすぎる。川原から遺跡まで這っていったのなら、血の跡が残るはずだ。それに、自分で自分の顔に血を塗りつけたのではないことも、はっきりしているしね」

「どうして？」

「ティアネンの両手は、きれいだったんだろう？」

——水に洗われたのか、きれいになった手足は無造作に広げられていた。

自分で自分に塗ったなら、両手も真っ赤でなければならない。

「そもそも、ティアネンの殺害現場はどこか。血の跡はなかったけれど、原っぱには死体を引きずった跡があったんだよね。死体が遺跡で見つかったんだから、川原で殺されて引きずられてきたことがわかる」

ティアネンがずぶ濡れだったこともその傍証だ、と男は言う。

「え？」

「長らく雨に降られていたとでも思ったかい？」男はにやりと笑う。「聞いた限りでは、遺跡の中に水場はないし、水に浸かっていないと背中まで濡れはしない」

僕は舟を盗んできたときのヴェニイの姿を思い出す。あのときヴェニイはずぶ濡れで、盗んでくるとき川に落ちたと言っていた。

「つまり、第二の事件でも、考えるべき問題はふたつある。ひとつは、なぜ犯人はティアネンの死体を遺跡に運んだのか。重い死体を陸に上げて遺跡まで運ぶのは、結構な労力だったはずだ。そしてもうひとつは当然――」

「なぜ顔に血を塗ったのか」

言葉を継いだ僕に、男は頷く。

「まず考えられるのは、死体の入れ替えだ。顔に血を塗りつけることで、死体の身元をわかりにくくしてしまう。ストリートチルドレンには、出自のわからない子が多いからね。顔を血塗れにしてしまえば、見ただけでは誰なのかよくわからなくなる。洗い流す人もいないだろう」

「だけど、今回は違う」

反射的に、僕は自分の耳に手をやった。

「そう、死体がティアネンであることは明らかだ。なぜなら、死体は弓のエンブレムのついた短パンを穿いていて、耳には銃で撃たれた痕跡がある」

そして実際、あの死体は間違いなくティアネンだった。

「やっぱり、餌なんじゃないかな」

異常性を際立たせることで、死体の噂を誰かの耳に届ける——ナクリーとの推理の中で一度は否定された可能性を、僕は披露する。ナクリーに否定されたのは、噂を伝えたい対象が僕だという可能性だった。では、他の誰かに伝えようとした、ということはないだろうか。

「だけど、もし異常性を際立たせたいのなら、もっと別の方法がある。たとえば、首を切り落として、飾っておくとか」

男は事もなげにそう言う。

「犯人は非力だから、首を落とせなかったんじゃないかな」

「それなら、お腹を裂いて内臓を引きずり出せばいい」

ホラー映画みたいな光景を想像して、僕は胸が悪くなる。

「まあ、それは極端だとしても、血を顔に塗れば、手や服だって汚れる。手間がかかりすぎるんだ。ただの餌と考えるには、目的と労力が釣り合わない」

そこで男はふっと息を吐いた。

「まあ、これもひとまず置いておこう」

「さっきから、置いてばかりだよ」

口をとがらす僕を、俯瞰《ふかん》しないと見えてこないものもあるんだよ、と男は諭す。

「さて、第三の事件に移ろう」

掘っ立て小屋で、ソム兄さんが殺されていた事件だ。

「第三の事件は、第一、第二の事件と比べると、これだけ印象が異なる」

「特徴が、ないから」

目で促されて答える僕に、男は満足そうに頷く。

「そう。第一の事件にはごみ捨て場みたいな状況設定、第二の事件には死体の血化粧という特徴があったのに、第三の事件ではそれに類する装飾が見当たらない」

「事件の種類が違うのかな。たとえば、犯人が実は違うとか」

「可能性は低いね。被害者が君の知り合いに限られていること、最も殺害動機が発生しそうにない人物が三番目に殺されていることを考えると、ひと続きの連続殺人で共犯の可能性はなし、と考える方が妥当だよ」

男は小窓に向けた目を細め、

「そして、なぜ殺されたのはソム兄さんだったのか」とつけ加えた。

男の言うことは、僕にもよくわかった。ソム兄さんは、僕には〝外〟の世界の住人に思えた。ごみ山に行かず、黒とも遭わず、墓守に襲われてもいない。日々川辺でのんびりしていた寝仏のようなソム兄さんが、殺意の対象となるほどに現実の世界と関係していたとは、まるで想像できないのだ。だけど実際に、ソム兄さんは殺された。

「たぶんここにこそ、今回の一連の事件の動機が隠されている気がするよ」

そう言って、男は物思いにふけるように目を閉じた。わずかに湿気のにおいがする地下室に、沈黙が訪れる。もう何度目かわからないけれど、僕は小窓を見上げた。壁に開いた穴から差す淡い光の道筋に、うっすら埃が舞っている。

犯人は傘と新聞紙を何に使ったのか。

なぜ僕は放っておかれたのか。

なぜティアネンの顔に血を塗ったのか。

なぜソム兄さんは殺されたのか。

どうしてその死体には装飾がなかったのか。

男が整理してくれた謎を胸中で繰り返す。黒に殺されたのなら、納得はできなくても、理解はできる。ストリートチルドレンであると同時に、恵まれた生活を過ごしてきた日本人である僕には、彼の思考の根っこがわからないわけではない。黒にとって、ストリートチルドレンはただ、邪魔なだけなのだ。

──飛んでいる蝿を殺すのに、理由がいるのかい。

けれど、今回の三つの事件は、そういう類のものではないのだ。黒ではない何者かが、単に邪魔だという理由とは別の、確固たる理由をもって僕の仲間を殺している。

自分の額を小突き、くちびるを噛みしめる。

──考えなきゃ駄目だって、ヴェニイは言ったんだ。

そうだ、考えなきゃ駄目なんだ。

僕は考える。

今まで目にしてきた光景と、男が整理してくれた謎を何度も検討する。ない知恵を振り絞りながら、僕は光の中に舞う埃を見つめていた。埃はふわふわと柔らかく浮いていて、まるで小窓から光に乗って部屋の中にやってきたみたいだった。外から部屋の中に入ってきた、闖入者《ちんゆうしゃ》のようで――

冷水を浴びせられたような衝撃が、身体を走った。

なんてことはない日常の記憶が、次々に絵柄を変えていく。思いもしない事件の構図が、脳裏に浮かび上がる。

「わかった」

男が、ゆっくりと目を開けた。

「どうして僕は殺されなかったのか。殺されなかったんじゃない。犯人は、僕が倒れていることを知らなかったんだ」

耳に届く自分の声は、まるで他人のもののようだった。

「どうしてティアネンの顔に血を塗ったのか。血に意味があったんじゃない。血の色に意味があったんだ」

自分でも整理のつかないまま、言葉が口をついて出る。

「どうしてソム兄さんの死体には、装飾がなかったのか。簡単だよ。装飾する犯人がいなかったからだ」

それは、という男の言葉を遮って、僕は言葉を絞り出す。

「犯人は、ソム兄さんだ。ソム兄さんは、自分の足で、外から中に入ってきたんだ」

ソム兄さんは、いつも僕らの輪の外側にいた。ヴェニイに対岸に連れていってもらうときと、食事を仲間と共にするときが、ソム兄さんと僕らが交流を持つわずかな機会だった。

だけどある日、ヴェニイが死んだ。

かつてソム兄さんは、ヴェニイを父親の暴力から守った。ソム兄さんは弟を愛していた。ヴェニイの死は、そんなソム兄さんの心を徹底的に傷つけた。弟が死んだのは、自分が守らなかったせいだ。ソム兄さんは、川に網を投げ、水面を見つめながら、自分を責め続けた。

そしてソム兄さんは、世界の外から中へ入ることに決めた。弟を守れなかった罪滅ぼしに、弟に代わって、グループを守ろうとしたのだ。

墓守の襲撃があった夕方、茂る葦の原に身を隠していたのは、怯えていたからではない。反撃する機会を、待っていたのだ。本当は、すぐにでも助けに向かいたかったけれど、片足がなく、満足に泳げないソム兄さんは、川を渡れない。それに、正面から喧嘩すれば、身動きの不自由なソム兄さんは、勝てるはずがない。だから不意打ちが可能となる夜まで待って、ソム兄さんは動き始めた。

川沿いに南下して沈みの橋を渡り、再び川縁の小屋に向かって北上する。道のりは長く、しかも急がなければいけない。ソム兄さんは、少しでも助けになるように、黒い傘を杖代わりにした。鉄パイプと黒い傘を両手に持って身体を預け、松葉杖の要領で進む。ザナコッタの死体のそばに落ちていた傘は、酷使した杖のなれの果てだったのだ。

やがてソム兄さんは、沈みの橋を過ぎたあたりでザナコッタと遭遇した。僕らを襲った元凶を許せなかったソム兄さんは、ザナコッタを鉄パイプで殴り、とどめに石で殴りつけて殺した。ペールで足元も覚束なくなっていたザナコッタは、満足な抵抗もできなかった。

ザナコッタを殺害したソム兄さんは、だけどその場所で歩みを止めた。慣れない長距離の移動に加え、殺人という行為が、想像以上の疲労をソム兄さんにもたらしたのだろう。加えて、小屋にはまだ三人の墓守がいる。全員を一斉に相手にすることなど不可能だ。そこでソム兄さんは待ち伏せすることにした。戻らないザナコッタを心配し、彼を探しに来た墓守をひとりずつ倒す。そのために、ソム兄さんは掘っ立て小屋から傘と一緒に持参した新聞紙を、ザナコッタの死体の上に積んだ。

——新聞紙って、寝るためのものじゃないの？

ストリートチルドレンにとって、新聞紙は掛布団に等しい。新聞紙の下から手足がのぞいていれば、誰かが寝ている、と反射的に考える。その状況下で、案に相違して新聞紙の下から死体が現れたら、衝撃は計り知れないのではないか。

新聞紙は、その一瞬の油断を生み出すための、罠の道具だった。

墓守の隙をついて襲撃する。墓守が罠にかかる展開を期待してその場にとどまったソム兄さんは、それ以上川縁の小屋に近づこうとはしなかった。

だから、さらにその北で僕が倒れていることなど、知らなかったのだ——

滔々と喋りながら、僕は記憶を掘り起こす。おそらく、意識を取り戻して歩いてきた僕が、ザナコッタの死体を見つけ悲鳴を上げたあのとき、ソム兄さんはすぐ近くに身を潜めていた。だけど、声が出せないソム兄さんには、僕を止めることができなかった。どうするべきか悩んでいる間に、パニックに陥った僕はその場から走り去ってしまったのだ。

僕は思わず身震いをする。コンが話していた、どこにも見当たらないふたりの墓守は、ソム兄さんの罠にはまったのではないか。

必死で喋る僕を、男はもの問いたげにも悲しげにも見える表情で見つめる。僕は感情を押し殺し、平気なふりをして喋り続ける。

きっかけは、たぶん些細なことだったのだろう。待ち伏せに疲れ、休憩に沈みの橋の方へ戻ったのか。あるいは、待ち伏せの最中、対岸にその姿を発見したのか。とにかく、どこかの時点で、ソム兄さんはティアネンに会い、彼を殺した。

ティアネンは、グループの副リーダーだった。ヴェニイ亡きあと、本来はリーダーの役割を担うべきポジションにいた。だけど、ソム兄さんが目にしたのは、グループを放り出して、小屋から逃げるティアネンの姿だった。ソム兄さんには、それが許せなかったのではないか。ヴェニイを愛していた兄は、ヴェニイの作った結束を乱す仲間が許せなかった。

そう考えると、ティアネンの顔に血を塗った理由がわかる。

僕は雨乞いの手首に彫られた、単線の赤い刺青を思い出した。

僕には、どうして雨乞いが皆から嫌われているのかわからない。だけど、彼らの嫌悪の眼差しの先に、赤い刺青があることは知っていた。

——手首に赤い刺青があるやつは、裏切り者なんだよ。

赤は、裏切りを示す色なのだ。

赤い顔は、つまりティアネンが裏切り者であることを示しているのではないか。川原でティアネンを殺したソム兄さんは、死体を遺跡の中庭まで引きずっていき、裏切り者の烙印を施した。死体が川辺にあっては、発見されにくい。ティアネンがグループを捨てた裏切り者であることを周囲に見せつけるために、ひらけた場所に置いたのだ。


僕が座る二段ベッドの反対側の壁に、ポスターが一枚貼られている。決して明るいとはいえない部屋の、しかも奥まった場所ではあるけれど、単純かつ鮮やかな色遣いのおかげで、図柄はどうにかうかがえる。

ポスターには、顔をアイマスクで隠した男が悪を退治しているシーンが描かれていた。アメコミのヒーローみたいなものなのだろう。正義の味方は、それがヒーローの証であるかのように、首に巻いたスカーフを風になびかせている。その真っ赤な色が、不意におぞましく見えて、僕は目を逸らした。

「だから、ソム兄さんの事件に謎はない」

第三の事件について、男が挙げた謎はふたつある。どうして殺されたのはソム兄さんだったのか。どうしてソム兄さんの死体には装飾がないのか。

「自殺だったんだ。犯人が死んだんだから、装飾はなくて当然なんだ」

激情に駆られてティアネンを殺したソム兄さんは、気づいたのではないだろうか。自分がティアネンを殺したことで、他ならぬヴェニイの作ったグループ自体を壊してしまったということに。

だから、ソム兄さんは自らの手で事件に幕を引いた。

そう考えれば、もうひとつの謎にも答えが出せる。第三の事件には、男が挙げたふたつの謎以外に、もうひとつ、極めて単純な謎があった。

どうして犯人はソム兄さんを見つけることができたのか。

墓守に襲われた夜、ソム兄さんは対岸で身を隠していた。その上コンが、他の仲間に誤った情報を植えつけた。

──きっと、ソム兄さんは森で、食べ物でも探してるんだ。

対岸に隠れているのを見つけた僕以外に、ソム兄さんが川縁の小屋の近くにいることを疑ってかかる仲間はいないはずだ。

だけど、ソム兄さんは、当然そのことを知っていた。

「犯人はソム兄さんだ」

僕はそう告げて口を閉じる。身体にのしかかる重さは、すべてを吐き終えてもまるで消えなかった。

男はベッドの下の段で、ポスターに背を向けて座っている。僕が推理を口にする間、一度も質問を挟まなかった男は、僕が喋り終えたのを認めて、ようやく口を開いた。

「よく、考えたね。世界の外側にいたソム兄さんが、自ら内側に入ってきて、事件を起こした。けれど取り返しのつかない事態を招いたことに気づいて、絶望して自分の命を絶った」

よく考えられている――男はつぶやいて、

「君は間違っている」

一言のもとに、僕の推理を切り捨てた。

「そんな」思わず僕はベッドから腰を浮かす。「だって、お兄さんが挙げた謎はすべて、ソム兄さんが犯人だって示して……」

「君の推理は間違っている」

男の静かな声音が、僕を黙らせる。

「第一の事件で、君はこう説明した。ザナコッタを殺したソム兄さんは、罠を仕掛けるために、死体を新聞紙で覆った。誰かが寝ていると思わせ、新聞紙をめくり、死体をまのあたりにして腰を抜かしたところを襲う。そんなにうまくいくかな、とは思うけれど、罠の実効性は、ザナコッタの遺体を発見した君自身がある程度実証しているから、まあいいとして」

握り合わせていた手を離し、男は指を一本立てた。

「ソム兄さんは、いつ新聞紙を用意したんだい？」

まるで予想していなかった問いに、僕は衝撃を受ける。

「新聞紙は、黒い傘と一緒に掘っ立て小屋に置いてあったものだ。ソム兄さんは、最初から新聞紙を持ってきたのかな。違うよね。罠を張ろうと思い立ったのは、ザナコッタと遭ってからだ。では、殺したあとで取りに行ったのか。ただでさえ長い距離を、今度は往復しなければいけないのに？　罠を張るのに、何も新聞紙にこだわる必要は全くないんだよ。そもそも、鉄パイプと黒い傘で両手が塞がっているソム兄さんは、どうやって新聞紙を運んできたのかな」

ゆっくりとした口調で、だけど男は一気に反論する。

「それに、第一と第二の事件には、三日間の空白期間があるんだ。ソム兄さんは、そんなに長い間、待ち伏せをしていたのだろうか」

「――ソム兄さんは、執念で新聞紙を取りに行ったのかもしれない。新聞紙以外に罠に使えそうなものを、思いつかなかったのかもしれない。待ち伏せは早めに切り上げて、遺跡の辺りで寝泊まりしていたら、ティアネンと会ったのかもしれない」

男とは対照的に、小さな声で早口にまくし立てる僕に、男は眉尻を下げ、

「なるほどね。その可能性がないわけじゃない」あっさりと頷く。「だけど、君はそもそも、前提をひとつ見落としている」

「見落とし？」

「ソム兄さんの死は、自殺じゃない」

男は、強い口調で断言した。

「そもそも、自分の杖で自分を殴るというのは、自殺の手段として無理がある」

「ソム兄さんは足が不自由だった。道具の調達は難しかった」

「掘っ立て小屋の中には、農具があったんだよね。自殺に適した道具はいくらでもありそうだ。それに、仮に自殺するなら、おそらく別の方法を取ると思う」

「別の方法？」

「すぐ近くに川があるんだ」

「入水自殺——でも、可能性がないわけじゃ」

無理やり反論を続ける僕に、男はため息をつき、真っ直ぐに僕を見すえた。

「君にひとつ、大切なことを訊くよ」

「大切な、こと？」

「君は、ソム兄さんが自殺するような人だと、信じられるのかい」

「——でも、ソム兄さんが自殺なら、謎はなくなるんだ」

「信じたい、とか、信じるしかない、とか、そういうことを訊いてるんじゃない」男の眼差しが一瞬、とても厳しいものに変わる。「君が本気で信じられるのか、そう訊いてるんだ」

「それは」

「理論に則《のっと》って組み立てたものは、整然としていて、きれいだ。だけど、僕らは、理屈だけで生きているわけじゃない」

まるで自分に言い聞かせているみたいに、男は俯いてゆっくりと息を吐き出す。

「僕らは機械や人形じゃない。人間なんだ」

顔を上げ、僕を見つめる。

「とても辛い、身を切るような悲しい出来事があった。だから自殺する。理屈は通っているかもしれない。だけど現実では、日々苦しみながらも生き続ける人の方が、圧倒的に多い。もちろん僕は、ソム兄さんは自殺なんかしない、と言っているわけじゃない。僕はソム兄さんがどういう青年だったのか知らないんだからね。だから、君に訊くんだ」

大切なのは、君がどう考えるかだ——男は穏やかな口調で言った。

「もう一度訊くよ。君は、ソム兄さんは自殺をするような人だったと思うかい？」

僕の前に、川辺で膝を抱えているソム兄さんの背中が浮かび上がった。ヴェニイが死んだという事実を突きつけられた日、小屋の窓から目にした情景だ。

あの日から三日間、誰もが無気力で過ごしていたことを思い出す。四日目の朝、ソム兄さんが、対岸に渡る意思を示したことを思い出す。

唐突に、雨の情景が目に浮かんだ。カンボジアに着いて三日目、父から逃げてホテルを飛び出したときの光景だった。僕を捕らえようとする父の腕が、生々しい雨の音と一緒によみがえる。

「僕は——」背中をかきたくなる衝動を必死で抑えながらも、僕は弱音を吐く。「僕は、自分の目が信じられないいんだ」

あの日、父に捨てられるまで、僕は父のことを一度たりとも疑ったことはなかった。

「自分の目が信じられないのに、自分が本当に仲間のことを正しくわかっているかなんて、わからないよ」

「君が信じなくて、誰が君を信じるんだい」

男は小さく首を傾げる。

「知らないのかい。信じる者は、救われるんだ」

この世の常識を知らないのかと驚いているみたいな不思議そうな表情に、僕は噴き出しそうになる。その瞬間、僕の中で何かが音を立てた。ずっと開かなかったドロップ缶のふたが、ある日ぱかりと開いたみたいな、軽い音だった。

「お兄さん、矛盾してるよ。さっきは信じられるかって訊いてたのに、今は信じろって言ってる」

僕の指摘に、男は少し考えて、ばつの悪そうな顔をした。

「君はやっぱり頭がいいね」

「お兄さんが、滅茶苦茶なんだ」

「それが人間さ」

真顔で言ってから、男は笑った。つられて頬が緩むのを意識しながら、何だかいつかのヴェニイとのやり取りの再現みたいな会話だ、と思う。

「それで、君の答えは？」

すぐに笑みを引っ込めた男を、僕は真っ直ぐ見つめる。

「ソム兄さんは、自殺なんてしない」

「それなら、君の推理は間違っている」

理屈を積み上げて、どうにか導き出した推理は、誤っていた。

「国民性というのは、案外無視できないものでね。カンボジアでは、自殺という発想があまり一般的ではないんだ。まあ、これも論理的ではないかもしれないけれど」

どん底の生活をしている路上生活者も、自分の命を絶とうとはしない。ペールで自分の身体を害する人はいる。自暴自棄になっていた仲間もいる。けれど、自分に無頓着であることと、自殺することはまるで違う。

「だから、僕はソム兄さんを知らないけれど、やはり自殺というのは可能性が低いと思う」

心情的には、僕も男と同じ意見だった。だけど、ソム兄さんが犯人でないとしたら、一体殺人者は誰なのか。

疑問を顔に浮かべる僕を、男はしばらく黙って見ていた。それから、ゆっくりと言葉を紡ぎ始める。

「第一の事件のとき、どうして君は殺されなかったのか。犯人は君の仲間の誰かだ。その誰かは、君が負傷して倒れていることに気づいたはずだ。しかし一方で、犯人は死体の周囲に、あんな不可解な状況を作り上げている」簡単なことだよ、と男は言う。「犯人にとっては、君を殺すよりも、あの状況を作り上げることの方が重要だったんだ」

新聞紙と傘は、掘っ立て小屋の軒下に捨てられていたものだった。犯人は、倒れている僕を捨て置いて、相当な手間にもかかわらず、わざわざ小屋までそれらを取りに行った。

「あの傘と新聞紙は、一体何なの」

「傘については、難しく考えることはない。そのままだ」

「どういうこと？」

「犯人は掘っ立て小屋からザナコッタの死体の場所まで、傘をさして行ったんだよ」

よほど僕はぽかんとした顔を曝していたのだろう。男は苦笑すると、ゆっくりと傘をさすポーズをとる。

「犯人は掘っ立て小屋から川原まで、移動しなければいけないんだ。だけど、傘をささないわけにはいかなかった。なぜならば、濡らしたくないものを持っていたから」

そう言って、男は傘をさしながら何かを運ぶ仕草をしてみせる。その様子をしばらく眺めていた僕は、思わずあっと叫んだ。

「新聞紙！」

「そう。犯人は、新聞紙を濡らさないために、傘をさしたんだ」

あまりにも明快な答えに興奮した僕は、けれどすぐに首を傾げる。

「じゃあ、新聞紙は何のために運んだんだろう」僕は思いついた答えを口にする。「燃やすためかな。ザナコッタの死体を燃やそうとしたんだ。だけど、新聞紙が濡れちゃったか何かで、結局火はつかなかった。だから仕方なく、新聞紙を捨てたんだよ」

「何のために燃やすんだい？」

「それは――」

いくら頭を働かせても死体を燃やす理由は思い浮かばず、あっさりと思いつきは否定される。

「犯人は、わざわざ手間をかけて新聞紙を取りに行き、手間をかけてティアネンの顔に血を塗り、だけどソム兄さんに対しては何の手間もかけなかった」

そのとき不意に気づいた。なぜだろう――わずかに首を傾げて僕を見つめる男は、とても悲しそうに見える。小窓から洩れる淡い光や、地下室を包むどこか冷たい空気が、一層僕にそう思わせた。

「ねえ」尋ねるには、覚悟が必要だった。「お兄さんは、一体誰なの」

「僕は、ただの旅人だよ」

「じゃあ、旅人さん」

もう引き返すことはできない。

「本当は、もうわかってるんでしょ」

男を真っ直ぐに見すえて、僕はその質問をする。

「誰が、何のためにストリートチルドレンを殺したのか」

男は目を伏せて、息を吐く。外光で黒い髪が一瞬、ほんのり黄金色に染まる。

やがて顔を上げた男は、唐突に奇妙なことを言った。

「君は、ゴーレムって知ってるかい」

「ゴーレム?」素っ頓狂な声を上げてしまってから、ついこの間もナクリーと同じ話をしたことを思い出す。「あの、泥人形の」

「僕はあの伝説が嫌いじゃなくてね。別に、感動的なお話というわけでもないんだけど、何とも言えない物悲しさに惹かれるんだ」

ゴーレムという言葉が、様々なイメージを脈絡なく僕の網膜に浮かべる。昔遊んだテレビゲームに出てきた狂暴なモンスターが、鮮烈な印象の映画に登場する黒々とした泥人形に変わる。泥人形の背景に、黒い液体が染み出し、いつも白煙に包まれている巨大なごみの山が現れる。やがてそれらは一体化し、脈打つ赤い心臓となる。

「チェコに伝わる物語だ。首都プラハには、実際にゴーレムが眠っているというシナゴーグがある。素朴で、可愛らしい建物だよ」

「映画を観たことがあるよ」

映画の名前を告げると、男は顔をほころばせた。

「僕も、あの映画は好きでね」

まるで脈絡のない会話に、僕は置いてけぼりを食った気分になる。一体男は、何が言いたいのだろう。

「もう何回観たかな。ラビというユダヤ教の司祭と、その教え子である幼い主人公の演技は見事なものだったね。それに、なかなか全体像を見せない、黒いゴーレムの不気味さも秀逸だと思う」

「あの、それがどうかした――」

「だけど、観るたびに、僕はどうしてもひとつ、不思議に思うことがあるんだ」

言葉を遮って、男は僕を見た。

「あの映画で、どうしてゴーレムは暴れたんだろう」

「それは、魔法が切れてしまったからじゃないの？」

意図のわからない質問に、僕は戸惑う。ゴーレムを使役するには、ラビが定期的に魔法の言葉を身体に刻む必要がある。王の結婚祝賀会に列席したラビは、その大事な手続きを踏むことができなかった。だからゴーレムはラビを探して、街中で暴れまわった。映画の中で、ラビを慕う少年がそう考察していたはずだ。

だけど、男はゆっくりと、首を横に振る。

「考えてみてほしい。生命の秘術には膨大な魔力が必要だから、ゴーレムには感情や言葉が与えられなかったんだ。なのに、どうしてゴーレムが感情を持ったみたいに暴れたのだろう」

ひとつ疑い出すと切りがない、と男は言う。

「どうしてラビは、ゴーレムに火を放ったのだろう。土でできた人形が勢いよく燃えるのか、という疑問はさておいても、魔法が解けたゴーレムは、勝手に土くれに還るはずなのに。それに、あれだけ優秀だ、偉大だと言われるラビが、強大な力を持っているゴーレムに、魔法を使い忘れるなんてことがあるのだろうか。まだあるよ。言葉を使えないはずのゴーレムが、どうして吼えるんだい。真実の鏡なんて代物が、どうして登場するんだい。ゴーレムが背中の文字を指差しただけで、真実らしい真実は何ひとつ出てこないのに」

火をつけたのは、街を壊してまわるゴーレムを、すぐにでも止めたかったから。その火は聖なる水によって魔法の火となり、だからゴーレムも燃えた。ラビの失敗だって、弘法にも筆の誤り、という諺もある。言葉というのは、あくまで言語という意味で、声自体が出せない、という意味ではないのではないか。真実の鏡は、あくまで雰囲気作りのための小道具に過ぎない。そもそも、物語はあくまでファンタジーなのだから、理屈を気にしても仕方がないだろう。

口には出さなくても、言いたいことは顔に出たらしい。

「ただの屁理屈かもしれない」男は表情を和らげる。「だけど、そういう疑問を並べたときに、僕には全く別の解釈が生まれるような気がしてならないんだ」

ゴーレムが暴れた理由に対する、別の解釈があるのだろうか。

「映画の作り手や、チェコの人たちは、たぶんそんなことは考えていない。牽強付会《けんきょうふかい》であることも否定できない。でも、今挙げた疑問に答える無理やりな解釈が、僕の頭には浮かぶんだ。そして」

「そして?」

「その解釈こそ、今回の事件の真相だ」

男は淡々と、連続殺人の動機はわかっている、そう断言した。

つま先から頭の天辺まで、身体中がこわばりを覚えた。厚い雲がかぶさったのか、小窓の光が弱まり、僕は地下室の気温がすっと下がったような錯覚を抱いて、身体を縮める。

だけど、視線だけは男から逸らさなかった。

男はそんな僕を見返して、一言、ある言葉を口にした。

最初は、何を言われたのかわからなかった。機械的に言葉を復唱した僕に、男は頷いて、聞き間違いでないことは確認できた。

だから、僕は言葉の意味を考えた。何度も口内でつぶやいては、ひどく単純なその言葉の意味を、必死で反芻《はんすう》する。

すべての答えが雨のように降ってきたのは、間もなくのことだった。

「殺人というのは、当たり前だけど、とてもハードルの高い行為だ。何か目的を達成しようというときに、人を殺すという発想は、なかなか生まれないはずなんだよ」

「だけど、僕らの周りには死が溢れているよ」

僕らを引っ張る太陽でさえ、黒にあっけなく殺された。

「犯人は、自由に動きまわれた子供だ」

僕の答えを悲しげな表情で受け止めた男は、そう言った。

「犯人は、川縁の小屋の場所を知り、ごみ山や街に出向くことのないソム兄さんの存在を知っていた。つまり、犯人は黒でも、ストリートチルドレンを嫌う観光客でも、工場の親爺でもない。墓守のうち、川縁の小屋を襲撃しなかった子供も除かれる」

矢継ぎ早に、男は犯人候補を削っていく。

「たとえば、いなくなった墓守のふたりが、あとで知らなかった仲間に小屋の場所を教えれば、ティアネンとソム兄さんを殺すことはできるかもしれない。しかしそうは思えない。三件の殺人は同一犯によるものだ。さっき言ったように、被害者たちにつながりがあるから無作為に殺されているわけではないし、またそれぞれの殺人にそれぞれ別の動機があってたまたま連続殺人に発展したとも、やっぱり考えにくいだろう？」

僕が頷くのを待って、男は話し続ける。

「被害者の三人は、もちろん犯人ではない。ソム兄さんが犯人で凶行後に自殺した可能性は先程否定された。次にアリバイ。ザナコッタを殺せない三人の墓守とコンは、犯人ではない。ずっと一緒に行動していた君とナクリーも、犯人ではない。ソム兄さんの死体を発見したとき、まだ血は固まっていなかったとさっき言ったよね？　それなら君とずっと一緒に行動し、死体発見時には対岸にいたナクリーに犯行は不可能だ。雨乞いでもない。スラム街から遺跡に向かった君たちを追い越して、ティアネンを殺すことはできない」

残ったのは、たったふたり。

ふたりとも、僕がカンボジアに放り出されて以来、ともに過ごしてきた仲間だ。そのどちらかが、他の仲間を殺した。

頭の中で思い浮かべたふたりの顔が、突然ぼやける。スコールの幻が、記憶の中の仲間の姿を曖昧にしていく。

——雨が止まないもの。

全身を、寒気が包み込んだ。思わず腕をさする。汗ばんだ、べたべたした感触さえ、氷を撫でているように冷たく感じられる。

——雨が降ると、沈むんだ。

僕は首を強く、横に振る。

僕らは仲間だった。だから僕は、降り続く雨に、自らの涙に溺れていく仲間に、手を差し伸べたいと思った。それが、かつてヴェニイが僕にしてくれたことだった。そして今、目の前の日本人が、僕にしてくれていることだった。

「どうして、お兄さんは僕を助けてくれるの」

僕の問いに男は目を丸くし、微笑んだ。

「昔、同じように監禁されたことがあってね」

日ごろの行いは悪くないはずなんだけど、と自分で言う。

「そのときも、君くらいの歳の子供が一緒にいたんだ。僕は彼の力になりたかった。だけどなれなかった。だから、今度こそ力になりたくてね。まあ、とても個人的な話さ」

情けは人のためならず、とは本当のことなんだよ、と男はつけ加えた。

「お兄さんは、一体何者なの」

何度も監禁されたことがあるこの不運な日本人は、一体誰なのだろう。男は少し照れたように頭をかき、そして少し偉そうに胸を張った。

「僕は、名もない旅人さ」

ドアが激しく打ち鳴らされたのは、そのときだった。

錆びたドアは、叩かれるたびに低い音を響かせる。ごうん、ごうんと、何だかお寺の鐘をついているようだ。旅人は素早くドアに寄ると、同じようにドアをこぶしで叩き返した。

ドアを叩く音が止む。金属がかち合う音がして、重々しく開かれる。

大量の光が差し込んできて、僕は思わず目を細めたけれど、光に慣れた途端、今度は目を見開いた。

ドアの向こうに立っていたのは、茶色い制服を着た警官と、ヨシコだった。

「良かった！　無事だったんですね」甲高い日本語を発しながら、ヨシコは男のもとに駆けよると、大きく息を吐いた。「まったく、勝手にひとりで乗り込むなんて、どれだけ心配したと思っているんですか！」

「すみません」悪びれた様子もなく、男は肩で息をするヨシコに笑みを向ける。「売春宿を摘発するなら、警察を動かす必要があるでしょう。日本人が監禁されたとなれば、大使館を動かせる。警察に圧力をかけてもらうのが、一番早いと思ったんですよ」

「だからって、こんな――」そこでヨシコは僕を見て、盛大に後ずさった。「き、君は」

忘れていたけれど、ヨシコにとって、僕はティアネン殺しの凶悪犯なのだった。

「彼は僕の友人です」男は僕の肩をぽんぽんと叩くと、悪戯っぽく口角を上げる。「安心してください、殺人鬼なんかではありませんよ」

「え、どうしてそれを、でも」

関係がわからないのだろう、僕と男を交互に見やりながら、すっかり混乱している様子のヨシコに、男は表情を引き締めて言う。

「そんなことより、他に閉じ込められていた子供は」

「ええと、それなら皆保護しました。あなたたちが最後です」

「ナクリーは」思わず僕は口を開く。「皆は、無事なの！」

「ナクリー？　睡蓮柄のスカートを穿いた女の子なら、さっきそこで」

「無事なんだね！」

「え、ええ、無事よ。特に怪我をしている様子もな——」そこでヨシコは再び目を剝いた。

「き、君、今日本語喋った？　え、ちょっと、日本語喋って——」

問い詰めようとするヨシコを押しのけるようにして、僕は地下室の外に飛び出した。驚いた様子の警官を置き去りにして、木造の床が軋む廊下を走り抜け、階段を上る。半開きになった木製の青いドアを蹴り開けると、薄暗い廊下が出現した。正面のドアが大きく開いていて、八畳ほどの広い部屋が見える。見覚えのあるそこは、いつか黒から逃げて飛び込んだ場所だった。

とっさに僕は廊下を右に曲がる。廊下の先はさらに右手に折れ、そこから淡い光が洩れていた。僕はスピードを一切緩めず、光に飛び込む。

貧相な裏庭には、大勢の人がひしめいていた。

軍服にも見える、茶色い制服を着た警官が慌ただしく動きまわっている。私服の大人が数人、深刻そうな表情で言葉を交わし、柵の外には、好奇心も露な野次馬が何人もたむろしている。

そして、花壇の前に、汚れた服を着た子供たちが五、六人座っていた。

「ナクリー！」

赤い傘を握りしめた少女が、弾かれたように立ち上がる。スカートを汚す土を払うこともせず僕に駆け寄り、そのまま抱きついた。

「無事だったんだね、ミサキ」彼女は耳元で鼻をぐずつかせる。「良かった。ミサキ、殴られて意識を失っちゃったから、私、心配で」

「僕は大丈夫だよ。それより――」

言葉を続けようとして、僕はためらった。けれどナクリーはすべてを察したように、小さく頷く。

「私は、大丈夫。何もされなかった」

身体からふっと力が抜けた。膝が折れ、思わず地面に手をつく。

「大丈夫？　頭が痛むの？」

我に返ると、ナクリーの顔がすぐ近くにあった。眉を寄せ、うつむいた僕の顔を下からのぞき込んでいる。

「平気だよ」自分に活を入れようと、額を軽く小突いて無理やり立ち上がり、周囲にたむろする人々を眺めた。「一体、何が起きているの」

「私にもよくわからないの。でも」ナクリーは裏庭の一角を指差した。「私を助けてくれたのは、お爺ちゃんよ」

大人の輪の中に、老人がひとり紛れていた。全員が服を着ている中、ひとり上半身裸で、下はピンクのズボンという恰好は、びっくりするくらい目立っている。

僕に気づいた雨乞いが、手招きをした。

「どうやらお前も無事だったみたいだな。まったく、子供のくせに無茶をして」

「もう子供じゃない」

「そうやってむきになるところが、子供なんだよ」

刺青を施した方の腕で、僕をぐっと抱き寄せる。固く骨ばった手は、痛かったけれど、温かかった。人に抱き締められるのは、いつ以来だろうか。もういない母の思い出が唐突によみがえりそうになり、僕はそっと雨乞いから離れる。

「あくどい医者だ。十人くらいが閉じ込められていたらしい」

雨乞いがあごをしゃくった先には、眠そうな顔の少年少女が地べたに腰を下ろしていた。その中に、以前僕を襲った墓守のふたりを見つけて、安堵に似た気持ちを抱く。

ふたりはストリートチルドレンとは思えないほど、さっぱりとした身なりになっていた。髪は丁寧に梳かされ、肌もきれいに洗われている。

墓守が最近見つけた新しい仕事、それこそが売春だったのだろう。だから、墓守がふたりいなくなったとコンから聞いたナクリーは、医者の家に向かったのだ。

「以前から、ここが売春宿なのは公然の事実だった。金を持った連中向けの宿だったから、警察も金を握らされて、黙認していたんだ。ただ、今回日本のNGOやら大使館やらが動いて、カンボジア政府としても検挙させざるを得なくなったんだろう。見ろ、街によくいる連中とは制服が違う。普通の警官とは、部署が違うんだろうな」

柵の横で、カンボジア警察のひとりが、厳めしい顔で野次馬を制している。その茶色い制服姿を見つめる雨乞いの目には、どこか皮肉めいた色が浮かんでいた。

これが現実なのかもしれない。僕らを助けたのは、法や正義といったものではなくて、金や力関係の延長に過ぎないのかもしれない。

それでも、乾季にだって雨は降るし、雨季にだって雨は止む。時には僕らの心が晴れ、世界に潤沢な水が満ちる瞬間があるはずだった。

——どんなに汚いものだって、きれいな星に見える一瞬があるんだ。

「そういえば、ミサキ、仲間がもうひとり見つかったぞ」

はっと僕は顔を上げた。雨乞いは出てきたばかりの戸口を示した。

「中で寝てるよ」

いてもたってもいられず、僕は踵を返して家に飛び込む。外光に目が慣れたせいか、廊下はさっきよりもなお薄暗く感じた。けれどよく見えないことなどお構いなしに、僕は閉じているドアを、片っ端から開けていく。

三つめのドアを開けたとき、中で人の気配がした。

開放感のある部屋だった。正面に、観音開きの大きな窓がある。半面だけカーテンが引かれ、繊細な椰子の木の柄が風に揺れている。窓の下には大きなベッドがあった。どれだけ寝返りを打っても問題なさそうなサイズだ。

その真ん中で、大きさに萎縮したみたいに身体を縮めて、少年がひとり眠っていた。ベッドの前で、濡れたタオルを手にしたエリザが振り返り、息を呑む。彼女を無視して、僕はベッドに歩み寄った。眠っているのは、間違いなく仲間のひとりだった。

言葉にならない僕の呼びかけに、少年は穏やかな寝息で応える。彼はやつれていた。コンほどではないにしても、頬がこけ、疲労が深く刻まれている。胸からお腹まわりを覆うタオルケットが、寝息に合わせて規則的に上下していた。

安堵と悲しみが、同時に襲いかかってくる。

僕は仲間の無事を知り、連続殺人の犯人を確信する。

気がつくと、雨乞いとナクリーが隣にいた。ドアの近くでは、ヨシコと地下室の男が、エリザと言葉を交わしている。僕の視線に気がついたヨシコが、拍手みたいに手をパン、パンと合わせて、注意を促した。

「あなたたちはホームに来なさい」ヨシコは僕とナクリーを順に見やる。「皆疲れているんだから。お腹も空いてるでしょう。一度ホームで休みなさい。他の子も、ちゃんと連れていくから。今聞いたけど、近くの舟にもひとり、男の子が寝てるんでしょ？　その子も一緒にね」

ヨシコの日本語を、エリザが早口でカンボジア語に翻訳する。

「仲間の行方を本当に探し当てるとはな。立派なもんだ」

ナクリーと顔を見合わせる僕の肩に、雨乞いが手を置いた。

違う。

「まだ終わってない」

まだ僕は、仲間を全員見つけていない。

「まだやらなきゃいけないことがある」

僕は雨乞いを見つめた。

「雨が、降ってるんだ」

隣でナクリーが息を呑む。

「仲間の心の中で、雨が降り続いているんだ」

雨を止めること、それが僕のやるべきことだった。

「おいおい、ちょっと待て――」

「雨乞いがすべきことは、僕を止めることじゃなくて、雨を降らせることだよ」

絶句する雨乞いに、僕は唾を呑み込んで、言う。

「そして僕は、雨を止ませないといけない」

ドアにもたれかかった男が、小さく微笑んだ。旅人の笑顔に勇気を得て、僕は自分自身に言い放つ。

「やらなきゃいけないことから、逃げちゃいけないんだ」

僕はベッドの端に足をかけると、そのまま窓枠に飛び乗った。風にはためくカーテンに摑まり、外に顔を出す。敷地の側面に位置しているのだろう。幅の狭い庭やその先の細い路地には、裏庭にたむろしている警官の姿もない。

「ありがとう、名も知らない旅人さん！」

振り返らずに、僕は大声で叫んだ。呆気に取られていたヨシコやエリザが、口ぐちに何かを言い出す。背中越しに聞こえる声をかき消すように、僕は窓枠から外に飛び出した。左手に摑んでいたカーテンが、反動で裂ける。椰子の木が半分になり、絵柄は台なしになってしまったけれど、僕はそれを庭に放った。今、時間は椰子とは比べものにならないくらいに大事だった。

僕は一足飛びに柵を越え、路地に躍り出た。

荒れた路地を駆ける。果物を山盛りに積んだリヤカーの横を過ぎ、甘ったるい果物の香りの中を突っ切ると、道の先から川のにおいが漂ってきた。ほどなく川沿いの道にぶつかり、人で賑わう大橋が右手に現れる。

大橋を横目に道を北上しながら、僕は考える。

地下室での推理は、犯人は僕のふたりの仲間のどちらかだ、というところまでたどり着いた。だけど、本当は最初から、犯人はひとりしかあり得なかったのだ。

犯人に不可欠の条件はふたつあって、ひとつはこの数日間、自由に動きまわれたこと。もうひとつは、ソム兄さんが掘っ立て小屋にいるのを知っていたことだ。

そう、僕は確かに目にしていたのだ。

彼が自由に動きまわっているのを。彼が、ソム兄さんが対岸に身を潜めていることを知っていたのを。

——きっと、ソム兄さんは森で、食べ物でも探してるんだ。

右脚を失い、歩くこともままならないソム兄さんが、川を泳いで渡ることはできない。一艘しかない舟は、川縁の小屋側の岸辺に置いてあった。一方で、仲間が皆空腹に喘いでいたのは確かだ。墓守に襲われて混乱している中、コンの誤情報をわざわざ疑ってかかるのは、ソム兄さんが対岸にいることを知っていた、僕と彼だけだ。

強く息を吐いて、僕は川沿いのでこぼこした悪路を走る。切り出された木材を積んだトラックが、うしろから僕を追い越していく。

彼がどこにいるのか、僕にはわからない。走り切った先に、本当に彼がいるのか、という不安は消えない。けれど、彼が何をしようとしているのか、今の僕にはわかる。僕は医者の家に群がる人々の姿を思い出す。その中に、いてもおかしくはない警官がひとりいないことに、僕はすぐに気づいていた。

黒はどこにいるのか。

否応なく不安が膨れ上がる。それでも、僕は走るのを止めなかった。医者の家を出たときからずっと、僕を追いかけてくる仲間がいることを、振り返らずとも知っていたからだ。

風景がうしろへ、うしろへと流れていく。絵の具のように溶けて混ざり合っていく。

息継ぎの音が大きくなる。口がだらしなく開き、腕が重たくなる。

それでも僕は駆けた。足を止めれば、その時点で大切な何かが終わってしまう気がした。

走り続けて——僕はついに、その場所にたどり着いた。

沈みの橋の上に、ふたりは立っていた。

ひとりは、黒い銃身を連想させる大人だ。両手をだらりと下げて、けれどそれはいつでも動き出せるようにあえて力を抜いているふうだった。

そしてもうひとりは、よく見知った少年だ。全身をずぶ濡れにして、けれど今にも挑みかからんばかりに前のめりになっていた。掲げるように前に差し出された両手の先に、鈍く光るナイフが握られている。

仲間の少年が、両手を振りかざして駆ける。思ったよりはるかに俊敏で、素早い。もうひとりも、瞬時に動く。腰に手を伸ばし、すぐに腕を振り上げた。ナイフで切りかかる少年に、腕を真っ直ぐ向ける。

ぱん、という音がした。

乾いた、軽い音だった。

僕の前で、少年が、ゆっくりとくずおれた。

第六章　空の涙

ごみ捨て場を山と呼び、ごみ拾いを狩りと称する。天敵である警官には黒と名づける。暗号めいた呼び名は、現実をうまく隠すためのオブラートなのだ。直接口にするには重たくて生々しい現実を、別の言葉に置き換えて和らげる。それは、この世界で生きるための、他愛のない、けれど切実な術のひとつだった。

僕は単純に、そうした呼び名をつけるのが好きでもある。奇をてらった呼び名である必要はない。もともとの名前とは別に、そのものを特徴づける言葉、いわば渾名を探すのは、ストリートチルドレンである僕の、お気に入りのゲームだった。

もちろん、それは仲間に対しても同じだ。

たとえば、フラワー。彼はとびっきりの美少年で、場を和ませる話術にも長けている。花のように美しい少年は、そこにいるだけで空気が華やいだ。だから僕は密かに彼を愛称で呼ぶとき、いつもそこに咲き誇るあでやかな花のイメージを重ねていた。

たとえば、ティアネン。子供っぽくて、短気で、暴力的な少年は、狩りではいつも大活躍の副リーダーだった。狩りへの入れ込みようという点で、彼の右に出る者はいない。だから僕は、弓のエンブレムが縫いつけられた短パンを穿くティアネンを、ときおり狩人に見立てていた。

たとえば、ソム兄さん。ソム兄さんは、いつも川岸で寝転んでいた。喋らず、狩りにも行かず、仲間の愚痴に嫌な顔ひとつ見せず耳を傾け、そうでないときはただ、悠然と地面に寝そべる。その様は、観光地にある、穏やかな眼差しの仏像にそっくりだ。だから僕は、川辺で寝そべる彼を見るたび、寝仏の姿を連想するのだった。

たとえば、コン。卑怯で小ずるくて、でも憎めない少年は、どこか狐を思わせた。コンという通称がまた、狐の鳴き声を連想させる。

僕は仲間ひとりひとりに、異なるイメージを重ねていた。それは遊びで、同時に自分を救うための大切な術でもあった。

†

凍りついた時間を融かしたのは、呻き声だった。声の主はお腹を抱え、沈みの橋の中央で仰向けに倒れている。僕は少年のもとに駆け寄った。彼がまだ生きているという安堵が、拳銃を構える警官への恐怖に勝った。

すり減った煉瓦の上にひざまずき、少年を見下ろす。彼の身体に手を触れた僕は、息を吞んだ。両手の下、お腹のあたりに、赤黒い染みが広がっている。染みは少しずつ、けれど着実に大きくなり、すぐに両手では隠し切れない範囲に及んだ。

「ああ」絶望じみた思いが、口から洩れる。「そんな」

煉瓦を踏み鳴らす靴音に、僕は顔を上げた。黒が僕らを見下ろしている。黒光りする拳銃を右手に握り、空いた左手であごをかく。

「また、お前か」

ヴェニイとルウを殺し、ティアネンに怪我を負わせ、そして今再び仲間を傷つけた男は、どこか疲れた様子で、ため息を吐いた。

「せっかく生かしておいてやったのに、やっぱりお前も殺されたいのか」

「そうだ、殺すんだ」

弱々しい声が割り込んで、僕ははっと視線を下ろす。お腹を血で濡らした少年が、うっすらと目を開けている。

「黒を、殺すんだ」

ひゅう、ひゅう、という呼吸音と一緒に、少年はつぶやく。それは喋るというより、言葉を身から削り出す行為に思えた。ひとつ何かを口にするたびに、命そのものが削られていく。

「俺を殺す? おい、笑わせないでくれ」

呆れたような声を出す黒を、少年は右手を動かして指差そうとする。だけど、右手の指は煉瓦の上をなぞるだけで、持ち上がらない。

僕の中で渦巻いていた憎しみが、消えていった。代わりに胸を満たしていくのは、痛いほどの悲しみだった。

「殺せば、終わるんだ」

「そうじゃない」

「全部、終わるんだ」

「違うんだ。違うんだよ」

投げかける僕の言葉は、まるで少年の耳に入らないようだった。それでも僕は、違う、違うと言いながら、少年の肩を抱き寄せた。くちびるを噛んで涙をこらえながら、少年の背中を撫でる。

乾いた靴音に、僕は顔を上げる。小さく首を振りながら、黒がゆっくりと橋の向こうに立ち去っていく。黒い銃身に似た後ろ姿は、何かを背負っているような重みを感じさせた。恐怖を忘れ、呼び止めようとした僕を、少年のささやきが止める。

考えたんだ。

「ヴェニイの、言うとおり、考えたんだ」

——考えなきゃ駄目だって、ヴェニイは言ったんだ。

「わかってるよ」

憑かれたように喋る少年に、僕は何度も頷く。少年の必死さは、嫌というほど理解できていた。たとえ、それが間違った結論を導いたのだとしても。

「どうして、僕らは、苛められるのかな」

——人形みたいで怖いですよ。

——単に縛られたくないというだけなら、獣と同じよ。

「僕は、考えた。そしたら、答えが、わかった」

——ここに転がっているのは、野良犬の、いや虫けらの死骸だけじゃないか。

——俺たちはお前らと同じ野良犬さ。

「僕らは、人間じゃないんだ」

——本当の僕らは卑しく餌に群がり、餌がなくなればそっぽを向く野良犬なのだ。

「だから、苛められないためには、証拠を見せるしかなかったんだ。僕が、人間である証拠を」

†

ゴーレムは、人間だ——地下室で旅人はそう口にした。

白の国とはチェコ、お城はプラハ城。身体の黒い、強大な力を持つ巨人とは、アフリカからヴェネツィアなどの海洋都市を経て、遠くチェコまで売られてきた、黒人奴隷だったのではないか。

旅人は、ひとつの物語を紡ぐ。

ユダヤ教の司祭であるラビは、奴隷商人から黒人奴隷を購入した。あらゆる知識を持つラビは、アフリカの言葉を操り、彼と契約を結ぶ。一定の期間、自分のもとで働けば、お前を生まれ故郷に帰してやろう。約束を守る証拠に、お前に報酬を与える。地図だ。毎月、お前の背中に故郷までの道筋を、文字で少しずつ彫ろう。文字は、この国の誰もが読むことのできるものだ。地図が完成すれば、お前は自由の身になる。街ゆく人に、背中の文字を読んでもらい、案内を乞うがいい。お前は言葉を喋れずとも、故郷に戻ることができるだろう。

理不尽な仕打ちへの怒りを抑え、黒人はラビとの契約を呑む。そうするほかに、生きて故郷に戻る術がないからだ。故郷への地図という希望を餌にして、ラビはシナゴーグで、奴隷を使役した。奴隷が反抗する可能性は低かったが、ラビは万一のことを考え、労働以外の時間には、奴隷に足枷をはめて拘束した。そして毎月、奴隷の背中に文字を彫った。

近代以前の東欧において、黒人は珍しい存在だった。街の外さえろくに知らない子供には、身体が黒い人間など、想像さえできなかっただろう。だから、黒人奴隷を目にした純粋な少年は、驚いて失神した。ラビは少年が理解しやすいように、黒人奴隷はゴーレムなのだ、と説明したのだ。

だが、ラビの目論見は、真実を映し出す鏡によって破綻した。

きっかけは、少年が聖なる書物、すなわち聖書をシナゴーグに置き忘れたことだ。黒人奴隷は聖書を見つけ、そこに書かれている文字を目にした。それから、シナゴーグに置かれた鏡で、自らの背に彫られた文字を確認し、衝撃を受けた。聖書と背中の文字は、明らかに別物だったからだ。

当時のチェコにおける識字率は決して高くなく、街の住人全員が文字を読めるということはありえない。また、聖書の文字はラテン語の可能性が高く、そもそもチェコで日常的に使われる文字ではない。

けれど、黒人奴隷がそんな事情を知っているはずがなかった。彼には、聖書の文字が、唯一正しい文字に思われた。その文字と、背中に彫られている文字が違う。背中の文字は偽の文字なのではないか――彼は疑心暗鬼に駆られた。

だから、彼は街に飛び出したのだ。ラビへの怒りを原動力に、故郷へ帰りたい一心で、街中を駆け巡った。すれ違う人々に背中の文字を示し、困惑する人々に怒りをぶつけた。そうして暴れる彼の前に、ラビが立ちはだかった。ラビは彼に、故郷までの道筋を告げた。チェコとアフリカを結ぶ道筋を、彼は理解できなかった。ただ、アフリカまでの距離が、およそ踏破可能なものでないことは、奴隷にも理解できた。衝撃は怒りを絶望に変えた。彼がうちひしがれている隙に、ラビは火を放った。彼は火に包まれながら、モルダウ川に身を投げた。

旅人の物語は、もちろんただの作り話だ。黒人奴隷の歴史、東欧世界と奴隷の関わり、そういった歴史的背景の裏づけがあるわけではないよ――旅人自身がそう笑った。それでも僕の心に、旅人の物語はとても強く響いた。

最初は、故郷へ帰りたいという奴隷の願いが、僕自身の境遇と重なったからだと思った。だけど、すぐにそうではない、と悟った。僕には奴隷の抱く、身を裂かれるような痛みが理解できたのだ。

自分は奴隷ではない、という思い。

物言わぬ従順な売り物ではなく、ひとりの人間だ、という叫び。

それは、僕自身の叫びだった。

――子供は親の道具だ。

三ヶ月前に、カンボジアという異国の地で、僕は父に売られた。僕はずっと背中に貼られた幻の値札を剝がそうと、背中をかいていた。僕は売り物じゃない、そう訴えたかった。

それは、ナクリーの叫びでもあった。

――傘をさしているのって、皆観光客だろ。

――観光客はね、雨でも晴れでも、傘をさしてるの。

売春宿で働く少女は、汚れたベッドの上で、雨の中傘をさして帰る客の姿を見ていた。街で、晴れた日に傘をさして歩く観光客の姿を目にしていた。彼女はずっと、傘をさす側になりたいと願っていたのだ。晴れ雨問わず傘をさす自分は、観光客と同じになったと、世界に主張していた。

それは、大勢の仲間の叫びだった。

――お前らは獣だ！

僕らを襲った墓守も、警官に襲われた墓守も、皆一様に訴えていた。

――ホームには自由がないから。

僕らは、自由になりたかった。

――俺たちは、ストリートチルドレンだからさ。

同じ人間だと、叫んでいた。

†

目の前に倒れる少年も、ずっと叫んでいたのだ。

「ヴェニイは、偉大な人間だ」

――俺は何でも知っている、偉い人間だ！

ヴェニイは、不思議な力に満ちた言葉で、常に僕らを照らしてくれていた。

――金に惑わされない、立派な人間だから。

ヴェニイの言葉は、いつも正しい。ヴェニイは僕らの太陽だった。

まして、ヴェニイの忠実な家来である少年にとっては、疑うまでもない、当然のことだった。

太陽が顔を出せば、空が晴れ渡る。それは自然の摂理なのだ。

――名言っていうのは、生きていくための道標だからさ。

彼にとっては、ヴェニイの言葉が道標だった。

「そして、ヴェニイを殺した黒も、人間だ。たとえどんなに、悪いやつでも、人間だ」

――あいつらに悪気はないんだよ。

――縄張りを荒らされたか、危害を加えられたか。あいつらが牙を剝くのは、こっちが仕掛けたときだけだ。

——動物は決して、自分からは人を襲わない。

自分から人を襲うのは人だけで、

——虫けらが人間を傷つけてはいけないんだぞ。

——人間である俺はいつでも、うるさい虫を始末していい。

人間を傷つけられるのは、人間だけなのだ。

「だから、人間を殺せば、僕も人間として認めてもらえるはずだ」

真っ先に墓守から逃げた僕のあとを追い、少年も逃げた。どうして僕は殺されなかったのか、その答えはとても単純なものだった。足の遅い少年は逃げるのに必死で、倒れている僕に構う余裕などなかったのだ。実際、少年のうしろには、彼を追いかけてくるザナコッタがいた。ザナコッタはペールで意識がぼんやりしていて、視野も狭くなっていたから、やはり倒れている僕に気づかなかった。

足元が多少覚束なくても、ザナコッタと少年では、身体能力が違う。加えて、少年は仲間内でも、特に足が遅かった。だから、少年はザナコッタに追いつかれた。

少年に最初から殺意があったとは思わない。たぶん、もみ合っているうちに、何かの拍子でザナコッタは転び、頭を石に打ちつけて、意識を失った。それに気づいた瞬間、少年の心に悪魔が宿ったのだ。

人間を殺せるのは人間だ。ならば、ザナコッタが人間だとしたら、彼を殺す自分も人間なのではないか——そう考えた少年は、ザナコッタに止めを刺した。そして、ザナコッタが人間であることを証明しようとした。

新聞紙は、何に使われたのか。

人間であることの見立てに使われたのだ。

――新聞は、いろいろな情報を手に入れるための道具なんだよ。

――情報があれば、いろいろ考えることができるんだぜ。

一際葦の生い茂る一角に、広げられたそれが山となって積み上げられている。

――人間は考える葦なんだよ。

ザナコッタを葦の川原に寝かせ、大量の新聞紙で囲む。それは、〝考える葦〟の見立てだった。そのために、少年は掘っ立て小屋まで新聞紙を取りに行ったのだ。

黒い傘は、何に使われたのか。

旅人が言ったとおり、新聞紙を濡らさないために使われたのだ。

掘っ立て小屋とザナコッタの死体の間を行き来するのは、少年にとって困難な行為だった。

――僕らがついてるから。

ヴェニイを殺した黒への恐怖から、少年はひとりでは沈みの橋を渡れなかった。

他の墓守への恐怖から、舟のある小屋まで戻ることもできなかった。

つまり、少年は川を泳ぐしかなかったのだ。だけど、新聞紙を濡らすわけにはいかなかった。濡れて読めなくなった新聞紙からは、情報が手に入れられず、それは考えることができなくなる状態を意味する。

だから、少年は傘を利用した。できるだけ川の水から遠ざけようと、傘を無理やりYの字に開き、その上に新聞紙を載せて、泳いで川を渡った。

人間の見立てを完成させた少年は、すぐに街へ向かった。自分が人間になったことを、すぐにでも確認したかったのだ。倒れていた僕を顧みる暇は、少年にはなかった。

「だけど、駄目だった。街に入った途端、僕は殴られた」

そう言って、少年は苦しげに息を吐き出す。

そのとき、背後に人の気配を感じて振り返ると、雨乞いがすぐそばに立っていた。胸の前で痩せた腕を組み、少年を見下ろしている。早く医者のところへ、とすがるように言う僕に、雨乞いは何も答えなかった。悲痛な面持ちで、黙って首を横に振った。

「どうして駄目だったんだろう」

雨乞いの登場に気づいた様子もなく、少年は喋り続ける。

「考えて、気づいた。僕はザナコッタの死体の周りを飾っただけで、ザナコッタそのものを人間だと示していなかった。それに、他の人が死体を目にする機会がないと、意味がないんだ。誰かが発見しないと、それが人間だとわからないから、殺した僕のことも人間だと気づかない」

淡々と、自分の犯行を説明し続ける。

「だから、ティアネンを殺して、ティアネンそのものが人間だとわかるように、顔を赤く塗ったんだ」

街でひどい扱いを受けた少年は、一度街から退避して、遺跡の方に向かった。そこで、ティアネンに出会った。おそらく、川縁で出くわしたのだろう。少年はティアネンを殺害した。殺害の過程で川に落ちて、ずぶ濡れになったティアネンを、少年は遺跡の中庭まで運んだ。他の人の目につきやすく、だけどすぐには発見されない場所だったからだ。少年には、ティアネンに見立てを施す時間が必要だった。

どうしてティアネンの顔に、血を塗ったのか。

血にこだわる必要はなかった。少年にとっては、顔が赤いということが重要で、一番手近にある赤いものが血だったのだ。少年はティアネンの首を切り裂き、流れ出る血を顔に塗った。死体を赤面させるために。

人間は考える葦である、という格言以外に、少年はもうひとつ、人間であることを証明する言葉を憶えていた。山で会ったヨシコの言葉を。

──心から楽しくて笑ったり、恥ずかしがって赤面したり、そうやって顔色がころころ変わるのが人間なのに。

ヨシコの発言は、ヴェニイによって正しい言葉へと変わった。

──おばちゃんが言ってたことは、全部嘘なの？

──ひとつのことを除いては、正しいな。

──笑ったり恥じらったりするのが人間だし。

赤い顔は、恥ずかしがって赤面している人間の、見立てだった。

「だけど、やっぱり駄目だった」

ティアネンの死体はずぶ濡れで、血はまだ乾いていなかった。僕とナクリー、ヨシコとエリザが死体に相対したときは、少年の見立てが終わってそれほど時間が経っていなかった、ということだ。

つまり、あのとき少年はまだ、近くに潜んでいたのだろう。

──悪魔よ。こんなの、人間のやることじゃないわ！

少年の目論見は、エリザの絶叫で、泡と消えた。人間として認められることを期待して殺人を犯したのに、人間であることを否定されたのだ。

「今度は、すぐに、気づいた。どれだけ見立てても、偽物はやっぱり偽物なんだ。本物の人間を殺さないと、駄目なんだ」

少年は小さく咳をした。くちびるの間から、赤い血が伝い落ちる。

「だから、僕は本物の人間を殺すことにした」

エリザの言葉を耳にした少年は、田圃の畦道を通り抜け、掘っ立て小屋に直行した。川を渡らずに北上した少年は、沈みの橋をぐるりとまわり込んで川縁の小屋に向かった僕とナクリーよりひと足先に掘っ立て小屋にたどり着き、そこでソム兄さんと再会した。僕がソム兄さんを舟で対岸に送ったその場に、少年は居合わせていた。だから、ソム兄さんが対岸にいることを知っていたのだ。少年はソム兄さんを手にかけた。

どうしてソム兄さんは殺されたのか。どうして死体に装飾がなかったのか。

ソム兄さんは、ヴェニイの兄貴だった。ヴェニイが偉大な人間であるなら、当然ヴェニイの兄は、人間だ。

だから、本物の人間であるソム兄さんを、少年は殺した。

本物の人間に、人間の見立ては必要ない。だから、装飾は一切施されなかった。

「だけど、僕は焦って失敗してしまった。ザナコッタのときと、同じ間違いをしたんだ。ソム兄さんの死体を、他の人が見つけやすい場所に運ばないと意味がなかった」

掘っ立て小屋は街から遠い。身体の大きなソム兄さんを運ぶのは、少年には無理だった。

「もう一度、人間を殺さないと。皆が見つけやすい場所で、本物の人間を殺さないといけない」

少年は余力を振り絞るように、煉瓦をなぞる指を持ち上げ、橋の向こうを指差す。

「だから、僕は黒を殺そうと思った」

ヴェニイという人間を殺した黒もまた、少年の中では本物の人間だった。

「だけど、駄目だった」少年の右手が、煉瓦の上に落ちる。「僕には、黒を殺すことができなかった。僕は、人間になれなかった」

だから――少年はついに、心のなかで何度言ったかしれない言葉をつぶやく。

「もう、諦めるしかないんだね」

川岸に生える木々が風に揺れ、葉擦れの音が、少年の息遣いをかき消してしまう。

無邪気な告白は、あまりに愚かで、幼稚だった。だけど、僕は彼の狂った論理に異を唱えようとは思わなかった。僕はホームの職員でも、ヒーロー漫画に出てくる正義の味方でもない。今更彼の言葉を否定し、彼を苦しめて、何になるだろう。

僕はただ、少年を助けたかった。

人間として生まれてきたにもかかわらず、人間の見立てをしなければならなかった仲間の、心に巣くう絶望を、わずかでも取り除いてあげたかった。

けれどたぶん、僕の言葉では届かないのだ。

川岸のナクリーを、ちらりと見やる。彼女は今も、赤い傘の柄を握っている。鮮やかな赤い色を確認するように見て、それから僕は視線を少年に戻す。

自分が人間であることを証明しようと考え抜いた少年なら、新聞紙を運ぶために利用した、黒い傘のもうひとつの用途に、自力で気がついたはずだ。

——傘をさすのは、観光客。

ナクリーと同じように、傘をさして歩きまわるのも、少年の理屈に従えば、人間の証明になったはずだった。だけど、少年はその道を採らなかった。それはきっと、少年が、すべての信頼をヴェニイの言葉に置いていたからだ。

——街から戻ったら、たくさん思いついた名言を、仲間の皆に教えてあげないと。

——傘と観光客の名言なんか、我ながらいい出来だし。

少年は、傘の名言をヴェニイ本人から聞いてはいなかった。だから、自分が考えついた結論よりも、人間は考える葦である、というヴェニイの言葉を優先したのだ。彼にとってはそれくらい、ヴェニイの言葉はまばゆい輝きを放つ、絶対的なよりどころだった。

少年の肩を抱く腕に、僕は力を込める。

「そんなことは、ないよ」

僕はヴェニイではない。僕の言葉に、不思議な力は宿らない。でも、

「ヴェニイは言ったんだ」

ヴェニイの言葉を伝えることはできる。

「工場にごみを売りに行った帰り道に、ヴェニイは確かに言ったんだ」

少年の耳元で、僕は告げる。

「お前は俺の、弟だ」

少年の震えが、背中にまわした両腕に伝わる。

「僕も、ティアネンも、フラウェムも、コンも、皆、ヴェニイの弟なんだ。もちろん、君だってそうだ。ヴェニイは人間なんだろ? なら、君だってそうだ。僕らは皆、ヴェニイの弟なんだ」

そっと少年の身体を横たえる。少年の目を、僕は見つめる。

「ヴェニイの兄貴が人間なら、ヴェニイの弟だって絶対に人間だよ」

煉瓦に横たわる少年の脂ぎった前髪が、風にあおられて一瞬逆立つ。

「ありがとう、ミサキ」

風にかき消されそうな小さな声で、少年はそう言った。

「だけど、本当かな」

汚れた頬を、涙がひとすじ流れ落ちる。

「もう、考えすぎてわからなくなった。ヴェニイの言うことは、本当に正しいのかな」

忠実な家来だったはずの少年の、太陽に対する信頼が、揺らいでいる。

——空が泣いているなら、泣き止んでほしい、と思う。

どうすれば、彼の涙を止められるだろう。

橋の上で、無力感に陥りそうになる僕の耳に、不思議な声が聞こえてくる。振り向くと、岸辺に雨乞いの姿があった。土がむき出しの地面の上であぐらを組み、両手を天高く伸ばしている。僕は目をしばたたかせた。雨乞いの姿勢は、フラワーが悪ふざけでものまねをした姿勢と、とても似ている。

雨乞いは百人一首の読唱みたいに不思議なリズムで、言葉を発している。声は次第に大きくなり、次の瞬間、意味をなして僕の耳に入ってきた。

雨よ降れ、雨よ降れ。

——雨乞いがすべきことは、僕を止めることじゃなくて、雨を降らせることだよ。

僕の言葉を、雨乞いは正面から受け止めてくれた。だから、雨乞いは、雨を乞うている。

真剣な表情で一心不乱に言葉を唱えていた雨乞いが、不意に僕を見た。にやりと笑い、一際大きな声を上げる。

雨よ、降れ。

声に応えるみたいに、梢が風に揺れる音が聞こえる。

ああ、そうか。

雨乞いが雨を降らせないといけないのと同じように、僕にはやらなければいけないことがある。そのことを、雨乞いが身をもって示してくれている気がした。

――僕は、雨を止ませないといけない。

雨乞いの祈りが耳に入っていない様子の少年に、視線を戻す。

「どうして天気が変わらないのか、知ってるかい。それは、君のせいなんだ」

僕は語りかける。

「君は泣き虫だから、他の皆の分だけじゃない、星の分まで泣いちゃうから、星がすねて、雨が降らないんだ。だから、君が泣き止めば、雨は降る」

少年の心に降る雨が止めば、本物の雨が降る。

「これも、ヴェニイが言ったことなんだ」

額に汗を浮かべた少年が、目を見開く。

「ヴェニイの言ったことが正しいかって？　正しいに決まってるじゃないか。今からそれを、証明してあげるよ」

叶うはずのない願いであることはわかっていた。でも、

「泣くのをやめなよ。それで本当に雨が降れば、ヴェニイの言うことはやっぱり正しい」

たった一度の奇跡を願っても、いいんじゃないだろうか。

「さあ、笑って」

僕は歌う。

——土砂降り、土砂降り、今日も雨。おそらがぽろぽろ、泣いている。お池はみるみる、川になる。

いつか、目の前の少年がお腹をこわしたとき、彼を寝かしつけようとしたように。母の優しさを、ヴェニイの言葉を、雨乞いの祈りを信じて、僕は子守唄を歌う。背中に風が吹きつけて、僕は風が自分を後押ししているのだ、と自分に言い聞かせる。

——土砂降り、土砂降り、明日も雨。おそらはどうして泣くのかな?

少年は、ぎこちなく、口元を歪める。

僕は彼の顔に指を伸ばし、目元に溜まった涙を指先ですくいとろうとした。

手の甲に、冷たさを感じた。

てっきり、自分が泣いているのかと思った。だけど、慌てて拭った自分の目元に、水滴はついていない。僕は少年を見下ろした。少年は目を見開いて、僕の背後を見つめている。

その頬に、水滴が落ちる。

僕は天を仰ぐ。頭上は、灰色の雲に覆われていた。いつの間にか周囲は暗くなり、だけど今はまだ夕方にはなっていないはずだった。

再び、冷たい感触が髪を濡らす。

「ほら」

驚きで半ば茫然としながら、僕は少年の肩を叩いた。

「雨だよ、空《ハヌル》」

一ヶ月と十日ぶりの雨が、降り始めていた。

†

勝手につけた渾名で、特にお気に入りのものがふたつある。

ひとつは、ヴェニイの渾名だ。彼は僕らのリーダーで、名言好きで、父に捨てられた僕を救ってくれた。暖かな日差しのように僕を癒し、いつも引っ張ってくれた。だから僕は彼のいつも着ている黄色いTシャツに、太陽のイメージを見て取った。

ヴェニイは僕の、太陽だった。

そしてもうひとつは、ハヌルのものだ。

他の仲間は、彼のことを泣き虫ハヌルと呼ぶ。実際、彼は泣き虫で、些細なことでいつも泣きべそをかいた。短気なティアネンは、ハヌルが泣き出すと苛立ちを隠さず、おかげでハヌルはさらに泣く羽目になった。

だけど、僕はどうしても彼を泣き虫ハヌルと呼ぶ気が起きなかった。なぜなら、彼にはもっと素敵な呼び名を考えついていたからだ。

僕は今でも、ヴェニイと最初に出会ったときを、まざまざと思い出すことができる。

今から三ヶ月前、小学校卒業後の春休みに、僕はカンボジアを訪れた。暦上は乾季のカンボジアで、僕は飛行機の到着と同時に雨に見舞われた。雨は降り続き、三日目の夜、僕は父の真意を知った。ホテルを飛び出した僕は、ただ闇雲に夜のカンボジアの街を駆けまわった。父に見つかる恐怖と、見知らぬ異国の街への恐怖から逃れたい一心で、どこをどう走っているのか、考える余裕はなかった。

そして迷い込んだ通りのひとつで、僕はヴェニイに出会った。

ヴェニイはずぶ濡れで、泣きながらくしゃみを連発する僕に、カンボジア語で何かを言った。僕がまるで理解できていないことを意に介さず、ヴェニイはひとしきり何かを喋った。それから、自分についてくるよう手で促して、通りを歩き始めた。

翌日、三日間降り続いた雨は止み、僕のストリートチルドレンとしての生活が始まったのだ。あのときヴェニイが何と言ったのか、その後訊く機会があった。川縁の小屋で暮らして二ヶ月半が経った六月の初旬、暦上は雨季になっているはずの頃だ。

——泣いちゃいけないって言ったんだ。

Tシャツの裾を引っ張ったり戻したりしながら、ヴェニイは僕に教えてくれた。

——雨が降っているときには、泣いちゃいけないのさ。

——どうして？

――雨とは、涙なんだ。俺たちがどうしようもなく辛いときに、星が泣いてくれるんだ。せっかく代わりに泣いてくれるのに、俺たちまで泣いたら、意味がないだろう？　雨が降ったら、笑うべきなんだよ。

詩的すぎることを、ヴェニイは得意げに語った。

――ほら、ハヌルを見ろよ。あいつは泣き虫で、雨が降ってる間も構わず泣きまくってたんだ。だから、こんな天気になっちまった。

外の曇りぞらをヴェニイは指差す。

――星がすねたんだ。

そこで、ヴェニイは悪戯っぽく笑った。

ずいぶんといい加減な説明だ、と僕は思った。だけど、非難する気持ちにはならなかった。

僕がヴェニイと暮らし始めてからも、乾季とはいえ、ときおり雨が降っていたが、二ヶ月近くが過ぎて、いよいよ雨季という時期になると、逆にぴたりと止んだ。以降、天気は晴れと曇りの間を彷徨《さまよ》い続けていたけれど、雨は一切降らなかった。その頃も泣き虫ハヌルは、事あるごとに泣いていた。

そんなとき、僕は彼が〝空〟という名前であることを思い出した。韓国系である彼は、自分の名前を漢字で書くことができた。ハヌルというのは、〝空〟の韓国語の発音らしい。本来はハングルでしか表記できない名前らしく、ただそれでは誰も理解してくれないので同じ意味の漢字をあてているのだという。

空は、いつも泣いている。星がすねるくらいに泣いている。まるで、星の涙をすべて引き受けているみたいだ。空の涙は、そらの涙だ。

それ以来、フラウェムをフラワーと呼ぶのと同じように、僕はこっそり、彼を空と呼ぶことにした。泣き虫ハヌルより、はるかに詩的で、良い呼び名だと思っている。

†

雨が、降っている。

一ヶ月と十日ぶりの雨が髪を濡らし、前髪を伝って地面に落ちる。久しく洗っていないシャツが、重さを増していく。周囲には、長い間耳にしなかった雨音が満ちている。

目を瞬かせながら、僕は少年を見下ろす。口を半開きにした少年の頬を、雫が流れ落ちていく。涙ではない、本物の雨が、彼の頬を濡らしている。

「ほら、言ったとおりだろ。雨が降ったよ、空《ハヌル》」

奇跡を当然予想していたかのように、僕は振る舞う。声が裏返り、驚きはまるで隠し切れていなかったけれど、空が構う様子はない。ただ、真っ直ぐにそらを見上げている。

僕は周囲をうかがった。

雨乞いは、茫然と天を仰いでいる。いつの間にかやってきていたナクリーも、開いた傘を地面に落としたまま、雲を見上げていた。

誰もが一様に、突然の雨に心を奪われている。

雨の冷たさに小さく震えながら、僕は心の内で大切な仲間に話しかける。

ヴェニイ、本当に雨が降ったよ。

空が泣くのを止めたから、星もすねるのを止めたんだ。

雨の音が強まった気がして、僕は川に目を向けた。橋の手すりの間からのぞく茶色い水面に、無数の波紋が生まれては消えている。川を打つ雨の音は、まるで騒々しい自然の合奏だ。音は全然違うのに、シンバルやタンバリンといった賑やかな打楽器を、僕は連想する。

雨音は、どんどん強くなる。

気がつくと、川面がずいぶんと近づいている。ちょっと信じられないような勢いで、水かさが増していた。

雨季の川について、誰かが大切なことを言っていた気がする。

目を閉じながら、記憶を探ろうとした、まさにその瞬間だった。


世界が、揺れた。


足元がぐらりと傾き、聞いたことのない不気味な音が耳に入る。雨音を凌駕する凄まじい音に合わせて、視界がゆっくりと傾いていく。

悲鳴に、背後を振り返る。橋のたもとに雨乞いとナクリーが座り込んでいた。ナクリーは腰が抜けた様子で、姿勢を乱して横座りしている。その隣で、雨乞いが僕を指差し、何かを怒鳴っていた。不吉で巨大な音のせいで、雨乞いの声はまるで聞き取れない。

一際大きな揺れが襲ってきて、僕は飛び上がった。

——雨が降ると、沈むんだ。

唐突に、ヴェニイの言葉がよみがえる。

僕は周囲に目をやり、自分の置かれた状況の異常さに、ようやく気がついた。

沈みの橋が、大きく傾いている。

倒れている空が、なす術もなくごろごろと右手に転がっていった。

「空！」

叫んではみたものの、僕自身も右手に滑っていき、無我夢中で煉瓦を積み上げた橋の手すりにつかまる。その手すりの間から、頭が外に飛び出す。目の前を、濁流が恐ろしいスピードで流れていく。

僕は橋のたもとの、水に沈んだ煉瓦の様子を思い出した。ザナコッタの死体を見つけたあとに、一瞬だけ目にした橋脚は、藻に覆われ、今にも朽ち果てそうに見えた。

——雨が降ると、沈むんだ。

破裂するような音とともに、橋がさらに傾く。

巨人があらん限りの力で、川の水を押し、橋を持ち上げているようだった。奴隷ではなく、人間であることを訴えて、不可視のゴーレムが暴れている。

「ミサキ！」

かすかに聞こえてきたナクリーの声で、僕は現実に引き戻される。意を決し、傾いた橋に這いつくばるようにして走る。岸辺が近づく。転びそうになるのをこらえ、岸辺に向かって身を投げた。雨乞いの痩せた胸が、僕を受け止める。礼を言う余裕もなく、僕は振り返った。橋の手すりに引っかかった空が、それでもゆっくりと、向こう岸に這い進んでいく。彼のすぐうしろで、煉瓦の一部が崩れ、川に落ちる。土砂降りと、濁流と、橋の崩れる音が、世界を蹂躙《じゅうりん》する。

「空！」

僕の声が、届いたのかはわからない。

でも、空は振り返った。

岸辺で寄り添う雨乞いと、ナクリーと、僕の姿を認める。

安心したように、一度瞬きをする。

そして、空は、微笑むように口を開き——

橋を造っていた煉瓦が裂け、宙に跳ね上がる。空の姿が、煉瓦の陰に隠れて消える。

轟音が、響き渡る。

沈みの橋が割れる。アーチが崩れ、溢れかえった濁流が、橋を呑み込み押し流していく。無数の煉瓦の破片が宙を舞う。破片は、灰色の雲を背に川面に降り注ぐ。

雨乞いに支えられたまま、僕は橋が沈みゆく光景を見取った。砕けた煉瓦の破片が降る様は、雨のようでもあり、巨人が流す涙のようにも、僕には見えた。

終章　夢

工場は狭く、僕は相変わらず息苦しさを感じる。屋内は機械の稼動音に満ち、積み上げられた金属部品やゴムタイヤは天井に迫る勢いだ。空間はすべて埋め尽くさなければいけない、とでもいうような圧迫感を覚えながら、ゴムタイヤの隙間を縫って工場の奥に進む。

いつもの位置で、工場の親爺はいつもどおり機械を蹴っていた。声をかけると、凄みながらコンクリートの床に広げられたブルーシートを示す。僕は背負ってきた麻袋を、シートの上で引っくり返した。ラベルの剝がれた、それなりの量のペットボトルが、軽やかな音を立ててシートの上に転がる。

「ペットボトルばかりだな」

「これだけ集めるのに苦労したんだ」

親爺はまだつぶれていないペットボトルをひとつ拾い上げ、数秒見つめたあと、ふん、と鼻を鳴らした。

「相変わらず、洗いが足りねえな」

「素手で摑めるくらいには、洗ってきたつもりだよ」

生意気言うんじゃねえ、と声を荒らげると、親爺は汚れたズボンのポケットから丸まった紙幣を取り出し、僕に放った。受け止めた紙幣は、広げると五枚あった。

「五百リエルじゃ、売れないよ」

「買うんじゃない。引き取ってやってるんだ」

「千リエル。せめてそれくらいくれないと」僕はこれ見よがしにため息をつく。「もっと高く買ってくれる業者だっているんだ。だけど、前からよくしてもらってるから、あえてこっちに来てるのに」

「よく言うぜ」

「頼むよ。僕らも少ないごみの中から必死で探してるんだ。次もここに持ってくるからさ。そうだ、ペットボトルだけじゃなくて、ビニール袋も持ってくるよ。ビニール袋は街で結構手に入るんだ。知ってる？　ドブの中の小さな網のところに、よくジュース用のビニール袋が――」

「やかましい！」

言い終わらないうちに、親爺の蹴りが僕を襲う。予想どおりだったので、僕はうしろにジャンプして身をかわした。親爺は腹立たしげに舌打ちすると、もう一度ポケットに手を突っ込み、紙幣を地面に投げる。

「そいつを持って、とっとと失せろ！」

僕は紙幣と麻袋を拾うと、礼を叫びながら一目散に工場を飛び出した。敷地の外に出たところで一度足を止め、稼ぎを確認する。紙幣は合わせて九枚だった。次はもう少しふっかけられるかもしれない。僕は笑いながら、濡れないように手早く紙幣を折り畳んでポケットに仕舞った。

雨は今日も降っている。

ゆっくりと顔を上げる。霧雨が、頬をほんのり濡らしていく。

傘をさそうとは思わないくらいに弱々しい、けれど確かに水の味がする、雨だ。

湿った髪をかき上げながら、僕は大橋に向かって歩き始める。ほどなく左手に、川に延びる小道が現れた。少しためらったあと、小道に進む。両脇に生える木々の枝葉が、屋根みたいに大きくせり出しているせいで、なんとなく薄暗い。でこぼこになった地面のそこかしこに雑草が顔を出していた。何だかアーケードみたいだ。今は誰も使わない、シャッター街だ、と僕は思う。

自然のアーケードの下を進むと、ふっと雨のにおいが強くなり、川に出た。濁った水が、ごうごうと音を立てて流れている。硬いものを踏んだ感触を覚え、足を上げると黒ずんだ煉瓦の破片だった。破片はあちこちに散らばっている。川に近づくにしたがって数を増していく破片は、ある場所から唐突に見当たらなくなった。かつて橋が架かっていたその場所には、急ごしらえの侵入禁止の柵が設置されている。その向こうには、濁流がのぞくだけだ。

倒壊した沈みの橋は、一ヶ月経った今も、復旧作業が始まる兆しもない。

以前の穏やかな水面からは想像もつかない、荒々しい川の流れをしばらく眺めたあと、来た道を戻り、大橋に向かった。

人で賑わう大橋を抜け、再び川沿いを北上する。やがて左手にこんもりした林が見える。旅人がパンヤ遺跡、と呼んだ場所だ。

パンヤ遺跡、というのは通称で、正式な名前は誰も知らないらしい。何だか美味しそうな渾名だけれど、雨乞いによると、パンヤとは樹木の名前なのだそうだ。木からは綿毛と油がとれ、綿毛は枕などのつめものに使い、油は空腹を満たすために舐めるのだという。

——内戦時代には、わしも世話になったもんだ。

パンヤ遺跡という渾名が定着したのは、そのころのことらしい。内戦というのが何を指しているのかはよくわからない。きっと、昔カンボジアで戦いがあったのだろう。そして戦いの最中に大切なのは、遺跡そのものよりも、まわりの木で空腹を満たすことだったのだ。だからたぶん、この遺跡にはパンヤという渾名がついた。

木々の間を抜け、石畳の道を進むと、まもなく門が現れた。黒ずんだ石壁に施されたレリーフはすっかり見飽きてしまったけれど、それでもやっぱり迫力がある。一番のお気に入りは、鼻の長い豊満な象の神様が湛える、柔らかいのに力強い微笑みだ。

その象の神様の前で、仲間が待っていた。

門を背もたれにして腰かけたナクリーが、赤い傘を傾ける。

ピースサインを作ると、彼女は少し照れた様子で、ピースサインで応えた。

「やあ《サバイ》」

「やあ、ミサキ。稼《サバイ》ぎはどうだった？」

「まああかな。やっぱり労働って素晴らしいね」

適当なことを言う僕に、ナクリーのうしろから顔を出したフラワーが、ふふ、と笑う。象の神様も顔負けの優しい微笑みに、僕は少しどきりとする。

からの麻袋と引っかけ棒を草叢に放ると、僕はふたりの横に並んで座った。レリーフの柔らかな表情にそぐわないざらざらした感触が、背中越しに伝わってくる。

「頼んだものは、見つかった？」

「もちろん」

尋ねると、フラワーは傍らにあった木の枝を示した。大振りの、たぶん僕の身長ほどの長さがある、立派な枝だ。枝先には、少し黄ばんだ白いTシャツが、旗みたいにくくりつけられている。

「Tシャツは、穴の開いた、着古しだけどねえ」ふふ、と笑ったあと、フラワーは僕に尋ねる。

「だけど、木の枝なんて、何に使うんだい」

「お祈りだよ」

「お祈り？」

「昔ヴェニイに聞いたんだけど、お祈りには、白い旗を立てるんだって」

カンボジアでは、家族が死ぬと、家の外に白い旗を立てる風習があるのだという。

「パンヤ遺跡は、皆の魂が眠るお墓なんだ」

僕は門に彫られた象の神様を振り返る。神像は、墓を見守るように、微笑み続けている。

「ここは、王様も眠る場所なんだ。きっと、死んだ人は皆ここで眠っているんだ」

「生まれ変わる前に、ここで一休みするの？」

「そうだね」

僕はナクリーに微笑みかける。

「だから、ヴェニイやティアネン、ザナコッタ、ルウも、少しの間、ここで眠っているんだよ」

「こんな林の中で眠っていたら、寂しいよねえ」

フラワーが、鬱蒼としたパンヤの林を見まわす。

「うん。だから、ときどき僕らが来て、お祈りをしてあげれば、少しは寂しくなくなると思うんだ」

「そうだ、だからお祈りは騒がしい方がいいんだ」

突然背後から声が降ってきて、僕は驚いて顔を上げた。石畳の道を、ピンクのズボンを穿いた雨乞いと、元墓守の三人の少年がやってくる。

「ほれ、持ってきてやったぞ」

雨乞いは、刺青の施された腕を上げた。手には、古びたラジカセが握られている。

「お祈りは、少しでも賑やかにやらなきゃいかんからな」

七人揃ったところで、僕らは四つの門に囲まれた中庭に集まった。一ヶ月前に、ティアネンが横たわっていたあたりを皆で囲む。フラワーが、一歩前に歩み出た。厳かな表情で、Tシャツを結わえた木の枝を地面に突き立てる。

「お祈りって、どうやるんだい」

「両手を合わせて、目を閉じて、祈るんだよ」

胸の前で、合掌してみせる。フラワーとナクリーも、見様見真似で両手を合わせた。目を閉じたふたりの眉間にしわが寄る様子を微笑ましく思いながら、僕も目を閉じる。


山へのごみの搬入が止まって、一ヶ月になる。

落ち穂拾いのように山に群がっていた人々も、今では半減した。聞いたところでは、ごみ捨て場はずっと遠い場所に移転し、現在は関係者以外の立ち入りが厳しく禁じられているという。誰かの捨てたごみが誰かの生活の糧となる、というごみの循環システムが機能しなくなるのはもうすぐだ。スラム街を出ていった住人も多い。

——最近、空き家が目立ち始めてな。

雨乞いに誘われて、僕らは川縁の小屋から、スラム街に住処を移した。雨で川が増水し、流れが荒々しくなったせいで、舟を移動手段とすることができなくなってしまったからだ。川縁の小屋を模して改装した元空き家で一緒に暮らす仲間は五人、ナクリー、フラワー、そして元墓守の少年三人だ。僕らは街に出て、ごみを拾ったり物乞いをしたり、ときどき雨乞いの仕事を手伝ったりして、お金を稼いでいる。だけど、正直なところ、生活は苦しい。だから僕らは今、新しい仕事を考えている。観光客を相手にした仕事だ。

一ヶ月前に比べて、観光客は増えていた。激増しているわけではないけれど、いまや街の大通りは傘をさす外国人でいっぱいだ。そんな観光客を相手に、何か商売ができないか。最初に提案したのはフラワーで、ガラス瓶を粉々に割って布で包み、その上で踊る、という危険極まりないパフォーマンスを僕らに披露してくれた。昔、似たようなことをして稼いでいたのだという。手を叩いて喜んだ元墓守の三人とフラワーは今、パフォーマンスの練習に明け暮れている。

一方で、フラワーのパフォーマンスに抵抗を感じたナクリーと僕は、パンヤ遺跡のガイドを考えている。一ドルと引き換えに、遺跡の案内を買って出る。カンボジア政府はパンヤ遺跡を観光地として整備しようとしている、という雨乞いの言葉を信じるなら、いずれ遺跡には観光客が溢れ、遺跡ガイドは立派な仕事になるはずだ。何より、僕には日本語が話せるという特技がある。

もっとも僕らには、働かないという道も残されている。ホームに入る、という選択肢だ。嫌われ者の雨乞いと仲良くしているせいか、単純に汚いせいか、スラム街でもすっかり嫌われている僕らを、ヨシコとエリザはしつこく訪ねてくる。実際に、ふたりに連れられてホームに行った仲間もいる。

コンだ。

あれだけホームを忌み嫌った少年は、エリザの手厚い看護に感じ入るものがあったらしい。

今ではエリザにべったり甘えて離れないのだとか。コンはペールで身体をこわしかけていたし、ホームで暮らす方がいい、と僕らも納得している。だけど、コンにかこつけて、僕らをホームに連れていこうとするヨシコには、うんざりしている。

ヨシコが説得しようとするのは、もっぱら僕だ。旅人は僕の正体を明かさなかったらしく、ヨシコは僕を、日本語がぺらぺらの珍しいカンボジア人だと思っているらしい。そのせいで、とにかくどんな話も僕にしてくる。説得はともかく、彼女のおかげで、僕は次第にカンボジアの現在というものを、ぼんやりとながら理解するようになった。

たとえば、雨乞いについても、一度だけ話してくれたことがある。僕らの仲間だけでなく、スラム街の人々からも嫌われているのは、どうしてなのか。赤い刺青には、どんな意味があるのか。部屋に飾られた写真の軍人は誰で、ゴーレム伝説を始めとした東欧の物語に精通しているのはなぜか。

そしてなぜ、彼は雨を乞うのか。

——昔、カンボジアには長い戦争の時代があったの。

いつも笑顔のヨシコが、そのときだけ悲しげに表情を歪めたのが、印象的だった。

——戦い合った人たちの一方は、赤い旗印を掲げていたのよ。

かつて雨乞いは、日本を訪れ、共産主義という思想を学んだ。その過程で、旧ソ連や東欧の知識にも精通していったらしい。カンボジアに帰国した雨乞いは、勇気と主義主張の体現として腕に刺青を入れ、戦争に参加した。その結果、一生消えない左腕の傷跡と、嫌われ者の烙印を負うことになった。戦争が終わっても、雨乞いの過去を知る大人たちの、戦争の象徴だった手首の赤い刺青への忌避は、消えることがなかった。次第にそれはひとり歩きして、やがて何も知らないストリートチルドレンの間でさえ、雨乞いは嫌われるようになった。そしてそんな状況の中で、老人は雨を乞うようになった。

それ以上の詳しい話をヨシコは語らず、僕も尋ねなかった。ヨシコは隠し事をしない女性だ。彼女が話さないのなら、話さないなりの理由があるのだろう。何より、ヨシコは今も変わらず雨乞いと付き合いを続けている。それだけで、僕には十分な気がする。

こうして、基本的には何でも教えてくれるヨシコが、もうひとつだけ口を閉ざすことがある。雨乞いの過去とは違い、話さないのではなく、わからない、とヨシコは言う。

空の行方は、誰も知らない。

死んでしまったのか、それともどこかで暮らしているのか。銃で撃たれた空が無事であるとは考えにくく、けれど一番恐れている、川から少年の死体が上がったという噂も、今のところ聞こえてこない。仲間の命を奪った殺人者であっても――それでも、彼には生きていてほしかった。

雨乞いによると、あれほどの大事故だったのに、橋の倒壊に巻き込まれた人は奇跡的にいなかったらしい。僕らも、膝をすりむいたり煉瓦の破片で手を切ったりしただけで、大きな怪我は負わなかった。

ただ、空ひとりが、神隠しにあったみたいに消えてしまった。

突然の音楽に、お祈りは中断させられる。唖然として目を開けた僕の前で、雨乞いがラジカセの音量を調節していた。骨董品みたいなカセットテープから流れてくるのは、意外にもロック・ミュージックだ。

遺跡の中に響き渡る場違いな音楽に、鳥が周囲の木々から驚いて飛び立つ。鮮やかな翼の色が、灰色の曇りぞらに彩りを添える。

「ほら、そんな静かなお祈りじゃ、皆寂しがるぞ」

葬式には音楽だ——とぼけた表情で、雨乞いは言う。

元墓守の少年たちが、はしゃいだ声を上げて、踊り始めた。退屈な合掌よりも、流行りの音楽の方が、やっぱり楽しいらしい。にわかクラブと化した中庭に、フラワーが加わった。下手くそな踊りを披露する三人の横で、フラワーは艶やかな舞いを踊る。

「まったく、楽しそうだな。雨にも構わず、自由に踊ってやがる」

僕の横に並んだ雨乞いが、満足げな表情で、フラワーたちを見やる。頷く僕に、雨乞いは目を細めた。

「たぶん、諦めていないからだろうな」

うらやましいよ、とつぶやく雨乞いを、僕は見上げる。

「雨乞いだって、諦めなかったじゃないか」

目元を流れる雨滴を、指で払う。

「雨は、降ったよ」

「ふん」

「雨乞いの祈りが届いたからかどうかは、わからないけど」

「わしのおかげに、決まっているだろう。雨を降らすのが、わしの仕事だからな」

「知ってるよ」

にやりと笑ってみせる僕に、雨乞いは鼻を鳴らす。

最初はためらいを見せていたナクリーが、意を決した様子で踊りの輪の中に加わった。赤い傘を、上下に動かす。彼女のステップに合わせて、長いスカートに描かれた睡蓮が、軽やかに揺れる。

「それにしても、Tシャツと木の枝で作った墓に、下手くそな踊りの祈りか」

てんでんばらばらに踊る五人の少年少女を、雨乞いはじっと見つめる。

「死んだ仲間の慰めになるのか、心もとないけれど」

「まったくだ。本式の葬式をやる僧が見たら、引っくり返るだろうな」雨乞いはカッカと笑った。「だが、これで良いのさ。気持ちがあればいい。それが、人を悼むってことだ」

そして一言、つけ加える。

「死んだ者を悼むのは、人間だけだろうな」

胸の中を、熱く冷たい感覚が、走り抜ける。

目がむずがゆくなって、慌てて僕は仲間の踊りに意識を集中させようとする。

「お前は、ずっとカンボジアにいるのか」

しばらく黙って踊りを眺めていたあと、雨乞いが不意に、僕に尋ねた。身体を強張らせる僕に構わず、質問を重ねる。

「日本には帰らないのか」

それは、四ヶ月前にカンボジアで暮らすようになってから、何度も自問し、そのたびに胸の奥底に沈めてきた問いだった。

日本での生活、小学校の友達、亡くなった母と弟、僕を売った父——様々な光景が、僕の脳裏に浮かんでは消える。

「——最近、いつも同じ夢を見るんだ」

僕は、頭上の雨雲に目を向ける。

「雨が降り始めて、世界がゆっくりと水底に沈んでしまう夢なんだ。夢の中では、ヴェニイも、ティアネンも、僕の家族も、皆が雨を降らす雲を見上げているんだ」

生きている仲間も、死んでしまった仲間も、日本での知り合いも、カンボジアでできた知り合いも、誰もが一堂に会して、雨を見つめている。

「水の量がどんどん増えて、溺れそうになったところで、目が覚める。それで、怖くなって横を向くと、仲間が眠りこけているんだ。僕はそこで、とてもほっとする」

雨乞いが、そっと僕を見下ろした。

「現実の仲間は、まだ雨に沈んではいないと思って、安心するんだ」

——雨が止まないもの。

——雨とは、涙なんだ。

「仲間が沈まないように願うことが、僕の今の仕事なんだ」

「そうか」

頷いた雨乞いは、不意に僕の背を叩く。骨ばった手の、思いのほか強い力に、僕は思わず目を閉じる。


僕らはストリートチルドレンと呼ばれている。

毎日、僕らは虫が湧いたごみ袋の中に手を突っ込み、売れそうなものを漁る。

黒は今でも、僕らを追い払う機会をうかがっている。街に住む人々は、僕らがいなくなることを願っている。雨乞いは変わらずスラム街の住人に嫌われ、ごみ山からは日々鼻が曲がりそうなにおいが漂ってくる。

僕らは知っている。現実は何ひとつ変わらず、変えられるという期待は、幻想に過ぎないことを知っている。

それでも。

ヨシコはホームのボランティアとして活動を続けている。

雨乞いは雨を乞い続けている。

ナクリーは相変わらず、いつでも傘をさしている。

僕らは、確かに生きている。

ヴェニイ、君という人間を、僕は憶えている。

変わらない現実の中で、たとえほんの短い時間でも、仲間が自由に笑える場所を作ることが、現実からの逃げ場を用意することが、僕にできることじゃないだろうか。

いずれまた、僕らは危難に見舞われるだろう。それは警官の襲撃かもしれない。病気かもしれない。仕事がなくなるということかもしれないし、ペールのせいかもしれない。

それでも僕は、仲間に笑いかけようと思う。

雨が降っていれば、空が笑っている。

僕が泣く必要は、きっとないのだ。


仲間のはしゃぎ声に、僕は目を開ける。肩を組んで、笑っている。少女が、軽やかに踊りながら、傘を宙に放る。木々の織りなす濃い緑色に、赤い傘が鮮やかに映える。

傘は緩やかな抛物線を描いて、ゆっくりと地面に落ちる。くるくると転がって、やがて止まる。持ち主の手放した傘は、それでもなお役割を果たそうとするかのように、道端の黄色い花を雨から守る。

僕は安心して、もう一度目を閉じる。

解説

吉田伸子

本書は二〇一〇年『叫びと祈り』でデビューされた梓崎優さんの二冊目の著作である。梓崎さん初の長編でもある本書は、第十六回大藪春彦賞受賞作でもある。

タイトルのリバーサイド・チルドレン、という響きに、どこか長閑《のどか》な印象を感じて本書を手に取った読者は、冒頭からその予想が半分裏切られるだろう。本書に登場する七人のリバーサイド・チルドレンは、いわゆるストリートチルドレンで、彼らが置かれている状況は長閑さとは真逆のものだからだ。けれども、彼らの日々が過酷な〝だけ〟であるかといえば、そうではない。半分、と書いたのはそのためだ。そして、その半分のなかに、作者である梓崎さんの祈りのようなものがある、と私は思う。

物語の舞台はカンボジア。川べりにある高床式の小屋は、「小さな空き地」に立っており、そこでは七人の少年たちが寝起きを共にしている。リーダー役であるヴェニイ、ヴェニイの兄のソム、仲間内から泣き虫と揶揄《やゆ》されるハヌル、大柄なティアネン、美少年のフラウェム（フラワー）、神経質なコン、そして日本人のミサキ。物語は、このミサキの視点で語られていく。彼らは、川を南下したところにある山＝巨大なごみ捨て場からごみを拾って暮らしている。ごみ山のポリ袋を裂いて開け、鉄くずや空き缶、ペットボトルやビニールを選り分けて集め、それを川下の回収業者のもとに運ぶのだ。換金してもらったわずかなお金で買う食料、それが「その日初めての食事」となる。

吐き気を催すような悪臭、ごみからの熱気。空きっ腹を抱えて行うその作業は、大人にとっても楽なものではないのは想像がつくのだが、そんな作業を「狩り」と呼ぶのはティアネンだ。換金できるごみは「エモノ」。こういう些細な描写に、彼らのタフさが垣間見えるところに、梓崎さんの本書への想いがある。

ただ、ティアネンは狩りの成果にもこだわるため、「エモノを狩れないやつは、役立たずだからな」と言い放ってしまう。そのティアネンの言葉に、思うように成果をあげられないミサキは肩身が狭く、心苦しく思う。そんなミサキに、ヴェニイは声をかける。自分が皆の迷惑になってると思ってるだろ、と。

「迷惑じゃないの？」と聞き返すミサキに、ヴェニイはあっさりと言う。「迷惑だよ」と。その言葉に絶句したミサキに、ヴェニイは言葉を重ねる。「ほら、驚いた顔をした。やっぱりわかってないな」「迷惑はかけるものなんだよ」と。

この言葉が、明日の食料にさえ困る日々を送る少年の口から出たことに、読んでいて泣きそうになる。ヴェニイは、ミサキに自身の親について語る。子どもたちにごみ拾いで稼がせた金でペールという接着剤を買わせ（ヴェニイの親はそれをドラッグのように使うのだ）、そのせいで何日も食えない日々が続いたこと。ひもじくて泣くヴェニイを殴ったこと。そんな時、自分を庇《かば》ってくれ、自分の代わりに殴られてくれたのが、兄であるソムだったこと。（殴られるのが）嫌じゃないのか、とソムに訊ねたら、「嫌なわけないだろう。だって俺はお前の兄貴じゃないか」と笑って答えたこと。

続けて、ヴェニイはミサキに言う。「俺はお前の兄貴だ」と。「お前も、ハヌルも、フラウェムも、コンも。お前らは皆、俺の弟みたいなもんだ。だから迷惑はかけられて当然。何が悪い」

就学はしていない。おそらく難しい文字は読めないだろうし、計算もおぼつかないかもしれない。でも、そんなヴェニイの口から発せられるこの言葉の、なんと眩しいことだろう。明日さえわからない暮らしを送っている、まだほんの子どもである彼の口から語られる、人が生きていくうえでの大事な、大事な核心。

このヴェニイがいるから、ミサキたちの日々は荒《すさ》んだものにならずにいた。どんなに貧しくても、傍目には哀れに映ろうとも、そこに暮らしているのは仲間であり、家族だったのだ。けれど、そんな日々は、突然終わりを告げる。ある朝、ヴェニイは死体となって川に浮かんでいた。

ヴェニイを殺したのは、ミサキたちが「黒」と呼んでいる警官だった。ヴェニイは舟を盗んだ罪で撃ち殺された。「黒」にとって、ヴェニイは「虫けら」であり、そんな「虫けら」の分際で善良な人間から舟を盗むという大罪を犯したために、「黒」は「人間である俺はいつでも、うるさい虫を始末していい」と吐き捨て、「人殺し」呼ばわりをしたティアネンまで手にかけようとする。フラワーの機転によってミサキたちは逃げ延びるが、その際、ティアネンは左の耳たぶを撃たれてしまう。

ヴェニイが殺されたことで、精神的な支柱を失ったミサキたちのグループは、ゆっくりと壊れていく。そんなミサキたちを更に追い詰めるかのように起こる、不可解な連続殺人事件。誰が？　何のために？　やがて、ミサキが辿り着いた真相とは――。

本書はミステリなので、犯人とその動機の謎、が読みどころの一つなのだが、そこに至るまでに描かれる、ミサキたち、ストリートチルドレンのドラマこそが、本書を支えている屋台骨である。

そのドラマの根底にあるのが、子どもたちそれぞれが抱える背景だ。まだ幼い、と言ってもいい彼らの行く立ては、読んでいて胸が締め付けられるほど。それは、ペール中毒の親元から逃げ出したヴェニイだけではない。ハヌルの親は金持ちではあったが、「ハヌルを苛《いじ》めた上に、路上に捨てた」。敵対するグループ「墓守」に属するナクリーという少女は、貧しい親に、たった五十ドルで売られた。仲間以外には自分が日本人であることを隠していたミサキのことをナクリーが見抜いたのは、売春宿の客に日本人が多かったからだ。フラワーは、その容姿に目を付けられ、性的な搾取《さくしゅ》を受けていた。

そして、ミサキ。どうして日本人であるミサキが、カンボジアでストリートチルドレンになったのか。日本では恵まれた暮らしをしていたミサキが、ずぶ濡れになってヴェニイに拾われることになったのは何故《なぜ》なのか。このミサキのくだりを読むと、苦い苦い塊を飲み込んだような気持ちになる。

けれども、きっと、世界には第二のヴェニイや、ミサキやナクリーが実在する。希望の光さえささないような日々を、受け入れることしかできない子どもたちがいるのだ。それも少なくない数の子どもたちが。今、こうしている瞬間、命を長らえる子どももいれば、生を終えざるをえない子どももいるはずだ。

もちろん、彼らに手を差し伸べようとする人々はいる。本書にもヨシコという女性が出てくる。ＮＧＯで働く、ストリートエデュケーターである彼女の仕事は、ストリートチルドレンを保護施設であるホームへと導くことだ。ティアネンとコンはホームから逃げたことがある、とフラワーはミサキに言う。どうして逃げたのか、と問うミサキへのフラワーの答えは、「そりゃあ、ホームは嫌なところだからさ。そうじゃなきゃ、僕らは皆ホームで生活していると思わない？」

ごみ拾いという危険な仕事をして得られる報酬の少なさを説き、ホームなら食事もできる、きれいな服を身につけられる、職業訓練も受けられる、と諭すヨシコに、ヴェニイは言う。「でも行かない」と。「だって、ホームには自由がないから」

このヴェニイの言葉に、はっとする。今の暮らしと比べたら、ホームは確実に安全で、安心を得られるが、それは自由を放棄することと引き換えなのだ。ミサキたちのグループが、貧しさの底にありながらも、心まで貧しくならずにいることができたのは、リーダーであるヴェニイの存在が大きかったことはもちろんだが、何よりも彼らが、彼らを搾取しようとする大人や社会から自由だったからだ。自由であることが、彼らにとっては真の安全、安心だったのだ。それは逆に言えば、彼らが本来なら庇護《ひご》されるべき大人たちにどれだけ傷つけられてきたかの証、でもある。

三度のご飯が食べたいだけ食べられて、清潔な服が着られて、過酷なごみ拾いなんてしなくていい。書き出してみれば素晴らしいことのように思えるホームでの生活は、けれど自由がない、というその一点で、彼らの魂を救えない。もちろん、ホームに救われる子どももいるし、数でいうならそちらのほうが多いだろう。でも、救われない子どももいることを、ヴェニイの言葉は気づかせてくれる。

と、ストリートチルドレンのドラマのほうにばかり文字を連ねてしまったが、ミサキが連続殺人事件の謎を推理していく様も読み応えは十分。そちらは実際に読んでいただくとして、ミサキと共に、事件を推理していく日本人の青年――事件の核心に近づいたミサキが監禁された部屋に、彼も監禁されていた――は、梓崎さんの前作『叫びと祈り』を読まれた読者なら「!」となるはず、とだけ書いておく。

この青年の的確なリードによって、ミサキは犯人を突き止める。その過程で語られる泥人形＝ゴーレムの話（第三章と第四章の間に「間奏　ある映画の話」として語られる）に対する青年の解釈や、ミサキが日々耳にしていたヴェニイの言葉に犯人につながるヒントがあるなど、その描写に梓崎さんの緻密さが光る。

ずしりと心に響く物語の最終章、ミサキたちに降り注ぐ雨は鎮魂のようでもあり、希望のようでもある。

本書は二〇一三年、小社より刊行された作品の文庫版です。

検 印
廃 止

著者紹介　1983年東京都生まれ。慶應義塾大学経済学部卒。2008年、「砂漠を走る船の道」で第5回ミステリーズ！新人賞を受賞。受賞作を第一話に据え連作化した『叫びと祈り』で本格的なデビューを果たし、2011年本屋大賞にノミネートされた。14年、初長編の本書で第16回大藪春彦賞を受賞。

リバーサイド・チルドレン

2021年8月31日　初版

著 者 梓《し》　崎《ざき》　優《ゆう》

発行所 （株）東京創元社
代表者 渋谷健太郎

162-0814／東京都新宿区新小川町1-5
電　話　03・3268・8231-営業部
　　　　03・3268・8204-編集部
URL　http://www.tsogen.co.jp
モリモト印刷・本間製本

乱丁・落丁本は、ご面倒ですが小社までご送付ください。送料小社負担にてお取替えいたします。

ISBN978-4-488-43212-6　C0193